D0409957

Dood als een vampier

Van Charlaine Harris zijn verschenen:

De Sookie Stackhouse romans
Zo goed als dood
Dood als een vampier

Charlaine Harris

Dood als een vampier

Een Sookie Stackhouse roman

LUITINGH FANTASY

An Ace Book / published by arrangement with the author

Oorspronkelijke titel: *Dead as a Doornail*
Vertaling: Jessica van Doremalen
Omslagontwerp: Nele Schütz Design, met dank aan DPS
Omslagillustratie: Nele Schütz Design

ISBN 978 90 245 3075 5
NUR 334

www.boekenwereld.com
www.dromen-demonen.nl
www.watleesjij.nu

Dit boek is opgedragen aan de fantastische vrouw die ik niet vaak genoeg zie. Janet Hutchings (eerst redactrice bij Walker, nu hoofdredactrice van Ellery Queen Mystery Magazine*) was moedig genoeg om me jaren geleden aan te nemen nadat ik een lang sabbatical had genomen van het schrijven. Ik wens haar alle geluk toe.*

1

IK WIST DAT MIJN BROER IN EEN PANTER ZOU VERanderen voordat hij het zelf wist. Terwijl ik naar de afgelegen kruispuntgemeenschap van Hotshot reed, keek mijn broer zwijgend naar de zonsondergang. Jason droeg oude kleren, en hij had een plastic Wal-Marttas met daarin een paar dingen die hij misschien nodig zou hebben – tandenborstel, schoon ondergoed. Hij zat ineengedoken in zijn dikke camouflagejas, en keek recht voor zich uit. Zijn gezicht stond strak van de behoefte zijn angst en opwinding te beheersen.

'Zit je gsm in je zak?' vroeg ik, en ik wist dat ik hem dat al had gevraagd zodra de woorden uit mijn mond waren. Maar Jason knikte slechts in plaats van naar me te snauwen. Het was nog middag, maar aan het einde van januari valt de duisternis vroeg in.

Vanavond zou de eerste vollemaan van het nieuwe jaar zijn.

Toen ik de auto stilzette, draaide Jason zich naar me om en keek me aan, en zelfs in het flauwe licht zag ik de verandering in zijn ogen. Ze waren niet langer blauw zoals die van mij. Ze waren geelachtig. Hun vorm was veranderd.

'Mijn gezicht voelt raar,' zei hij. Maar hij had nog steeds niet één en één bij elkaar opgeteld.

Het kleine Hotshot lag stil en roerloos in het tanende licht. Een koude wind blies over de kale vlakten, en de dennen en eiken rilden in de kille windvlagen. Er was slechts één man te zien. Hij stond buiten voor een van de huisjes, het huisje dat pas geschilderd was. De ogen van deze man waren gesloten, en zijn gebaarde gezicht was naar de donkerende lucht geheven. Calvin Norris wachtte tot Jason uit de passagiersdeur van mijn oude Nova klom voor hij kwam aanlopen en zich naar mijn raam boog. Ik draaide het naar beneden. Zijn geelgroene ogen waren zo opzienbarend als ik me herinnerde, en de rest van hem was net zo onopvallend. Gedrongen, grijzend, robuust; hij zag eruit als honderd andere mannen die ik in Café Merlotte had gezien, op die ogen na.

'Ik zal goed voor hem zorgen,' zei Calvin Norris. Achter hem stond Jason met zijn rug naar me toe. De lucht rondom mijn broer had een merkwaardige eigenschap; hij leek te vibreren.

Niets van dit was de schuld van Calvin Norris. Hij was niet degene geweest die mijn broer had gebeten en hem voor altijd had veranderd. Calvin, een weerpanter, was geboren zoals hij was; het was zijn aard. Ik dwong mezelf te zeggen: 'Dank je.'

'Ik zal hem in de ochtend thuisbrengen.'

'Naar mijn huis, graag. Zijn truck staat bij mij.'

'Goed dan. Een fijne avond.' Hij hief zijn gezicht weer

op naar de wind, en ik voelde dat de hele gemeenschap zat te wachten, achter hun ramen en deuren, tot ik zou vertrekken.

Dus dat deed ik.

Jason klopte de volgende ochtend om zeven uur op mijn deur. Hij had nog steeds zijn Wal-Mart-tasje, maar hij had niets erin gebruikt. Zijn gezicht vertoonde blauwe plekken, en zijn handen zaten vol krassen. Hij zei geen woord. Hij staarde me alleen maar aan toen ik vroeg hoe het met hem was, en liep door de kamer langs me heen naar de gang. Met een resolute klik sloot hij de deur naar de badkamer op de gang. Even later hoorde ik het water lopen, en ik slaakte een vermoeide zucht helemaal alleen voor mezelf. Hoewel ik naar mijn werk was gegaan en rond twee uur 's nachts moe was thuisgekomen, had ik niet veel slaap gehad.

Tegen de tijd dat Jason tevoorschijn kwam, had ik gebakken eieren met spek voor hem klaargemaakt. Hij ging met een uitdrukking van genoegen aan de oude keukentafel zitten: een man die iets vertrouwds en aangenaams doet. Maar na een seconde naar zijn bord gestaard te hebben, sprong hij op en rende terug naar de badkamer terwijl hij de deur achter zich dicht trapte. Ik hoorde hem overgeven, keer op keer.

Ik stond machteloos buiten de deur, wetende dat hij niet zou willen dat ik binnenkwam. Na een ogenblik ging ik terug naar de keuken om het eten in de vuilnisbak te kwakken, me schamend over de verspilling, maar onmogelijk in staat mezelf tot eten te dwingen.

Toen Jason terugkwam, zei hij alleen: 'Koffie?' Hij zag nog wit om de neus, en hij liep alsof hij pijn had.

'Gaat het met je?' vroeg ik, niet zeker of hij in staat was te antwoorden of niet. Ik schonk de koffie in een beker.

'Ja,' zei hij na een ogenblik, alsof hij erover na had moeten denken. 'Dat was de meest ongelooflijke ervaring van mijn leven.'

Even dacht ik dat hij overgeven in mijn badkamer bedoelde, maar dat was zeker geen nieuwe ervaring voor Jason. Hij was een stevige drinker geweest in zijn tienerjaren, tot hij erachter was gekomen dat het niets charmants of aantrekkelijks had om boven een toiletpot te hangen en je ingewanden uit te kotsen.

'Transformeren,' zei ik aarzelend.

Hij knikte, terwijl hij zijn koffiebeker in zijn handen koesterde. Hij hield zijn gezicht boven de damp die oprees van de hete, sterke zwartheid. Hij ving mijn blik op. Zijn ogen waren weer hun gebruikelijke blauw. 'Het is de meest ongelooflijke roes,' zei hij. 'Omdat ik ben gebeten, niet geboren, word ik geen echte panter zoals de anderen.'

Ik kon afgunst in zijn stem horen.

'Maar zelfs wat ik word is verbazingwekkend. Je voelt de magie in je, en je voelt hoe je botten zich bewegen en aanpassen, en je gezichtsvermogen verandert. Daarna ben je dichter bij de grond en loop je op een heel andere manier, en wat betreft rennen, allejezus, je kan rénnen. Je kan jagen...' En zijn stem stierf weg.

Ik wilde dat gedeelte trouwens toch liever niet weten.

'Dus het valt wel mee?' vroeg ik, mijn handen ineengevouwen. Jason was de enige familie die ik had, behalve een neef die jaren geleden geleidelijk aan was verdwenen in de onderwereld van drugs.

'Het valt wel mee,' stemde Jason in, en hij schraapte voor mij een lachje bij elkaar. 'Het is fantastisch wanneer je echt het beest bent. Alles is zo simpel. Maar zodra je weer mens bent, begin je je over van alles zorgen te maken.'

Hij had geen zelfmoordneigingen. Hij was niet eens zwaarmoedig. Ik had niet in de gaten dat ik mijn adem had zitten inhouden tot ik hem weer uitblies. Jason was in staat te leven met de kaart die hem was toebedeeld. Het kwam wel goed met hem.

De opluchting was enorm, alsof ik iets had verwijderd wat pijnlijk klem zat tussen mijn tanden of een scherpe steen uit mijn schoen had geschud. Dagen, zelfs weken, had ik me zorgen gemaakt, en nu was die angst verdwenen. Dat betekende niet dat Jasons leven als vormveranderaar vrij van zorgen zou zijn, van mij uit gezien althans. Als hij met een gewone menselijke vrouw trouwde, zouden hun kinderen normaal zijn. Maar als hij binnen de veranderaargemeenschap van Hotshot trouwde, zou ik nichtjes of neefjes krijgen die eens per maand in een dier veranderden. Na de puberteit tenminste; dat zou hun, en hun tante Sookie, wat voorbereidingstijd geven.

Gelukkig voor Jason had hij meer dan genoeg vakantiedagen, dus hij werd niet verwacht bij het departement voor provinciale wegen. Maar ik moest vanavond werken. Zodra Jason in zijn opzichtige pick-uptruck was vertrokken, kroop ik terug in bed, met spijkerbroek en al, en binnen ongeveer vijf minuten lag ik in een diepe slaap. De opluchting werkte als een soort verdovingsmiddel.

Toen ik wakker werd, was het bijna drie uur en tijd voor mij om me klaar te gaan maken voor mijn dienst bij Merlotte. De zon buiten was helder en fel, en de temperatuur was elf graden, zei mijn binnen-buitenthermometer. Dat is niet zo ongewoon in Noord-Louisiana in januari. De temperatuur zou gaan dalen nadat de zon onderging, en Jason zou veranderen. Maar hij zou enigszins een pels hebben – geen volle vacht, aangezien hij in een halfmens-halfkat veranderde – en hij zou met andere panters zijn. Ze zouden gaan jagen. De bossen rondom Hotshot, dat in een afgelegen hoek van Provincie Renard lag, zouden vannacht weer gevaarlijk zijn.

Tijdens het eten, het douchen, het vouwen van de was, dacht ik aan een heleboel dingen die ik graag wilde weten. Ik vroeg me af of de veranderaars een mens zouden doden als ze er een tegenkwamen in de bossen. Ik vroeg me af hoeveel ze in hun dierlijke vorm van hun menselijk bewustzijn behielden. Als ze paarden in pantervorm, zouden ze dan een poesje of een baby krijgen? Wat gebeurde er wanneer een zwangere weerpanter de vollemaan zag? Ik vroeg me af of Jason inmiddels het antwoord wist op al deze vragen, of Calvin hem een soort briefing had gegeven.

Maar ik was blij dat ik Jason vanochtend niet had uitgehoord terwijl alles nog zo nieuw voor hem is. Ik zou later kansen genoeg krijgen om hem dingen te vragen. Voor de eerste keer sinds nieuwjaarsdag dacht ik aan de toekomst. Het vollemaanssymbool op mijn kalender leek niet langer een tijdsaanduiding van het einde van iets, maar slechts een andere manier om de tijd af te tellen. Terwijl ik mijn serveerstersoutfit aantrok (zwarte broek en een wit T-shirt met boothals en zwarte Reeboks), voelde ik me bijna duizelig van vrolijkheid. Voor deze keer liet ik mijn haar loshangen in plaats van het naar achter en omhoog te trekken in een paardenstaart. Ik deed een paar felrode oorknoppen in en bracht een bijpassende kleur lippenstift aan. Wat oogmake-up en een beetje rouge, en klaar was kees.

Ik had gisteravond aan de achterkant van het huis geparkeerd, en ik controleerde zorgvuldig de achterveranda om er zeker van te zijn dat er geen vampiers op de loer lagen voordat ik de achterdeur achter me dichttrok en op slot deed. Ik was al eens eerder overrompeld, en dat was geen prettig gevoel. Hoewel het nauwelijks donker was, hingen er misschien enkele vroege vogels rond. Waarschijnlijk het laatste wat de Japanners hadden verwacht toen ze synthetisch bloed hadden ontwikkeld, was dat de beschikbaarheid ervan vampiers uit het rijk der legendes zou halen en in het licht van de werkelijkheid zou brengen. De Japanners hadden alleen geprobeerd een paar centen te verdienen door de bloedvervanger te venten bij ambulancebedrijven en de eerstehulpafdeling van ziekenhuizen. In plaats daarvan was de manier waarop we naar de wereld keken voor altijd veranderd.

Over vampiers gesproken (al was het alleen maar tegen mezelf), ik vroeg me af of Bill Compton thuis was. Vampier Bill was mijn eerste liefde geweest, en hij woonde recht tegenover mij, aan de andere kant van het kerkhof. Onze huizen lagen aan een provinciale weg buiten het dorpje van Bon Temps en ten zuiden van het café waar ik werkte. De laatste tijd had Bill nogal veel gereisd. Ik kwam er alleen achter of hij thuis was als hij toevallig Merlotte binnenkwam, wat hij af en toe deed om zich onder de autochtonen te begeven en wat warm 0-positief te drinken. Hij gaf de voorkeur aan TrueBlood, het duurste Japanse synthetische goedje. Hij had tegen me gezegd dat het bijna volledig zijn verlangens naar bloed vers van de bron bevredigde. Sinds ik Bill een aanval van bloedlust had zien hebben, kon ik God alleen maar danken voor TrueBlood. Soms miste ik Bill ontzettend.

Ik schudde mezelf mentaal door elkaar. Uit een inzinking breken, daar ging het vandaag allemaal om. Geen zorgen meer! Geen angst meer! Vrij en zesentwintig! Met een baan! Huis afbetaald! Geld op de bank! Dit waren allemaal goede, positieve dingen.

De parkeerplaats stond vol toen ik bij het café aankwam. Ik kon zien dat ik het vanavond druk zou hebben. Ik reed achterom naar de personeelsingang. Sam Merlotte, de eigenaar en mijn baas, woonde erachter in een erg mooie woonwagen die zelfs een tuintje had met een heg eromheen, Sams equivalent van een wit houten hekje. Ik deed mijn auto op slot en ging door de personeelsachterdeur, die uitkwam op de gang met aan weerszijden het heren- en damestoilet, een grote opslagkamer, en Sams kantoor. Ik propte mijn tas en jas in een lege bureaula, trok mijn rode sokken op, schudde mijn hoofd zodat mijn haar recht hing, en ging door de deuropening (deze deur werd bijna altijd opengehouden) die naar de grote zaal van het café-restaurant leidde. Niet dat de keuken iets anders dan de meest eenvoudige kost produceerde: hamburgers, kipreepjes, friet en uienringen, salades in de zomer en chili in de winter.

Sam was de barman, de uitsmijter, en bij tijd en wijle de kok, maar de laatste tijd hadden we geluk dat we onze vacatures gevuld kregen: Sams seizoensgevoelige allergieën hadden hem zwaar getroffen, wat hem niet bepaald ideaal maakte om met voedsel te werken. De nieuwe kokkin was op komen dagen als antwoord op Sams advertentie van nog maar de week ervoor. Koks schenen het niet lang uit te houden bij Merlotte, maar ik hoopte dat Sweetie Des Arts een poosje zou blijven hangen. Ze kwam op tijd, deed haar werk goed, en bezorgde de rest van het personeel nooit problemen. Heus, dat is alles wat je je maar kon wensen. Onze laatste kok had mijn vriendin Arlene de hevige hoop gegeven dat hij De Ware zou zijn – in dit geval zou hij de vierde of vijfde Ware zijn geweest – voor hij zich uit de voeten had gemaakt met haar borden en vorken en een cd-speler. Haar kinderen waren diepbedroefd geweest; niet omdat ze van die kerel hadden gehouden, maar omdat ze hun cd-speler misten.

Ik liep door een muur van lawaai en sigarettenrook, waardoor het leek alsof ik een ander universum in liep. De rokers zitten allemaal aan de westkant van de kamer, maar de rook schijnt niet te weten dat hij daar moet blijven. Ik toverde een glimlach op mijn gezicht en stapte achter de bar om Sam een klopje op zijn arm te geven. Nadat hij vakkundig een glas had gevuld met bier en het naar een klant had geschoven, zette hij nog een glas onder de tap en deed de handeling nog eens helemaal over.

'Hoe gaat-ie?' vroeg Sam voorzichtig. Hij was volledig op de hoogte van Jasons problemen, want hij was bij mij geweest de nacht dat ik Jason had gevonden terwijl hij gevangen werd gehouden in een gereedschapsschuurtje in Hotshot. Maar we moesten in bedekte termen spreken; vampiers waren in het openbaar getreden, maar vormveranderaars en Weers waren nog steeds in mysteries gehuld. De onderwereld van bovennatuurlijke wezens wachtte af om te zien hoe het de vampiers verging voordat ze het vampiervoorbeeld volgden en zich bekendmaakten.

'Beter dan ik had verwacht.' Ik lachte naar hem omhoog, maar niet te hoog, want Sam is geen grote man. Hij is mager gebouwd, maar hij is veel sterker dan hij lijkt. Sam is in de dertig – dat vermoed ik althans – en hij heeft rossig goud haar dat een aureool om zijn hoofd vormt. Hij is een aardige man, en een fantastische baas. Hij is ook een vormveranderaar, dus hij kan in elk dier veranderen. Het vaakst verandert Sam in een erg schattige collie met een prachtige vacht. Soms komt hij naar mijn huis en dan laat ik hem op het kleed in de woonkamer slapen. 'Het komt wel goed met hem.'

'Daar ben ik blij om,' zei hij. Ik kan de gedachten van veranderaars niet zo makkelijk lezen als menselijke gedachten, maar ik kan zien of een stemming echt is of niet. Sam was blij omdat ik blij was.

'Wanneer vertrek je?' vroeg ik. Hij had die dromerige blik in zijn ogen, de blik die zei dat hij in gedachten door de bossen aan het rennen was, en het spoor van buidelratten volgde.

'Zo gauw Terry komt.' Hij lachte weer naar me, maar deze keer was de lach wat gespannen. Sam begon ongedurig te worden.

De deur naar de keuken bevond zich net buiten het bargedeelte aan de westkant, en ik stak mijn hoofd om de deur om hallo te zeggen tegen Sweetie. Sweetie was mager, had donker haar en was rond de veertig, en ze droeg nogal wat make-up voor iemand die uit het zicht in de keuken zou zijn de hele avond. Ze leek ook wat scherpzinniger, misschien beter opgeleid, dan alle vorige snelbuffetkoks van Merlotte.

'Gaat 't goed met je, Sookie?' riep ze, terwijl ze onder het praten een hamburger omdraaide. Sweetie was constant in beweging in de keuken, en ze hield er niet van als iemand haar in de weg stond. De tiener die haar hielp en de tafels afruimde, was vreselijk bang voor Sweetie en zorgde ervoor dat hij opzij sprong wanneer ze zich van bakplaat naar braadpan bewoog. Deze tienerjongen zette de borden klaar, maakte de salades, en liep naar het loket om de serveersters te vertellen welke bestelling klaarstond. Daarbuiten op de vloer waren Holly Cleary en haar beste vriendin, Danielle, hard aan het werk. Ze hadden er allebei opgelucht uitgezien toen ze me binnen hadden zien komen. Danielle deed de rookafdeling aan de westkant, Holly deed meestal het middengedeelte voor de bar, en ik deed de oostkant als we met zijn drieën werkten.

'Ik moest maar eens opschieten, geloof ik,' zei ik tegen Sweetie.

Ze wierp me een snelle glimlach toe en draaide zich weer om naar de bakplaat. De benauwde tiener, van wie ik de naam nog moest horen, gaf me een ineengedoken hoofdknik en ging weer verder met het inladen van de afwasmachine.

Ik wilde dat Sam me had gebeld voordat het zo druk was geworden; ik had het niet erg gevonden om wat eerder te komen. Uiteraard was hij niet helemaal zichzelf vanavond. Ik begon de tafels in mijn gedeelte te controleren;

ik bracht nieuwe drankjes en ruimde voedselmandjes weg, incasseerde geld en gaf wisselgeld.

'Barmeid! Breng me een Red Stuff!' De stem klonk onbekend, en de bestelling was ongewoon. Red Stuff was het allergoedkoopste kunstbloed, en alleen de nieuwste vampiers vroegen erom. Ik pakte een fles uit de koelkast met de doorzichtige voorkant en stopte hem in de magnetron. Terwijl hij werd opgewarmd, speurde ik de menigte af naar de vampier. Hij zat bij mijn vriendin Tara Thornton. Ik had hem nooit eerder gezien, wat verontrustend was. Tara had iets gehad met een oudere vampier (veel ouder: Franklin Mott was ouder geweest in menselijke jaren dan Tara voor hij stierf, en hij was al meer dan driehonderd jaar vampier), en hij had haar overdadige geschenken gegeven – zoals een Camaro. Wat deed ze met die nieuwe gozer? Franklin had tenminste nette manieren.

Ik zette de warme fles op een dienblad en bracht hem naar het stel toe. De verlichting in Merlotte is 's avonds niet bepaald fel, zo hebben klanten het graag, en pas toen ik redelijk vlakbij was gekomen, kon ik Tara's metgezel bewonderen. Hij was slank en had smalle schouders met glad achterovergekamd haar. Hij had lange vingernagels en een scherp gezicht. Ik vond dat hij, op een bepaalde manier, aantrekkelijk was – als je houdt van een royale dosis gevaar bij de seks.

Ik zette de fles voor hem neer en wierp een twijfelachtige blik op Tara. Ze zag er fantastisch uit, zoals gewoonlijk. Tara is lang, slank, en donkerharig, en ze heeft een kledingkast vol prachtige kleren. Ze was een echt afschuwelijke jeugd te boven gekomen en had inmiddels een eigen zaak en was zelfs ingeschreven bij de Kamer van Koophandel. Vervolgens kreeg ze wat met de rijke vampier, Franklin Mott, en maakte ik geen deel meer uit van haar leven.

'Sookie,' zei ze, 'ik wil je voorstellen aan Franklins

vriend, Mickey.' Ze klonk niet alsof ze ons aan elkaar wilde voorstellen. Ze klonk alsof ze wenste dat ik nooit naar hen toe was gekomen met Mickeys drankje. Haar eigen glas was bijna leeg, maar ze zei 'Nee' toen ik haar vroeg of ze er nog een wilde.

Ik wisselde een knikje met de vampier uit; ze schudden normaal gesproken geen handen. Hij zat me te bekijken terwijl hij een slok nam van het ingemaakte bloed, zijn ogen zo kil en vijandig als die van een slang. Als hij een vriend was van de ultrahoffelijke Franklin, dan was ik een zijden tasje. Ingehuurde kracht, kun je beter zeggen. Een bodyguard misschien? Waarom zou Franklin Tara een bodyguard geven?

Ze ging het er natuurlijk niet openlijk over hebben met deze slijmbal erbij, dus ik zei: 'Tot straks', en nam Mickeys geld mee naar de kassa.

Ik had het de hele avond druk, maar op de vrije momenten die ik had, dacht ik aan mijn broer. Al de tweede nacht was hij buiten aan het ronddartelen onder de maan met de andere beestjes. Sam was er als een speer vandoor gegaan zodra Terry Bellefleur arriveerde, hoewel zijn kantoorprullenmand vol verfrommelde zakdoekjes lag. Zijn gezicht had gespannen gestaan bij het vooruitzicht.

Het was zo'n avond waarop ik me afvroeg hoe het kon dat de mensen geen besef hadden van de andere wereld die pal naast de onze actief was. Alleen opzettelijke onwetendheid kon de magische lading in de lucht negeren. Alleen een groepsgebrek aan verbeelding kon verklaren waarom mensen zich niet afvroegen wat zich afspeelde in de duisternis om hen heen.

Maar nog niet zo lang geleden, herinnerde ik mezelf eraan, was ik net zo opzettelijk blind geweest als wie dan ook van de menigte in Merlotte. Zelfs toen de vampiers hun zorgvuldig gecoördineerde wereldwijde bekendmaking hadden gedaan dat hun bestaan een feit was, schenen maar weinig overheidsinstanties of burgers de volgende mentale stap te nemen: *als er vampiers bestonden, wat kon er dan nog meer sluimeren net buiten de rand van het licht?*

Uit nieuwsgierigheid begon ik te vissen in de hoofden om me heen, om te kijken of ik hun angsten kon zien. De meesten van de mensen in het café dachten aan Mickey. De vrouwen, en sommigen van de mannen, vroegen zich af hoe het zou zijn om met hem te zijn. Zelfs de aartsconservatieve advocate Portia Bellefleur loerde langs haar behoudende *beau* om Mickey te bestuderen. Ik kon me alleen maar verwonderen over deze overpeinzingen. Mickey was angstaanjagend. Dat deed alle lichamelijke aantrekkingskracht teniet die ik anders misschien ten opzichte van hem had gevoeld. Maar ik had heel wat bewijs dat de andere mensen in het café er niet hetzelfde over dachten.

Ik kan mijn hele leven al gedachten lezen. Dat talent is geen fantastische gave. De meeste gedachten van mensen zijn niet voor lezing geschikt. Hun gedachten zijn saai, walgelijk, ontgoochelend, maar zeer zelden vermakelijk. Bill had me tenminste geholpen om een gedeelte van het geroezemoes uit te leren schakelen. Voordat hij me een paar aanwijzingen had gegeven, was het net alsof je afstemde op honderd radiozenders tegelijk. Sommige ervan waren kristalhelder geweest, sommige ver weg, en sommige, net als de gedachten van vormveranderaars, vol luchtstoringen en onduidelijkheden. Maar bij elkaar opgeteld hadden ze een kakofonie gevormd. Geen wonder dat veel mensen me als een halvegare hadden beschouwd.

Vampiers waren stil. Dat was het mooie aan vamps, van mij uit gezien althans: ze waren dood. Hun brein was ook dood. Slechts eens in de zoveel tijd kreeg ik een bepaalde flits door van het brein van een vampier.

Shirley Hunter, mijn broers baas bij Provinciaal Wegbeheer, vroeg me waar Jason was toen ik een bierpul naar zijn tafel bracht. Shirley stond algemeen bekend als 'Catfish'.

'Als jij het weet, weet ik het ook,' zei ik leugenachtig, en hij knipoogde naar me. De eerste aanwijzing wat betreft Jasons verblijfplaats, betrof altijd een vrouw, en de tweede aanwijzing behelsde gewoonlijk een andere vrouw. De tafel vol mannen, nog steeds in hun werkkleren, lachte meer dan het antwoord billijkte, maar ze hadden dan ook heel wat bier op.

Ik holde terug naar de bar om drie bourbon-cola te halen bij Terry Bellefleur, Portia's neef, die onder druk werkte. Terry, een Vietnamveteraan met een heleboel fysieke en emotionele littekens, scheen zich goed staande te houden op deze drukke avond. Hij hield van eenvoudige klusjes die concentratie vergden. Zijn grijzende, kastanjebruine haar was naar achter getrokken in een paardenstaart en zijn gezicht stond ingespannen terwijl hij met de flessen bezig was. De drankjes stonden in een mum van tijd klaar, en Terry lachte naar me toen ik ze op mijn dienblad zette. Een lach van Terry was iets zeldzaams, en ik werd er warm van.

Net toen ik me met mijn dienblad steunend op mijn rechterhand omdraaide, brak er herrie uit. Een Louisiana Tech-student uit Ruston belandde in een een-op-eenklassenstrijd met Jeff LaBeff, een *redneck* die veel kinderen had en min of meer de kost verdiende met het besturen van een vuilniswagen. Misschien was het gewoon een geval van twee koppige kerels die met elkaar in botsing kwamen en had het niet echt wat te maken met 'volk versus studenten' (niet dat we zo dicht bij Ruston zaten). Wat de reden voor de oorspronkelijke twist ook was, het duurde even voordat ik besefte dat de ruzie meer zou worden dan een scheldpartij.

In die paar seconden probeerde Terry tussenbeide te

komen. Hij kwam snel in beweging en ging tussen Jeff en de student in staan en greep allebei hun polsen stevig vast. Ik dacht even dat het zou werken, maar Terry was niet zo jong of actief meer als hij was geweest, en de hel brak los.

'Jij kunt hier een eind aan maken,' zei ik woedend tegen Mickey toen ik me langs zijn en Tara's tafel haastte op weg om vrede te proberen te sluiten.

Hij zat achterover in zijn stoel en nipte van zijn drankje. 'Niet mijn taak,' zei hij kalm.

Dat snapte ik, maar dat maakte de vampier niet geliefd bij mij, vooral toen de student zich snel omdraaide en naar mij uithaalde toen ik hem van achteren naderde. Hij miste, en ik sloeg hem op het hoofd met mijn dienblad. Hij wankelde naar één kant, misschien een beetje bloedend, en Terry kon Jeff LaBeff in bedwang houden, die een excuus zocht om ermee te kappen.

Zulk soort incidenten kwam de laatste tijd steeds vaker voor, vooral als Sam weg was. Het was voor mij duidelijk dat we een uitsmijter nodig hadden, tenminste op weekendavonden... en vollemaansavonden.

De student dreigde met een aanklacht.

'Hoe heet je?' vroeg ik.

'Mark Duffy,' zei de jongeman terwijl hij zijn hoofd stevig vasthield.

'Mark, waar kom je vandaan?'

'Minden.'

Ik maakte een snelle evaluatie van zijn kleren, zijn manier van doen, en de inhoud van zijn hoofd. 'Ik zal met plezier je ma bellen om haar te vertellen dat je naar een vrouw uithaalde,' zei ik. Hij verbleekte en zei niets meer over een aanklacht, en hij en zijn maatjes vertrokken snel daarna. Het helpt altijd om te weten wat de effectiefste bedreiging is.

We dwongen Jeff ook te vertrekken.

Terry nam zijn plek achter de bar weer in en begon drankjes te schenken, maar hij hinkte een beetje en had een gespannen uitdrukking op zijn gezicht, wat me zorgen baarde. Terry's ervaringen hadden hem niet bepaald stabiel achtergelaten. Ik had genoeg problemen gehad voor één avond.

Maar natuurlijk was de avond nog niet voorbij.

Ongeveer een uur na de ruzie, kwam er een vrouw binnen bij Merlotte. Ze was alledaags en eenvoudig gekleed in een oude spijkerbroek en een camouflagejas. Ze droeg laarzen die prachtig waren geweest toen ze nieuw waren, maar dat was lang geleden. Ze had geen tas bij zich, en ze had haar handen in haar zakken gestoken.

Er waren verschillende aanwijzingen die mijn mentale antenne deden trillen. Ten eerste zag deze griet er niet gepast uit. Een vrouw uit de buurt zou zich misschien zo kleden als ze ging jagen of werk op de boerderij deed, maar niet als ze naar Merlotte ging. Voor een avondje uit in het café doften de meeste vrouwen zich op. Dus deze vrouw was aan het werk, maar ze was geen hoer volgens dezelfde redenering.

Dat betekende drugs.

Om het café te beschermen tijdens Sams afwezigheid, stemde ik me af op haar gedachten. Mensen denken natuurlijk niet in hele zinnen, en ik strijk het wat glad, maar wat er door haar hoofd ging, verliep in de trant van: *Drie flesjes over bijna oud kracht neemt af moet 't vanavond verkopen zodat ik terug kan naar Baton Rouge om meer te kopen. Vampier in het café als hij me betrapt met vampbloed ben ik er geweest. Dit dorp is een gat. Terug naar de stad zo gauw ik kan.*

Ze was een Uitzuiger, of misschien was ze alleen een distributeur. Vampierbloed was de meest bedwelmende drug op de markt, maar vampiers stonden het natuurlijk niet vrijwillig af. Een vampier uitzuigen was een hachelijk beroep, dat de prijzen van de minuscule flesjes opdreef tot verbazingwekkende bedragen.

Wat kreeg de drugsgebruiker terug voor het uitgeven van een hoop geld? Afhankelijk van hoe oud het bloed is – dat wil zeggen, de tijd sinds het was weggenomen van zijn eigenaar – en de leeftijd van de vampier van wie het bloed was weggenomen, en de individuele chemische eigenschappen van de drugsgebruiker, kon dat heel wat zijn. Er bestond het gevoel van almacht, de toegenomen kracht, het scherpe gezichtsvermogen en gehoor. En het belangrijkst van al voor Amerikanen: een fraaiere fysieke verschijning.

Desondanks dronk alleen een idioot vampierbloed van de zwarte markt. Om te beginnen waren de gevolgen berucht om hun onvoorspelbaarheid. Niet alleen varieerden de effecten, maar die effecten konden tussen de twee weken en twee maanden duren. Ten tweede werden sommige mensen gewoon krankzinnig als het bloed in hun lichaam kwam – soms krankzinnig met zelfmoordneigingen. Ik had van dealers gehoord die varkensbloed of besmet menselijk bloed verkochten aan onnozele gebruikers. Maar de belangrijkste reden om de zwarte markt in vampbloed te vermijden was deze: vampiers haatten Uitzuigers, en ze haatten de gebruikers van het uitgezogen bloed (algemeen bekend als bloedkoppen). Je wilt echt niet dat een vampier kwaad op je is.

Er waren die avond geen politieagenten buiten dienst in Merlotte. Sam was buiten ergens met zijn staart aan het kwispelen. Ik had er een hekel aan om Terry te waarschuwen, want ik wist niet hoe hij zou reageren. Ik moest wat aan die vrouw doen.

Eerlijk, ik probeer me niet te mengen in een geval als mijn enige connectie uit mijn telepathie bestaat. Als ik me elke keer bemoeide met iets wat ik te weten was gekomen dat de levens om mij heen zou treffen (zoals de wetenschap dat de gemeenteklerk geld verduisterde, of dat een van de plaatselijke rechercheurs smeergeld aannam), zou ik geen leven hebben in Bon Temps, en dat was mijn thuis. Maar ik kon niet toestaan dat deze schriele vrouw haar vergif in Sams café verkocht.

Ze ging boven op een lege barkruk zitten en bestelde een biertje bij Terry. Zijn blik bleef op haar rusten. Terry besefte ook dat er iets niet klopte aan de vreemdelinge.

Ik kwam mijn volgende bestelling oppikken en ging naast haar staan. Ze had een bad nodig, en ze was in een huis geweest dat verwarmd werd door een met hout gestookte haard. Ik dwong mezelf haar aan te raken, wat altijd mijn ontvangst verbeterde. Waar was het bloed? Het zat in haar jaszak. Mooi.

Zonder te aarzelen, dumpte ik een glas wijn over haar voorkant.

'Verdomme!' zei ze, terwijl ze van de kruk afsprong en vergeefs op haar borst klopte. 'Je bent het lompste wijf dat ik ooit heb gezien!'

'Het spijt me,' zei ik kruiperig, terwijl ik mijn dienblad op de bar zette en Terry vluchtig in de ogen keek. 'Laat me er wat zout op doen.' Zonder op haar toestemming te wachten, trok ik haar jas langs haar armen omlaag. Toen ze begreep wat ik aan het doen was en begon te worstelen, had ik de jas al in mijn handen. Ik gooide hem over de bar naar Terry. 'Doe er wat zout op, alsjeblieft,' zei ik. 'Controleer of het spul in haar jas niet ook nat is geworden.' Ik had deze truc al eerder gebruikt. Ik bofte dat het koud weer was en dat ze het spul in haar jas had zitten, en niet in de zak van haar spijkerbroek. Dat zou mijn vindingrijkheid zwaar op de proef hebben gesteld.

Onder de jas droeg de vrouw een zeer oud T-shirt van

de Dallas Cowboys. Ze begon te rillen, en ik vroeg me af of ze de meer conventionele drugs had geprobeerd. Met veel heisa klopte Terry het zout op de wijnvlek. Hij volgde mijn hint op en groef in de zakken. Hij keek met afkeer omlaag naar zijn hand, en ik hoorde gerinkel toen hij de flesjes in de vuilnisbak achter de bar gooide. Hij stopte de rest terug in haar zakken.

Ze had haar mond geopend om naar Terry te schreeuwen, maar besefte toen dat ze dat echt niet kon doen. Terry staarde haar openlijk aan, haar uitdagend het bloed te noemen. De mensen om ons heen keken belangstellend toe. Ze wisten dat er iets aan de hand was, maar niet wat, want het hele gebeuren was heel gauw voorbij. Toen Terry er zeker van was dat ze niet begon te gillen, overhandigde hij me de jas. Terwijl ik hem vasthield zodat ze haar armen erin kon laten glijden, zei Terry tegen haar: 'En je komt hier niet meer terug.'

Als we mensen er in dit tempo bleven uitgooien, zouden we niet veel klanten overhouden.

'Verdomde redneck,' zei ze. De menigte om ons heen ademde gezamenlijk in. (Terry was bijna net zo onvoorspelbaar als een bloedkop.)

'Kan me niet schelen hoe je me noemt,' zei hij. 'Ik geloof dat een belediging van jou helemaal geen belediging is. Blijf weg, jij.' Ik stootte een lange zucht van verlichting uit.

Ze baande zich al duwend een weg door de massa. Iedereen in de ruimte hield haar terwijl ze naar de deur liep in de gaten, zelfs Mickey de vampier. Hij deed bovendien iets met een apparaat in zijn handen. Het leek op zo'n gsm waarmee je een foto kunt maken. Ik vroeg me af naar wie hij hem stuurde. Ik vroeg me af of ze thuis zou komen.

Terry vroeg nadrukkelijk niet hoe ik had geweten dat de sjofele vrouw iets illegaals in haar zakken had. Dat was nog zoiets raars aan de mensen van Bon Temps. Er werden praatjes over me rondgestrooid al zo lang ik me kon herinneren, vanaf dat ik klein was en mijn ouwelui een heel legertje geestelijke gezondheidsspecialisten met mij afliepen. En toch, ondanks het bewijs waarover ze beschikten, beschouwde bijna iedereen me liever als een domme en merkwaardige jonge vrouw dan dat ze mijn ongewone gave erkenden. Natuurlijk keek ik er wel voor uit om het aan de grote klok te hangen. Ik hield mijn mond dicht.

Terry worstelde trouwens met zijn eigen demonen. Hij leefde van een soort overheidspensioen, en 's ochtends vroeg maakte hij Merlotte schoon, naast nog een paar andere zakenpanden. Hij viel drie of vier keer per maand voor Sam in. De rest van zijn tijd had hij voor zichzelf, en niemand scheen te weten wat hij ermee deed. Met mensen omgaan, putte Terry uit, en avonden zoals vanavond waren gewoonweg niet goed voor hem.

Het was een geluk dat hij de volgende avond niet in Merlotte was, toen de hel losbrak.

2

AANVANKELIJK DACHT IK DAT ALLES WEER NORmaal was. Het café leek de avond erop wat rustiger. Sam was terug op zijn plek, relaxed en opgewekt. Niets scheen hem te irriteren, en toen ik hem vertelde wat er was gebeurd met de dealer de avond ervoor, complimenteerde hij me met mijn tact.

Tara kwam niet langs, dus ik kon haar niet over Mickey vragen. Maar was dat nou echt mijn zaak? Waarschijnlijk niet mijn zaak – maar zeker wel mijn zorg.

Jeff LaBeff was terug en hij schaamde zich omdat hij zich op de kast had laten jagen door het studentje de avond ervoor. Sam had over het incident gehoord door een telefoontje van Terry, en hij gaf Jeff een waarschuwing.

Andy Bellefleur, rechercheur bij het regiokorps Renard en Portia's broer, kwam binnen met de jonge vrouw met wie hij wat had, Halleigh Robinson. Andy was ouder dan ik, en ik ben zesentwintig. Halleigh was eenentwintig – amper oud genoeg om in Merlotte te zijn. Halleigh gaf les op de basisschool, ze kwam net van de hogeschool, en ze was erg aantrekkelijk. Ze had kort bruin haar tot aan de oorlellen en enorme bruine ogen en een mooi gewelfd figuur. Andy had nu zo'n twee maanden iets met Halleigh, en op basis van de weinige keren dat ik het stel zag, schenen ze op een voorspelbaar tempo vooruit te komen in hun relatie.

Andy's ware gedachten waren dat hij Halleigh erg graag mocht (hoewel ze ietsje saai was), en hij was er helemaal klaar voor dat ze zichzelf aan hem overgaf. Halleigh vond Andy sexy en een echte man van de wereld, en ze was echt dol op de pas gerestaureerde villa van de familie Bellefleur, maar ze geloofde niet dat hij lang zou blijven hangen nadat ze met hem naar bed was geweest. Ik haat het om meer te weten over relaties dan de mensen die erin zitten weten – maar hoe afgeschermd ik ook ben, ik pik een straaltje op.

Claudine kwam die avond het café binnen, tegen sluitingstijd. Claudine is ruim een meter tachtig lang, heeft zwart haar dat langs haar rug omlaag golft en een witte huid die er gekneusd uitziet, zo dun en glanzend als die van een pruim. Claudine kleedt zich voor de aandacht. Vanavond droeg ze een terracotta broekpak, zeer nauwsluitend en naar haar amazonelichaam gevormd. Ze werkt overdag op de klachtenafdeling van een grote zaak in het winkelcentrum in Ruston. Had ze haar broer, Claude, maar meegenomen. Hij voelt zich niet tot me aangetrokken, maar hij is een lust voor het oog.

Hij is een elf. Ik bedoel, letterlijk. Claudine ook, natuurlijk.

Ze zwaaide naar me over de hoofden van de menigte. Ik zwaaide lachend terug. Iedereen is blij bij Claudine in de buurt, die altijd opgewekt is als er geen vampiers in haar nabijheid zijn. Claudine is onvoorspelbaar en erg grappig, hoewel ze, als alle elfen, zo gevaarlijk is als een tijger als ze boos is. Gelukkig komt dat niet vaak voor.

In de hiërarchie van magische schepsels nemen elfen een speciale plek in. Ik ben er nog niet precies achter welke plek, maar vroeg of laat zal ik het wel uitvogelen.

Elke man in het café dweepte met Claudine, en ze genoot ervan. Met wijd open ogen wierp ze Andy Bellefleur een lange blik toe, en Halleigh Robinson keek woest, nijdig genoeg om te spugen, tot ze zich herinnerde dat ze een lief meisje uit het zuiden was. Maar Claudine liet alle interesse in Andy varen toen ze zag dat hij ijsthee met citroen aan het drinken was. Elfen zijn nog heviger allergisch voor citroen dan vampiers voor knoflook.

Claudine baande zich een weg naar mij toe, en ze gaf me een stevige omhelzing, tot afgunst van elke man in het café. Ze pakte mijn hand en trok me Sams kantoor in. Ik ging met haar mee uit pure nieuwsgierigheid.

'Lieve vriendin,' zei Claudine, 'ik heb slecht nieuws voor je.'

'Wat?' Razendsnel ging ik van stomverbaasd naar bang.

'Er was vanmorgen vroeg een schietpartij. Een van de weerpanters is geraakt.'

'O nee! Jason!' Maar een van zijn vrienden zou toch wel gebeld hebben als hij vandaag niet op zijn werk was gekomen?

'Nee, je broer is in orde, Sookie. Maar Calvin Norris is neergeschoten.'

Ik stond versteld. Jason had me niet gebeld om me dat te vertellen? Ik moest er via iemand anders achter komen?

'Doodgeschoten?' vroeg ik, en ik hoorde mijn stem beven. Niet dat Calvin en ik close waren – integendeel – maar ik was geschokt. Heather Kinman, een tiener, was de week ervoor doodgeschoten. Wat was er aan de hand in Bon Temps?

'In de borst geschoten. Hij leeft, maar hij is zwaargewond.'

'Ligt hij in het ziekenhuis?'

'Ja, zijn nichtjes brachten hem naar het Grainger Memorial.'

Grainger was een dorp dat verder zuidoostwaarts lag dan Hotshot, en het was een kortere rit daarnaartoe dan naar het streekziekenhuis in Clarice.

'Wie heeft het gedaan?'

'Dat weet niemand. Iemand heeft hem vanmorgen vroeg neergeschoten, toen Calvin op weg naar zijn werk was. Hij was thuisgekomen van zijn, eh, tijd van de maand, wisselde van gedaante en begaf zich op weg naar het dorp voor zijn dienst.' Calvin werkte bij Norcross.

'Hoe ben je dat allemaal te weten gekomen?'

'Een van zijn nichtjes kwam in de winkel een pyjama kopen, aangezien Calvin er geen heeft. Volgens mij slaapt hij in z'n nakie,' zei Claudine. 'Ik snap niet hoe ze denken een pyjamajasje aan te kunnen krijgen over het verband. Misschien hadden ze alleen de broek nodig? Calvin zou niet graag door het ziekenhuis schuifelen met alleen zo'n akelig operatieschort tussen hem en de wereld.'

Claudine nam vaak lange zijpaden in haar conversatie.

'Bedankt dat je het me hebt verteld,' zei ik. Ik vroeg me af hoe dat nichtje Claudine kende, maar dat ging ik niet vragen.

'Niets te danken. Ik wist dat je het zou willen weten. Heather Kinman was ook een vormveranderaar. Dat wist je vast niet. Denk er maar eens over na.'

Claudine gaf me een zoen op het voorhoofd – elfen zijn erg aanhalerig – en we gingen terug naar het cafégedeelte. Ze had me versteld doen staan. Claudine zelf ging weer gewoon haar gangetje. De elf bestelde een whisky-7 Up en werd binnen precies twee minuten omringd door bewonderaars. Ze vertrok nooit met iemand, maar de mannen schenen het met plezier te proberen. Ik had besloten dat Claudine zich verlustigde in deze bewondering en aandacht.

Zelfs Sam keek haar stralend aan, en ze gaf geeneens fooien.

Tegen de tijd dat we het café sloten, was Claudine weer naar Monroe vertrokken, en ik had haar nieuws aan Sam doorgegeven. Hij was net zo verbijsterd door het verhaal als ik. Hoewel Calvin Norris de leider van de kleine veranderaargemeenschap van Hotshot was, kende de rest van de wereld hem als een betrouwbare, stille vrijgezel die zijn eigen huis had en een goede baan als ploegbaas bij de plaatselijke houtzagerij. Het was moeilijk voor te stellen dat een van zijn twee karakters iets met een poging tot moord te maken zou hebben. Sam besloot bloemen te sturen van het caféPersoneel.

Ik trok mijn jas aan en ging net voor Sam de achterdeur van het café uit. Ik hoorde hem achter me de deur op slot doen. Ineens herinnerde ik me dat het ingemaakte bloed bijna op was, en ik draaide me om, om dat aan Sam te vertellen. Hij had mijn beweging gezien en hield stil, wachtend tot ik zou praten, zijn gezicht verwachtingsvol. In de tijd die het kost om te knipperen, veranderde zijn uitdrukking van verwachtingsvol in geschrokken; donkerrood begon zich over zijn linkerbeen te verspreiden, en ik hoorde het geluid van een schot.

Toen was er overal bloed, Sam stortte ineen op de grond, en ik begon te gillen.

3

IK HAD NOG NOOIT DE COUVERTKOSTEN HOEVEN TE betalen in Fangtasia. De enkele keren dat ik via de publieke ingang was binnengekomen, was ik met een vampier geweest. Maar nu was ik alleen en ik had het gevoel dat ik enorm opviel. Ik was uitgeput door een bijzonder lange nacht. Ik was in het ziekenhuis geweest tot zes uur 's ochtends, en ik had maar een paar uur rusteloze slaap gehad nadat ik was thuisgekomen.

Pam incasseerde het couvertgeld en bracht klanten naar hun tafel. Ze had de lange, doorschijnend zwarte outfit aan die ze gewoonlijk droeg als ze bij de deur moest staan. Pam keek nooit blij als ze was gekleed als een nepvampier. Ze was een echte en daar was ze trots op. Haar persoonlijke smaak neigde meer naar lange broeken in pastelkleuren en mocassins. Ze keek zo verbaasd als een vampier maar kan kijken toen ze me zag.

'Sookie,' zei ze, 'heb je een afspraak met Eric?' Ze nam mijn geld aan zonder te knipperen.

Ik was eigenlijk blij om haar te zien: triest, hè? Ik heb niet zoveel vriendinnen, en ik ben dankbaar voor de vriendinnen die ik heb, zelfs al vermoed ik dat ze ervan dromen om me in een donker steegje te grijpen en op bloederige wijze hun gang met me te gaan. 'Nee, maar ik moet hem wel spreken. Zaken,' voegde ik er haastig aan toe. Ik wilde niet dat iemand dacht dat ik hengelde naar de romantische belangstelling van de ondode bons van Shreveport, een positie die de vamps 'sheriff' noemen. Ik schudde mijn nieuwe bosbeskleurige jas af en vouwde hem zorgvuldig over mijn arm. WDED, het radiostation voor vampiers met zijn hoofdkwartier in Baton Rouge, klonk via de kabel door de geluidsinstallatie. De strelende stem van de vroege-avonddeejay, Connie the Corpse, zei: 'En nu een liedje voor alle landlopers die eerder deze week buiten aan het janken waren... "Bad Moon Rising", een oude hit van Creedence Clearwater Revival.' Connie the Corpse gaf een heimelijk eerbetoon aan de vormveranderaars.

'Wacht bij de bar terwijl ik hem vertel dat je hier bent,' zei Pam. 'Je zult de nieuwe barman wel leuk vinden.'

Barmannen bij Fangtasia gingen meestal niet zo lang mee. Eric en Pam probeerden altijd een kleurrijk iemand in te huren – een exotische barman trok de menselijke toeristen aan die met busladingen tegelijk binnenkwamen om het wilde leven op te snuiven – en daarin waren ze erg succesvol. Maar op de een of andere manier was het een baan met een hoog natuurlijk verloop geworden.

De nieuwe man wierp me een wittetandenlach toe toen ik op een van de hoge barkrukken ging zitten. Hij was een lust voor het oog. Hij had een hoofd vol lang, hevig krullend haar, kastanjebruin van kleur. Het lag in dikke bundels op zijn schouders. Hij trok ook de aandacht met een snor en een puntbaardje. Zijn linkeroog was bedekt met een zwart ooglapje. Omdat zijn gezicht smal was en de gelaatstrekken fors waren, was zijn gezicht druk. Hij was ongeveer net zo groot als ik, een meter zeventig, en hij droeg een zwart piratenhemd, een zwarte broek en hoge zwarte laarzen. Het enige wat hij nu nog nodig had was een hoofddoek om zijn hoofd geknoopt en een pistool.

'Misschien nog een papegaai op je schouder?' zei ik.

'Aaach, lieve dame, u bent niet de eerste die zoiets suggereert.' Hij had een prachtige, volle bariton. 'Maar ik heb vernomen dat er hygiënevoorschriften bestaan tegen het hebben van een ongekooide vogel in een etablissement dat alcohol serveert.' Hij boog zo diep naar me als de smalle ruimte achter de bar toeliet. 'Mag ik u wat te drinken aanbieden en de eer van uw naam hebben?'

Ik moest lachen. 'Zeker, sir. Ik ben Sookie Stackhouse.' Hij had het vleugje van 'anders-zijn' om me heen opgesnoven. Vampiers pikken het bijna altijd op. De ondoden merken me meestal op; mensen niet. Het is wel ironisch dat mijn gedachtelezen niet werkt bij de wezens die menen dat het me onderscheidt van de rest van het menselijk ras, terwijl mensen liever willen geloven dat ik geestelijk gestoord ben dan me een ongewone gave toe te schrijven.

De vrouw op de barkruk naast me (te veel creditcards, zoon met ADHD) draaide zich half om om mee te luisteren. Ze was jaloers; ze had de afgelopen dertig minuten geprobeerd om de barman te verleiden wat belangstelling in haar te tonen. Ze nam me op, en probeerde te ontdekken wat de reden was die de vamp ertoe had doen besluiten een gesprek met me aan te knopen. Ze was totaal niet onder de indruk van wat ze zag.

'Het is me een waar genoegen u te leren kennen, schone

blonde maagd,' zei de nieuwe vampier vleiend, en ik grinnikte. Nou, ik was op z'n minst blond – in de zin van blond-met-blauwe-ogen. Zijn ogen namen me op; als je een vrouw bent die in een bar werkt, ben je daar natuurlijk wel aan gewend. Hij keek me tenminste niet beledigend aan; en geloof me, als je een vrouw bent die in een bar werkt, weet je het verschil tussen een evaluatie en een oogwip.

'Ik durf te wedden dat ze geen maagd is,' zei de vrouw naast me.

Ze had gelijk, maar dat deed er niet toe.

'U moet beleefd zijn tegen andere gasten,' zei de vampier tegen haar, met een iets andere versie van zijn glimlach. Niet alleen staken zijn hoektanden enigszins uit, ik merkte ook dat hij scheve (maar prachtig witte) tanden had. De Amerikaanse standaard voor rechte tanden is erg modern.

'Niemand vertelt mij hoe ik me moet gedragen,' zei de vrouw strijdlustig. Ze was nors omdat de avond niet verliep zoals ze had gepland. Ze had gedacht dat het makkelijk zou zijn om een vampier aan te trekken, dat elke vamp zich gelukkig zou prijzen met haar. Ze had zich voorgenomen om er een in haar nek te laten bijten, als hij haar creditcardrekeningen maar zou betalen.

Ze overschatte zichzelf en ze onderschatte vampiers.

'Neem me niet kwalijk, mevrouw, maar zolang u in Fangtasia bent, zal ik u wel degelijk vertellen hoe u zich moet gedragen,' zei de barman. Ze bedaarde, nadat hij haar met zijn onderwerpende blik had aangestaard, en ik vroeg me af of hij haar niet een dosis charme had gegeven.

'Mijn naam,' zei hij, terwijl hij zijn aandacht weer op mij vestigde, 'is Charles Twining.'

'Aangenaam kennis te maken,' zei ik.

'En het drankje?'

'Ja, graag. Een gingerale.' Ik moest nog terugrijden naar Bon Temps nadat ik met Eric had gesproken.

Hij trok zijn gewelfde wenkbrauwen op, maar schonk me het drankje in en zette het op een servet voor me neer. Ik betaalde hem en deponeerde een flinke fooi in de pot. Op het witte servetje stonden in één hoek een paar hoektanden geschetst in het zwart, met één enkele druppel rood die van de rechterhoektand viel – speciaal gemaakte servetten voor de vampierbar. In de tegengestelde hoek van het servetje stond in opzichtige rode schrijfletters 'Fangtasia' gedrukt, een kopie van het bord buiten. Schattig. Er lagen ook T-shirts te koop in een vitrine ginds in een hoek, samen met glazen die met hetzelfde logo waren gedecoreerd. Het onderschrift luidde: 'Fangtasia – De bar met een beet.' Erics handelskennis had grote vooruitgang geboekt in de laatste paar maanden.

Terwijl ik mijn beurt afwachtte voor Erics aandacht, bekeek ik Charles Twining aan het werk. Hij deed beleefd tegen iedereen, serveerde rap de drankjes, en werd nooit van zijn stuk gebracht. Ik vond zijn techniek veel prettiger dan die van Chow, de vorige barman, die klanten altijd het gevoel had gegeven alsof hij ze een gunst verleende door ze überhaupt drankjes te brengen. Long Shadow, de barman vóór Chow, had te veel oog voor de vrouwelijke klanten. Dat zorgt voor nogal wat ruzie in een bar.

In mijn eigen gedachten verzonken, realiseerde ik me niet dat Charles Twining achter de bar recht tegenover me stond tot hij zei: 'Miss Stackhouse, mag ik u zeggen hoe mooi u er vanavond uitziet?'

'Dank u, meneer Twining,' zei ik, terwijl ik het geestige van de ontmoeting inzag. De blik in het enige zichtbare bruine oog van Charles Twining vertelde me dat hij een eersteklas bandiet was, en ik vertrouwde hem niet verder dan ik hem kon gooien, wat misschien zestig centimeter was. (De effecten van mijn laatste infusie van vampierbloed waren uitgewerkt, en ik was mijn gewone menselijke zelf. Hé, ik ben geen junkie; het was een noodsituatie geweest die om meer kracht vroeg.)

Niet alleen had ik weer een gemiddeld uithoudingsvermogen voor een gezonde vrouw van in de twintig, maar ook mijn uiterlijk was weer normaal; geen vampierbloedverfraaiing. Ik had me niet opgedoft, omdat ik niet wilde dat Eric dacht dat ik me opdofte voor hem, maar ik had er ook niet als een slons uit willen zien. Dus ik droeg een laag vallende spijkerbroek en een donzige witte trui met lange mouwen en boothals. Hij kwam tot net aan mijn taille, dus je zag wat blote buik als ik liep. Die buik was zeker geen vissenbuikwit, dankzij de zonnebank bij de videotheek.

'Alstublieft, lieve dame, noem me Charles,' zei de barman, terwijl hij zijn hand op zijn hart drukte.

Ik lachte hardop, ondanks mijn vermoeidheid. Het feit dat Charles' hart niet klopte deed niets af aan het theatrale van het gebaar.

'Natuurlijk,' zei ik gewillig. 'Als u me Sookie noemt.'

Hij rolde met zijn ogen alsof de opwinding hem te veel werd, en ik lachte weer. Pam tikte me op de schouder.

'Als je je los kunt rukken van je nieuwe maatje, Eric is vrij.'

Ik knikte naar Charles en gleed van de kruk af om Pam te volgen. Tot mijn verbazing leidde ze me niet naar Erics kantoor, maar naar een van de tafeltjes. Blijkbaar had Eric vanavond bardienst. Alle vampiers in het Shreveportgebied moesten ermee akkoord gaan zich elke week een bepaald aantal uren in Fangtasia te vertonen zodat de toeristen bleven komen; een vampierbar zonder reële vampiers is een verliesgevende onderneming. Eric gaf zijn ondergeschikten een goed voorbeeld door met regelmaat in de bar te zitten.

Gewoonlijk zat de sheriff van Gebied Vijf in het midden van de ruimte, maar vanavond zat hij aan het tafeltje in de hoek. Hij zag me aankomen. Ik wist dat hij mijn spijkerbroek in zich opnam, die aan de strakke kant was, en mijn buik, die aan de platte kant was, en mijn zachte donzige witte trui, die gevuld was met een natuurlijke rijkheid. Ik had mijn meest slonzige kleren aan moeten doen. (Geloof me, ik heb er genoeg in mijn kast.) Ik had de bosbessenjas niet moeten dragen, die Eric me had gegeven. Ik had *wat dan ook* moeten doen, behalve er goed uitzien voor Eric – en ik moest aan mezelf toegeven dat dat mijn doel was geweest. Ik had mezelf onaangenaam verrast.

Eric schoof achter het tafeltje vandaan en rees op tot zijn aanzienlijke lengte – ongeveer een meter vijfennegentig. Zijn blonde manen golfden langs zijn rug omlaag, en zijn blauwe ogen sprankelden van zijn witte, witte gezicht. Eric heeft scherpe gelaatstrekken, hoge jukbeenderen en een vierkante kaak. Hij ziet eruit als een losbandige Viking, het soort dat in een mum van tijd een dorp kan plunderen; en dat is precies wat hij was geweest.

Vampiers schudden geen handen behalve onder bijzondere omstandigheden, dus ik verwachtte van Eric geen begroeting. Maar hij boog om me een kus op de wang te geven, en hij gaf hem traag, alsof hij me wilde laten weten dat hij me graag zou willen verleiden.

Hij was zich er niet van bewust dat hij al zowat elke centimeter van Sookie Stackhouse had gekust. We waren zo intiem geweest als een man en vrouw maar zijn konden.

Eric wist er alleen niets meer van. Dat wilde ik zo houden. Nou, niet precies wíllen; maar ik wist dat het al met al beter was als Eric zich onze korte affaire niet kon herinneren.

'Wat een mooie nagellak,' zei Eric met een glimlach. Hij had een licht accent. Engels was niet zijn tweede taal natuurlijk; het was misschien wel zijn vijfentwintigste.

Ik probeerde niet terug te lachen, maar ik was blij met zijn compliment. Je kunt op Eric rekenen om het enige wat nieuw en anders aan me was eruit te pikken. Ik had tot voor kort nooit lange nagels gehad, en ze waren prachtig dieprood geverfd – bosbeskleurig, in feite, om bij de jas te passen.

'Dank je,' mompelde ik. 'Hoe gaat-ie met jou?'

'Gewoon goed.' Hij trok een blonde wenkbrauw op. Vampiers genoten geen wisselende gezondheid. Hij gebaarde met één hand naar de lege kant van het compartiment, en ik schoof naar binnen.

'Heb je moeite gehad de draad weer op te pakken?' vroeg ik.

Een paar weken terug had een heks Eric geheugenverlies bezorgd, en het had verschillende dagen gekost om zijn identiteitsbesef te herstellen. Pam had hem zolang bij mij geparkeerd om hem verborgen te houden voor de heks die hem had vervloekt. Lust had zijn beloop gehad. Vele malen.

'Net als fietsen,' zei Eric, en ik dwong mezelf te concentreren. (Hoewel ik me afvroeg wanneer fietsen waren uitgevonden, en of Eric er iets mee van doen had gehad.) 'Ik kreeg wel een telefoontje van de heer van Long Shadow, een indiaan die Hot Rain schijnt te heten. Je kent Long Shadow vast nog wel.'

'Ik moest net aan hem denken,' zei ik.

Long Shadow was de eerste barman van Fangtasia geweest. Hij had geld verduisterd van Eric, die me had gedwongen de barmeisjes en andere menselijke personeelsleden te ondervragen tot ik de boosdoener had ontdekt. Ongeveer twee seconden voordat Long Shadow mijn keel zou hebben opengereten, had Eric de barman geëxecuteerd met de traditionele houten paal. Een andere vampier doden is een zeer ernstige zaak, begreep ik, en Eric had een stevige boete moeten betalen – aan wie had ik niet geweten, hoewel ik er nu zeker van was dat het geld naar Hot Rain was gegaan. Als Eric Long Shadow zonder enige geldige reden had gedood, zouden er andere straffen in het spel komen. Ik vond het best om die een mysterie te laten blijven.

'Wat wilde Hot Rain?' vroeg ik.

'Me laten weten dat hoewel ik hem de prijs had betaald die door de bemiddelaar was vastgesteld, hij zich nog niet tevredengesteld achtte.'

'Wilde hij meer geld?'

'Ik geloof van niet. Hij scheen te vinden dat financiële compensatie niet het enige was waar hij behoefte aan had.' Eric haalde zijn schouders op. 'Wat mij betreft is de zaak afgehandeld.' Hij nam een slok synthetisch bloed, leunde achterover in zijn stoel, en keek me met onleesbare blauwe ogen aan. 'Evenals mijn korte periode van geheugenverlies. De crisis is voorbij, de heksen zijn dood, en de orde is hersteld in mijn kleine stukje Louisiana. Hoe gaat het met jou?'

'Nou, ik ben hier voor zaken,' zei ik, en ik zette mijn zakengezicht op.

'Wat kan ik voor je doen, mijn Sookie?' vroeg hij.

'Sam wil je om iets vragen,' zei ik.

'En hij stuurt jou om erom te vragen. Is hij erg slim of erg stom?' vroeg Eric zich hardop af.

'Geen van beide,' zei ik, en ik probeerde niet bits te klinken. 'Hij is nogal beengebroken. Dat wil zeggen, hij heeft gisteravond zijn been gebroken. Hij werd neergeschoten.'

'Hoe is dat zo gekomen?' Eric luisterde geconcentreerd.

Ik lichtte het toe. Ik huiverde een beetje toen ik hem vertelde dat Sam en ik alleen waren geweest, hoe stil de nacht was geweest.

'Arlene was net van het parkeerterrein. Ze ging op weg naar huis zonder iets te weten. De nieuwe kokkin, Sweetie... zij was ook net vertrokken. Iemand schoot op hem vanuit de bomen ten noorden van de parkeerplaats.' Ik huiverde weer, deze keer van angst.

'Hoe dichtbij stond je?'

'O,' zei ik, en mijn stem beefde. 'Ik stond heel dichtbij. Ik had me net omgedraaid om... toen was hij... Er lag overal bloed.'

Erics gezicht was zo hard als marmer. 'Wat deed je toen?'

'Sam had zijn gsm in zijn zak, godzijdank, en ik hield één hand over het gat in zijn been en ik belde een-een-twee met de andere.'

'Hoe is hij eraan toe?'

'Nou.' Ik haalde diep adem en probeerde mezelf rustig te houden. 'Het gaat vrij goed met 'm, alles in aanmerking genomen.' Dat had ik vrij kalm uitgedrukt. Ik was trots. 'Maar hij ligt natuurlijk wel een tijdje plat, en er gebeuren zoveel... zoveel rare dingen in het café de laatste tijd... Onze plaatsvervangende barman, hij kan het gewoon niet langer dan een paar avonden aan. Terry is nogal beschadigd.'

'Dus wat is Sams verzoek?'

'Sam wil een barman van je lenen tot zijn been is genezen.'

'Waarom doet hij dit verzoek aan mij, en niet aan de troepmeester van Shreveport?' Veranderaars zijn zelden georganiseerd, maar de stadsweerwolven wel. Eric had gelijk: het was veel logischer geweest als Sam het verzoek aan kolonel Flood deed.

Ik keek omlaag naar mijn handen die om het glas gingerale zaten gewikkeld. 'Iemand heeft het op de veranderaars en Weers in Bon Temps gemunt,' zei ik. Ik hield mijn stem heel zacht. Ik wist dat hij me zou horen door de muziek en het gepraat in de bar heen.

Net op dat moment strompelde er een man op het compartiment af, een jonge militair van Barksdale Air Force Base, dat deel uitmaakt van de streek Shreveport. (Ik had hem al gelijk geclassificeerd op basis van zijn kapsel, goedgebouwde lichaam, en zijn maatjes, die min of meer klonen waren.) Hij wankelde een tijdje op zijn hielen, terwijl hij van mij naar Eric keek.

'Hé, jij,' zei de jongeman tegen mij, en hij gaf me een por in mijn schouder. Ik keek naar hem op en legde me neer bij het onvermijdelijke. Sommige mensen lokken hun eigen onheil uit, vooral wanneer ze drinken. Deze jongeman, met zijn stoere kapsel en gespierde lichaam, was ver van huis en vastbesloten om zichzelf te bewijzen.

Er is maar weinig waar ik een ergere hekel aan heb dan aan 'Hé, jij' en gepord worden met een vinger. Maar ik probeerde een vriendelijk gezicht op te zetten voor de jongeman. Hij had een rond gezicht en ronde donkere ogen, een smalle mond en dikke bruine wenkbrauwen. Hij droeg een schoon, katoenen sporthemd en een geperste kakibroek. Hij stond ook klaar voor een confrontatie.

'Ik geloof niet dat ik jou ken,' zei ik voorzichtig, in een poging de situatie te bezweren.

'Jij hoort niet bij een vamp te zitten,' zei hij. 'Menselijke meisjes horen niet met dode kerels uit te gaan.'

Hoe vaak had ik dat wel niet gehoord? Dit soort dingen was maar al te vaak recht in m'n gezicht gezegd toen ik wat met Bill Compton had.

'Je moet teruggaan naar je vrienden daar, Dave. Je zou niet willen dat je ma een telefoontje krijgt met het bericht dat je bent omgekomen bij een kroegruzie in Louisiana. Vooral niet in een vampierbar, hè?'

'Hoe weet je m'n naam?' vroeg hij langzaam.

'Doet er toch niet toe, of wel?'

Vanuit mijn ooghoek kon ik zien dat Eric met zijn hoofd zat te schudden. Zachtaardige afleiding was niet zijn manier om opdringerigheid aan te pakken.

Plotseling begon Dave te bedaren.

'Hoe weet je over mij?' vroeg hij op kalmere toon.

'Ik heb röntgenogen,' zei ik ernstig. 'Ik kan je rijbewijs lezen in je broek.'

Hij begon te lachen. 'Hé, kun je ook andere dingen door mijn broek heen zien?'

Ik lachte naar hem terug. 'Je bent een geluksvogel, Dave,' zei ik dubbelzinnig. 'Nou, ik ben hier eigenlijk om over zaken te praten met deze man, dus als je ons wilt verontschuldigen...'

'Oké. Sorry, ik...'

'Geen enkel probleem,' stelde ik hem gerust. Hij liep met een verwaande pas terug naar zijn vrienden. Ik was ervan overtuigd dat hij ze een enorm opgesmukt relaas van het gesprek had gegeven.

Hoewel iedereen in de bar had geprobeerd om te doen alsof ze het incident, dat zoveel potentie had voor wat sappig geweld, niet hadden gevolgd, moesten ze zich haasten om druk bezig te lijken toen Eric zijn ogen over de omringende tafels liet gaan.

'Je ging me net iets vertellen toen we zo ruw werden onderbroken,' zei hij. Zonder dat ik erom had gevraagd, kwam er een serveerster aan die een vers drankje voor me neerzette en snel mijn oude glas weghaalde. Iedereen die bij Eric zat kreeg een luxebehandeling.

'Ja. Sam is niet de enige vormveranderaar die is neergeschoten in Bon Temps de laatste tijd. Calvin Norris is een paar dagen geleden in zijn borst geschoten. Hij is een weerpanter. En Heather Kinman is daarvóór neergeschoten. Heather was pas negentien, een weervos.'

Eric zei: 'Ik zie nog steeds niet waarom dit interessant is.'

'Eric, ze is vermoord.'

Hij keek nog steeds vragend.

Ik klemde mijn tanden op elkaar zodat ik hem niet zou proberen te vertellen wat een aardig meisje Heather Kinman was geweest: ze had net haar middelbareschooldiploma gehaald en had een eerste baan als receptioniste bij Bon Temps Office Supplies. Ze was een milkshake aan het drinken in de Sonic toen ze werd neergeschoten. Vandaag zou het forensisch lab de kogel waarmee Sam was neergeschoten vergelijken met de kogel waarmee Heather was gedood, en die allebei met de kogel in Calvins borst. Ik ging ervan uit dat de kogels overeen zouden komen.

'Ik probeer je uit te leggen waarom Sam geen vormveranderaar of Weer wil vragen om in te springen,' zei ik met opeengeklemde tanden. 'Hij denkt dat hij of zij daardoor misschien in gevaar wordt gebracht. En er is gewoon geen plaatselijke, menselijke inwoner met de kwalificaties voor de baan. Dus hij vroeg me om bij jou aan te kloppen.'

'Toen ik bij jou in huis logeerde, Sookie...'

Ik kreunde. 'O, Eric, hou toch óp.'

Eric werd er stapelgek van dat hij zich niet kon herinneren wat er was gebeurd toen hij was vervloekt. 'Op een dag zal ik het me herinneren,' zei hij bijna nors.

Als hij zich alles herinnerde, zou hij niet alleen de seks voor de geest halen.

Hij zou ook de vrouw voor de geest halen die in mijn keuken had zitten wachten met een geweer. Hij zou zich herinneren dat hij mijn leven had gered door de kogel op te vangen die voor mij was bedoeld. Hij zou zich herinneren dat ik haar had neergeschoten. Hij zou zich herinneren dat hij het lijk uit de weg had geruimd.

Hij zou zich realiseren dat hij voor altijd macht over me had.

Hij zou zich misschien ook herinneren dat hij zichzelf zo had verlaagd dat hij had aangeboden afstand te doen van al zijn zaken en bij mij te komen wonen.

De seks zou hij zich met plezier herinneren. De macht zou hij zich met plezier herinneren. Maar op een of andere manier dacht ik niet dat Eric zich dat laatste met plezier zou herinneren.

'Ja,' zei ik zacht, terwijl ik omlaag keek naar mijn handen. 'Ik vermoed dat je het je op een dag zult herinneren.' WDED speelde een oud liedje van Bob Seger, 'Night Moves'. Ik zag dat Pam ongekunsteld in haar eigen dans ronddraaide, haar onnatuurlijk sterke en lenige lichaam boog en wervelde op manieren die voor menselijke lichamen niet mogelijk waren.

Ik zou haar wel eens op livevampiermuziek willen zien dansen. Je zou eens een vampierband moeten horen. Dat vergeet je nooit meer. Ze spelen voornamelijk in New Orleans en San Francisco, soms in Savannah of Miami. Maar toen ik wat met Bill had, had hij me meegenomen om een groep te horen spelen die voor één avond optrad in Fangtasia terwijl ze zuidwaarts reisden naar New Orleans. De leadzanger van de vampierband – Renfield's Masters hadden ze zichzelf genoemd – had tranen van bloed gehuild toen hij een ballade zong.

'Sam was zo slim om jou te sturen om het mij te vragen,' zei Eric na een lange stilte. Ik wist daar niets op te zeggen. 'Ik sta wel iemand af.' Ik voelde mijn schouders ontspannen van opluchting. Ik concentreerde me op mijn handen en haalde diep adem. Toen ik een vluchtige blik op hem wierp, keek Eric de bar rond, waarbij hij op de aanwezige vampiers lette.

Ik had de meesten in het voorbijgaan gezien. Thalia had

lange zwarte krullen tot onder aan haar rug en een profiel dat het best omschreven kon worden als klassiek. Ze had een zwaar accent – Grieks, meende ik – en ze had ook een opvliegend karakter. Indira was een kleine indiaanse vamp, compleet met argeloze ogen en *tikal*; niemand zou haar serieus nemen tot de zaak uit de hand liep. Maxwell Lee was een Afro-Amerikaanse beleggingsbankier. Hoewel hij net zo sterk was als elke andere vampier, vermaakte hij zich liever met wat meer intellectuele hobby's dan als uitsmijter op te treden.

'En als ik Charles stuur?' Eric klonk nonchalant, maar ik kende hem goed genoeg om te vermoeden dat hij dat niet was.

'Of Pam,' zei ik. 'Of wie zijn kalmte maar kan bewaren.' Ik zag Thalia een metalen beker met haar vingers in elkaar drukken om een menselijke man te imponeren die haar probeerde te versieren. Hij verbleekte en repte zich terug naar zijn tafeltje. Sommige vampiers waren dol op menselijk gezelschap, maar Thalia hoorde daar niet bij.

'Charles is de minst onberekenbare vampier die ik ooit heb ontmoet, hoewel ik moet bekennen dat ik hem niet goed ken. Hij werkt hier pas twee weken.'

'Je schijnt hem hier nogal bezig te houden.'

'Ik kan hem wel missen.' Eric schonk me een hooghartige blik die heel duidelijk zei dat het aan hem was om te bepalen hoe druk hij zijn werknemer aan het werk wilde houden.

'Eh... okidoki.' De piraat zou de klanten van Merlotte prima bevallen, en Sams inkomsten zouden bijgevolg omhoogschieten.

'Dit zijn de voorwaarden,' zei Eric, terwijl hij me vasthield met zijn blik. 'Sam verschaft een onbeperkte voorraad bloed voor Charles en een veilige verblijfplaats. Misschien wil je hem in je huis laten logeren, zoals je met mij deed.'

'En misschien wil ik dat niet,' zei ik verontwaardigd. 'Ik run geen herberg voor reizende vampiers.' Frank Sinatra begon 'Strangers in the Night' te croonen op de achtergrond.

'O, natuurlijk, dat was ik vergeten. Maar je werd royaal betaald voor mijn kost en inwoning.'

Hij had een zere plek geraakt. Hij had er in feite in geprikt met een scherpe stok. Ik kromp ineen. 'Dat was mijn broers idee,' zei ik. Ik zag Erics ogen opvlammen, en ik bloosde van top tot teen. Ik had zojuist een vermoeden bevestigd dat hij had gehad. 'Maar hij had helemaal gelijk,' zei ik met overtuiging. 'Waarom zou ik een vampier in mijn huis laten logeren zonder ervoor betaald te krijgen? Ik had tenslotte het geld nodig.'

'Is de vijftigduizend al op?' zei Eric heel zacht. 'Heeft Jason gevraagd om een deel ervan?'

'Dat gaat je niks aan,' zei ik, mijn stem precies zo scherp en verontwaardigd als ik hem had willen laten klinken. Ik had Jason slechts een vijfde ervan gegeven. Hij had er ook niet echt om gevraagd, maar ik moest toegeven aan mezelf dat hij duidelijk had verwacht dat ik hem wat zou geven. Aangezien ik het veel harder nodig had, had ik meer ervan voor mezelf gehouden dan ik in eerste instantie had gepland.

Ik had geen ziektekostenverzekering. Jason was natuurlijk verzekerd via de gemeentepolis. Ik begon te denken: *wat als ik gehandicapt raakte? Wat als ik mijn arm brak of mijn blindedarm eruit moest?* Niet alleen zou ik niet al die uren op mijn werk maken, ik zou ook ziekenhuisrekeningen hebben. En elk verblijf in een ziekenhuis, heden ten dage, is een duur verblijf. Ik had me een paar doktersrekeningen op de hals gehaald in het afgelopen jaar, en het had een lange, pijnlijke tijd geduurd om ze af te betalen.

Nu was ik immens blij dat ik die waarschuwingsprik

had gehad. Normaal gesproken kijk ik niet erg ver vooruit, want ik ben gewend van dag tot dag te leven. Maar Sams verwonding had me de ogen geopend. Ik had zitten denken dat ik broodnodig een nieuwe auto moest – nou, een nieuwere tweedehandse. Ik had zitten denken hoe vaal de gordijnen in de woonkamer waren, hoe fijn het zou zijn om nieuwe te bestellen bij JCPenney. Het was niet eens in me opgekomen dat het enorm leuk zou zijn om een jurk te kopen die niet in de uitverkoop was. Maar ik was uit die frivoliteit geschud toen Sam zijn been had gebroken.

Terwijl Connie the Corpse het volgende nummer introduceerde ('One of These Nights'), bestudeerde Eric mijn gezicht. 'Ik zou willen dat ik jouw gedachten kon lezen, zoals jij de gedachten van anderen kunt lezen,' zei hij. 'Ik zou heel graag willen dat ik kon weten wat er in je hoofd omging. Ik zou willen dat ik wist waarom ik erom geef wat er in dat hoofd omgaat.'

Ik toonde hem een scheve glimlach. 'Ik stem in met de voorwaarden: gratis bloed en onderdak, hoewel het onderdak niet per se bij mij zal zijn. En het geld?'

Eric lachte. 'Ik zal mijn betaling in natura aanvaarden. Ik heb graag dat Sam me een wederdienst schuldig is.'

Ik belde Sam met de gsm die hij me had geleend. Ik legde het uit.

Sam klonk berustend. 'Er is een plek in het café waar de vamp kan slapen. Goed. Kost en inwoning, en een wederdienst. Wanneer kan hij komen?'

Ik gaf de vraag door aan Eric.

'Nu meteen.' Eric gebaarde naar een menselijke serveerster, die een diep uitgesneden, lange zwarte jurk droeg die alle menselijke werknemers droegen. (Ik zal je iets vertellen over vampiers: ze houden er niet van om tafels te bedienen. En ze zijn er ook nog eens vrij slecht in. Je zult vampiers ook geen tafels zien afruimen. De vamps huren bijna altijd mensen in om het vuilere werk in hun etablissementen te doen.) Eric zei haar dat ze Charles van achter de bar moest halen. Ze boog, vuist op haar tegengestelde schouder, en zei: 'Ja, Meester.'

Eerlijk waar, je werd er bijna misselijk van.

Hoe dan ook, Charles sprong theatraal over de bar, en onder het applaus van wat klanten liep hij naar Erics tafeltje.

Hij boog naar mij en wendde zich tot Eric met een aandachtige houding die onderdanig had moeten lijken, maar in plaats daarvan simpelweg zakelijk leek.

'Deze vrouw zal je vertellen wat je moet doen. Zolang ze je nodig heeft is zij jouw meester.' Ik kon Charles Twinings uitdrukking gewoon niet ontcijferen toen hij Erics bevel aanhoorde. Veel vampiers zouden er eenvoudig niet mee akkoord gaan om een mens op zijn wenken te bedienen, wat hun hoogste baas ook zei.

'Nee, Eric!' Ik was gechoqueerd. 'Als je hem aan íémand verantwoording laat afleggen, dan zou het Sam moeten zijn.'

'Sam stuurde jou. Ik vertrouw jou de leiding over Charles toe.' Erics gezicht stond gesloten. Ik wist uit ervaring dat wanneer Eric eenmaal die uitdrukking had, er niet met hem viel te discussiëren.

Ik kon niet zien waar dit heen ging, maar ik wist dat het niet goed zat.

'Ik pak mijn jas, en ik sta klaar wanneer het u maar behaagt om te vertrekken,' zei Charles Twining, buigend op een hoffelijke en elegante manier, waardoor ik me net een idioot voelde. Ik liet een gesmoord geluid horen als dank, en hoewel hij nog steeds in de neerwaartse positie stond, rolde zijn lapjesvrije oog omhoog om me een knipoog te geven. Ik moest onwillekeurig lachen en voelde me een stuk beter.

Over de muziekinstallatie zei Connie the Corpse: 'Hé, nachtluisteraars. Verder met tien op een rij voor echte doodskoppen zoals wij, hier is een favoriet.' Connie begon 'Here Comes the Night' te draaien, en Eric zei: 'Wil je met me dansen?'

Ik keek naar het dansvloertje. Het was leeg. Maar Eric had een barman en uitsmijter geregeld voor Sam zoals Sam had gevraagd. Ik zou dankbaar moeten zijn. 'Graag,' zei ik beleefd, en ik schoof bij het tafeltje vandaan. Eric bood me zijn hand, ik pakte hem en hij legde zijn andere hand om mijn middel.

Ondanks het verschil in onze lengte ging het ons tamelijk goed af. Ik deed alsof ik niet wist dat iedereen in de bar naar ons zat te kijken, en we zweefden voorbij alsof we wisten wat we deden. Ik concentreerde me op Erics keel zodat ik niet op hoefde te kijken in zijn ogen.

Toen de dans was afgelopen, zei hij: 'Het voelt erg vertrouwd om je vast te houden, Sookie.'

Met een reusachtige inspanning hield ik mijn ogen gefixeerd op zijn adamsappel. Ik had een vreselijke opwelling om te zeggen: 'Je zei dat je van me hield en dat je voor altijd bij me zou blijven'.

'Dat mocht je willen,' zei ik in plaats daarvan kortaf. Ik liet zo snel als ik kon zijn hand los en stapte weg uit zijn omhelzing. 'Trouwens, ben je ooit een soort link uitziende vampier met de naam Mickey tegen het lijf gelopen?'

Eric greep mijn hand weer vast en kneep erin. Ik zei: 'Au!' en hij ontspande zich wat.

'Hij was vorige week hier. Waar heb je Mickey gezien?' wilde hij weten.

'In Merlotte.' Ik stond versteld van het effect dat mijn lastminutevraag op Eric had gehad. 'Hoezo?'

'Wat was hij aan het doen?'

'Hij dronk Red Stuff en zat aan een tafeltje met mijn

vriendin Tara. Je weet wel, je hebt haar toch gezien? In Club Dead, in Jackson?'

'Toen ik haar zag stond ze onder de bescherming van Franklin Mott.'

'Nou, ze hadden samen wat. Ik kan niet begrijpen waarom hij haar met Mickey uit laat gaan. Ik hoopte dat Mickey daar gewoon was als haar bodyguard of zo.' Ik pakte mijn jas van het tafeltje. 'Dus hoe zit het nou met die kerel?' vroeg ik.

'Blijf bij hem vandaan. Praat niet met hem, dwarsboom hem niet, en probeer niet je vriendin Tara te helpen. Toen hij hier was, praatte Mickey het meest met Charles. Charles vertelde me dat hij een schurk is. Hij is tot dingen in staat die... barbaars zijn. Kom niet bij Tara in de buurt.'

Ik vouwde mijn handen open, Eric om uitleg vragend.

'Hij doet dingen die de rest van ons weigert te doen,' zei Eric.

Ik staarde naar Eric omhoog, geschrokken en diep verontrust. 'Ik kan haar situatie niet zomaar negeren. Ik heb niet zoveel vriendinnen dat ik het me kan veroorloven om er een kwijt te raken.'

'Als ze bij Mickey is betrokken, is ze slechts slachtvee,' zei Eric met brute eenvoud. Hij nam mijn jas van me over en hield hem vast terwijl ik erin gleed. Zijn handen masseerden mijn schouders nadat ik hem dichtgeknoopt had.

'Hij past goed,' zei hij. Je hoefde geen gedachtelezer te zijn om te raden dat hij niets meer over Mickey wilde zeggen.

'Heb je mijn bedankbriefje gekregen?'

'Natuurlijk. Erg, eh, welvoeglijk.'

Ik knikte, en ik hoopte daarmee aan te geven dat het onderwerp hiermee afgesloten was. Maar dat was het natuurlijk niet.

'Ik vraag me nog steeds af waarom er bloedvlekken in je

oude jas zaten,' mompelde Eric, en mijn ogen schoten omhoog naar de zijne. Ik vervloekte nogmaals mijn onvoorzichtigheid. Toen hij was teruggekomen om me te bedanken dat ik hem had onderhouden, had hij terwijl ik bezig was door het huis gezworven tot hij de jas had gevonden. 'Wat hebben we gedaan, Sookie? En met wie?'

'Het was kippenbloed. Ik had een kip gedood en hem gekookt,' loog ik. Dat had ik mijn oma vele malen zien doen toen ik klein was, maar zelf had ik het nog nooit gedaan.

'Sookie, Sookie. Mijn "gelul"-meter geeft dat aan als "onwaar",' zei Eric, en hij schudde afkeurend zijn hoofd.

Ik schrok zo dat ik moest lachen. Dat was een goed moment om te vertrekken. Ik zag Charles Twining bij de voordeur staan, een supermoderne gewatteerde jas bij de hand. 'Dag, Eric, en bedankt voor de barman,' zei ik, alsof Eric me een paar AA-batterijen had geleend, of een kopje rijst. Hij boog en streek lichtjes met zijn koele lippen langs mijn wang.

'Rij voorzichtig,' zei hij. 'En blijf bij Mickey uit de buurt. Ik moet uitzoeken waarom hij in mijn territorium is. Bel me als je problemen hebt met Charles.' (Als de batterijen gebreken vertonen, of de rijst vol wormen zit.) Achter hem zag ik dat dezelfde vrouw nog steeds aan de bar zat, degene die had opgemerkt dat ik geen maagd was. Ze vroeg zich overduidelijk af hoe ik het voor elkaar had gekregen om de belangstelling te verwerven van een vampier die zo oud en aantrekkelijk was als Eric.

Ik vroeg me vaak hetzelfde af.

4

De rit terug naar Bon Temps was aangenaam. Vampiers ruiken niet als mensen en gedragen zich niet als mensen, maar ze zijn wel degelijk rustgevend voor mijn hoofd. Met een vampier zijn is bijna net zo spanningsvrij als alleen zijn, op de mogelijkheid van het bloedzuigen na, natuurlijk.

Charles Twining stelde een paar vragen over het werk waarvoor hij was ingehuurd en over het café. Mijn autorijkunst scheen hem wat onbehaaglijk te maken – hoewel zijn onbehaaglijkheid misschien puur en alleen te wijten was aan het feit dat hij in een auto zat. Sommige vamps van voor de Industriële Revolutie hebben een hekel aan moderne transportmiddelen. Zijn ooglapje lag op zijn linkeroog, aan mijn kant, wat me het merkwaardige gevoel gaf dat ik onzichtbaar was.

Ik was voor hem gestopt bij de herberg waar hij woonde, zodat hij een paar spullen bij elkaar kon rapen. Hij had een sporttas bij zich, een die groot genoeg was voor kleren voor misschien drie dagen. Hij was pas verhuisd naar Shreveport, vertelde hij me, en had geen tijd gehad om te besluiten waar hij wilde wonen.

Nadat we zo'n veertig minuten onderweg waren, zei de vampier: 'En u, miss Sookie? Woont u bij uw vader en moeder?'

'Nee, die zijn al dood sinds mijn zevende,' zei ik. Vanuit mijn ooghoek zag ik een handgebaar dat me vroeg door te gaan. 'Er was in heel korte tijd nogal wat regen gevallen op die avond in de lente, en mijn vader probeerde een bruggetje over te steken waar al water op lag. Ze werden weggevaagd.'

Ik keek even naar rechts en zag dat hij knikte. Mensen stierven, soms plotseling en onverwacht, en soms om de minste reden. Een vampier wist dat beter dan wie ook. 'Mijn broer en ik groeiden op bij mijn oma,' zei ik. 'Ze overleed vorig jaar. Mijn broer heeft het oude huis van mijn ouders, en ik heb dat van mijn oma.'

'Je boft dat je een plek hebt om te wonen,' merkte hij op.

En profil was zijn haakneus een elegante miniatuur. Ik vroeg me af of het hem wat uitmaakte dat het menselijk ras groter was geworden terwijl hij hetzelfde was gebleven.

'O ja,' stemde ik in. 'Ik bof enorm. Ik heb een baan, ik heb m'n broer, ik heb een huis, ik heb vrienden. En ik ben gezond.'

Hij draaide zich om en keek me recht in het gezicht, volgens mij, maar ik haalde net een versleten Ford-pickup in, dus ik kon zijn blik niet beantwoorden. 'Dat is interessant. Vergeef me, maar ik kreeg van Pam de indruk dat je een bepaalde handicap hebt.'

'O, nou, ja.'

'En dat is...? Je ziet er erg, eh, robuust uit.'

'Ik ben een telepaat.'

Daar dacht hij even over na. 'En dat betekent?'

'Ik kan de gedachten van andere mensen lezen.'

'Maar niet van vampiers.'

'Nee, niet van vampiers.'

'Heel goed.'

'Ja, dat vind ik ook.' Als ik de gedachten van vampiers kon lezen, zou ik allang dood zijn geweest. Vampiers hechten waarde aan hun privacy.

'Kende je Chow?' vroeg hij.

'Ja.' Het was mijn beurt om bondig te zijn.

'En Long Shadow?'

'Ja.'

'Als de nieuwe barman bij Fangtasia heb ik een zekere belangstelling voor hun dood.'

Begrijpelijk, maar ik had geen idee hoe te reageren. 'Oké,' zei ik voorzichtig.

'Was je erbij toen Chow nogmaals stierf?' Dit was de manier waarop sommige vamps spraken over de definitieve dood.

'Uhm... ja.'

'En Long Shadow?'

'Wel... ja.'

'Ik heb wel interesse om te horen wat je hebt te zeggen.'

'Chow stierf in wat ze de Heksenoorlog noemen. Long Shadow probeerde mij te doden op het moment dat Eric hem doorboorde omdat hij geld had verduisterd.'

'Weet je zeker dat dat de reden is waarom Eric hem doorboorde? Vanwege verduistering?'

'Ik was erbij. Ik zou 't moeten weten. Einde onderwerp.'

'Ik geloof dat je leven gecompliceerd is geweest,' zei Charles na een korte stilte.

'Ja.'

'Waar zal ik mijn zonlichturen doorbrengen?'

'Mijn baas heeft een plek voor je.'

'Zijn er een hoop problemen in dat café?'

'Tot voor kort niet.' Ik aarzelde.

'Kan je gewone uitsmijter geen veranderaars aan?'

'Onze gewone uitsmijter is de eigenaar, Sam Merlotte. Hij is een veranderaar. Op dit moment is hij een veranderaar met een gebroken been. Hij werd neergeschoten. En hij is niet de enige.'

Dit scheen de vampier niet te verbazen. 'Hoeveel?'

'Drie voor zover ik weet. Een weerpanter genaamd Calvin Norris, die niet dodelijk gewond was, en dan een veranderaarmeisje genaamd Heather Kinman, die dood is. Ze werd neergeschoten in de Sonic. Weet je wat de Sonic is?' Vampiers letten niet altijd op fastfoodrestaurants, omdat ze niet aten. (Hé, hoeveel bloedbanken weet jij zo uit je hoofd?)

Charles knikte, zijn krullerige kastanjebruine haar danste op zijn schouders. 'Is dat die waar je in je auto eet?'

'Ja, klopt,' zei ik. 'Heather had bij een vriendin in de auto zitten praten, en ze stapte uit om naar haar eigen auto te lopen een paar plaatsen verderop. Het schot kwam van de overkant van de straat. Ze had een milkshake in haar hand.' Het smeltende chocolade-ijs had zich met bloed op het trottoir vermengd. Ik had het in Andy Bellefleurs hoofd gezien. 'Het was laat op de avond, en alle zaken aan de andere kant van de straat waren al uren dicht. Dus de schutter kwam weg.'

'Waren alle drie de schietpartijen 's avonds?'

'Ja.'

'Ik vraag me af of dat belangrijk is.'

'Zou kunnen; maar misschien is 't alleen maar omdat er 's avonds betere schuilplekken zijn.'

Charles knikte.

'Sinds Sam gewond is geraakt, is er heel wat onrust onder de veranderaars omdat het moeilijk te geloven is dat drie schietpartijen toeval zouden kunnen zijn. En gewone mensen maken zich zorgen omdat er in hun ogen willekeurig drie mensen zijn neergeschoten, mensen die niets gemeen hebben en weinig vijanden hebben. Omdat iedereen gespannen is, zijn er meer vechtpartijen in het café.'

'Ik ben nog nooit uitsmijter geweest,' zei Charles spraakzaam. 'Ik was de jongste zoon van een lagere baronet, dus ik moest mijn eigen weg vinden, en ik heb een hoop dingen gedaan. Ik heb eerder als barman gewerkt en vele jaren geleden was ik reclameman voor een bordeel. Ik stond buiten de waren van de lichtekooien aan te prijzen – fraai verwoord, nietwaar? –, gooide mannen die te ruw werden met de hoeren de deur uit. Ik geloof dat dat hetzelfde is als uitsmijter zijn.'

Ik stond sprakeloos van deze onverwachte vertrouwelijke mededeling.

'Natuurlijk was dat nadat ik mijn oog was verloren, maar voordat ik vampier werd,' zei de vampier.

'Natuurlijk,' echode ik zwakjes.

'Dat was toen ik een zeerover was,' vervolgde hij. Hij glimlachte. Dat controleerde ik met een zijdelingse blik.

'Wat, uhm, zeeroofde je? Ik wist niet of dat een werkwoord was, maar hij begreep duidelijk wat ik bedoelde.

'O, we probeerden bijna iedereen te overvallen,' zei hij monter. 'Af en toe woonde ik op de kust van Amerika, in de buurt van New Orleans, waar we kleine vrachtschepen en zo veroverden. Ik voer op een kleine lichter, dus we konden het niet opnemen tegen al te grote of goed verdedigde schepen. Maar als we een of andere sloep inhaalden, was het vechten geblazen!' Hij zuchtte – terwijl hij zich het genot herinnerde van mensen meppen met een zwaard, denk ik.

'En wat is er met je gebeurd?' vroeg ik beleefd, waarmee ik bedoelde hoe het kwam dat hij dat geweldige, warmbloedige leven van plundering en slachtpartijen had verlaten voor de vampierversie ervan.

'Op een avond enterden we een galjoen dat geen levende bemanning had,' zei hij. Ik merkte dat zijn handen zich tot vuisten hadden gebald. Zijn stem werd killer. 'We waren naar de Tortugas gevaren. Het was schemer. Ik was de eerste man die het ruim in ging. Wat zich in het ruim bevond, had mij als eerste te pakken.'

Na dat verhaaltje zwegen we met wederzijdse instemming.

Sam zat op de bank in de huiskamer van zijn caravan. Hij had de woonwagen zo geplaatst dat hij haaks op de achterkant van het café stond. Op die manier opende hij zijn voordeur tenminste naar een uitzicht op het parkeerterrein, wat beter was dan naar de achterkant van het café te kijken, met de grote vuilnisbak tussen de keukendeur en de personeelsingang.

'Nou, daar ben je dan,' zei Sam, en zijn toon was chagrijnig. Sam had er nooit van gehouden om stil te zitten. Nu zijn been in het gips zat, zat hij zich op te vreten van het nietsdoen. Wat zou hij doen tijdens de volgende volle maan? Zou het been tegen die tijd voldoende zijn genezen zodat hij kon veranderen? Als hij veranderde, wat gebeurde er dan met het gips? Ik had hiervoor wel andere gewonde vormveranderaars gekend, maar ik was niet bij hun herstel geweest, dus dit was nieuw terrein voor mij. 'Ik begon al te denken dat je verdwaald was geraakt op de weg terug.' Sams stem bracht me terug in het hier en nu. Hij had een scherp randje.

'Goh, dank je, Sookie, ik zie dat je met een uitsmijter bent teruggekomen,' zei ik. 'Het spijt me zo dat je de vernederende ervaring moest doormaken om Eric namens mij een gunst te vragen.' Op dat moment kon het me niets schelen of hij mijn baas was of niet.

Sam keek beschaamd.

'Eric stemde dus toe,' zei hij. Hij knikte naar de piraat.

'Charles Twining, tot uw dienst,' zei de vampier.

Sams ogen werden groter. 'Oké, ik ben Sam Merlotte, eigenaar van het café. Ik ben je dankbaar dat je ons komt helpen.'

'Ik kreeg daartoe de opdracht,' zei de vampier koel.

'Dus de deal die je hebt gesloten was kost, inwoning, en een wederdienst,' zei Sam tegen me. 'Ik ben Eric een wederdienst verschuldigd.' Dit zei hij op een manier die een aardig iemand als knarsetandend zou omschrijven.

'Ja.' Ik was kwaad nu. 'Je stuurde me om een deal te maken. Ik heb de voorwaarden met je doorgenomen! Dat is de deal die ik heb gemaakt. Je vroeg Eric om een dienst; nu krijgt hij een wederdienst. Wat je jezelf ook hebt wijsgemaakt, dat is waar 't op neerkomt.'

Sam knikte, hoewel hij niet blij keek. 'Trouwens, ik ben van gedachten veranderd. Ik vind dat de heer Twining hier, bij jou, moet logeren.'

'En waarom vind je dat?'

'De kast leek wat krap. Jij hebt een lichtdichte plek voor vampiers, toch?'

'Je vroeg me niet of dat goed was.'

'Weiger je het te doen?'

'Ja! Ik ben geen vampierhotelier!'

'Maar jij werkt voor mij, en hij werkt voor mij...'

'Hm-mmm. En zou je Arlene of Holly vragen om hem bij ze te laten logeren?'

Sam keek verbaasd. 'Nou, nee, maar dat is omdat...' Toen viel hij stil.

'Je weet niet hoe je de zin moet afmaken, hè?' snauwde ik. 'Oké, maat, ik ben ervandoor. Een hele avond heb ik mezelf in een gênante situatie geplaatst voor jou. En wat krijg ik? *Nog geen dank je wel!*'

Ik stormde de woonwagen uit. Ik smeet de deur niet dicht, want ik wilde niet kinderachtig zijn. Met deuren smijten is gewoon niet volwassen. Dreinen ook niet. Oké, misschien is wegstormen dat ook niet. Maar het was een keuze tussen een nadrukkelijk verbaal vertrek of Sam een klap geven. Normaal gesproken was Sam een van mijn meest favoriete personen ter wereld, maar vanavond... niet.

Ik had de vroege dienst voor de komende drie dagen – niet dat ik er zeker van was dat ik nog een baan had. Toen ik de volgende ochtend bij Merlotte aankwam, door de stromende regen naar de personeelsingang rennend in mijn lelijke maar praktische regenjas, was ik er bijna van overtuigd dat Sam me zou zeggen mijn laatste looncheque op te halen en te vertrekken. Maar hij was er niet. Ik voelde me even teleurgesteld. Misschien had ik staan trappelen om nog een gevecht, wat raar was.

Terry Bellefleur viel weer voor Sam in, en Terry had een slechte dag. Het was geen goed idee om hem vragen te stellen of zelfs maar tegen hem te praten buiten het noodzakelijke doorgeven van bestellingen.

Terry had vooral een hekel aan regenachtig weer, had ik gemerkt, en hij hield ook niet van sheriff Bud Dearborn. Ik kende de reden voor beide vooroordelen niet. Vandaag sloegen grijze gordijnen van regen tegen de muren en op het dak, en Bud Dearborn was de expert aan het uithangen bij vijf van zijn makkers aan de rookkant. Arlene ving mijn blik op en sperde haar ogen open om me een waarschuwing te geven.

Hoewel Terry bleek was, en zweette, had hij het lichte jasje dichtgeritst dat hij vaak over zijn T-shirt van Merlotte droeg. Ik zag dat zijn handen beefden toen hij een biertje tapte. Ik betwijfelde of hij het tot het donker vol kon houden.

Er waren tenminste niet veel klanten, als er iets mis zou gaan. Arlene slenterde naar de andere kant om bij te praten met een getrouwd stel dat was binnengekomen, vrienden van haar. Mijn gedeelte was zowat leeg, op mijn broer, Jason, en zijn vriend Hoyt na.

Hoyt was Jasons gabber. Als ze allebei niet overduidelijk heteroseksueel waren, zou ik ze hebben aangeraden om te trouwen, zo goed vulden ze elkaar aan. Hoyt hield van grappen, en Jason hield ervan ze te vertellen. Hoyt had geen idee hoe hij zijn vrije tijd moest vullen, en Jason voerde altijd iets in zijn schild. Hoyts moeder was een beetje overweldigend, en Jason was ouderloos. Hoyt was stevig geankerd in het hier en nu, en had een ijzersterk idee van wat de gemeenschap wel en niet zou tolereren. Jason had dat niet.

Ik dacht eraan wat voor een enorm geheim Jason nu had, en ik vroeg me af of hij in de verleiding kwam om het met Hoyt te delen.

'Hoe gaat-ie, zus?' vroeg Jason. Hij hield zijn glas op, om aan te geven dat hij graag wilde dat zijn Dr. Pepper werd bijgevuld. Jason dronk niet voordat zijn werkdag erop zat, een groot pluspunt.

'Prima, broer. Wil jij nog wat, Hoyt?' vroeg ik.

'Graag, Sookie. IJsthee,' zei Hoyt.

In een mum van tijd was ik terug met hun drankjes. Terry keek me boos aan toen ik achter de bar ging staan, maar hij zei niets. Ik kan een boze blik wel negeren.

'Sook, ga je vanmiddag met me mee naar het ziekenhuis in Grainger als je klaar bent met werken?' vroeg Jason.

'O,' zei ik. 'Ja, tuurlijk.' Calvin was altijd goed voor me geweest.

Hoyt zei: 'Het is echt krankzinnig, dat Sam en Calvin

en Heather zijn neergeschoten. Wat denk jij ervan, Sookie?' Hoyt heeft besloten dat ik een orakel ben.

'Hoyt, jij weet er net zoveel van als ik,' zei ik tegen hem. 'Ik denk dat we allemaal moeten uitkijken.' Ik hoopte dat het belang hiervan niet aan mijn broer voorbijging. Hij haalde zijn schouders op.

Toen ik opkeek, zag ik een vreemde staan wachten om naar een zitplaats gebracht te worden en ik haastte me naar hem toe. Zijn donkere haar, zwart geworden door de regen, was naar achter getrokken in een paardenstaart. Zijn gezicht vertoonde een litteken dat in een lange dunne lijn over één wang liep. Toen hij zijn jas uittrok, kon ik zien dat hij een bodybuilder was.

'Roken of niet-roken?' vroeg ik, met een menukaart al in mijn hand.

'Niet,' zei hij, en hij volgde me naar een tafel. Hij hing zijn natte jas voorzichtig over de rugleuning en nam de menukaart aan nadat hij was gaan zitten. 'Mijn vrouw komt ook zo,' zei hij. 'We hebben hier afgesproken.'

Ik legde nog een menukaart op de plek ernaast. 'Wilt u nu bestellen of op haar wachten?'

'Ik wil graag wat hete thee,' zei hij. 'Ik wacht met eten bestellen tot ze komt. Een wat beperkt menu hier, hè?' Hij keek even naar Arlene en toen weer naar mij. Ik begon me ongemakkelijk te voelen. Ik wist dat hij niet hier was omdat deze tent handig was voor de lunch.

'Meer kunnen we niet aan,' zei ik, en ik zorgde ervoor dat ik ontspannen klonk. 'Wat we hebben is goed.'

Toen ik het hete water en een theezakje verzamelde, zette ik ook een schoteltje met een paar citroenschijfjes op het dienblad. Geen elf in de buurt die geïrriteerd kon raken.

'Ben jij Sookie Stackhouse?' vroeg hij toen ik terugkwam met zijn thee.

'Ja, dat ben ik.' Ik zette het schoteltje zacht op tafel, vlak naast het kopje. 'Waarom wilt u dat weten?' Ik wist al waarom, maar bij gewone mensen moest je het vragen.

'Ik ben Jack Leeds, een privédetective,' zei hij. Hij legde een visitekaartje op tafel, zo gedraaid dat ik het kon lezen. Hij wachtte op een dreun, alsof hij gewoonlijk een dramatische reactie kreeg op die verklaring. 'Ik ben ingehuurd door een familie in Jackson, Mississippi – de familie Pelt,' vervolgde hij, toen hij zag dat ik niets ging zeggen.

Mijn hart zonk me in de schoenen en begon toen in een versneld tempo te kloppen. Deze man geloofde dat Debbie dood was. En hij dacht dat er een grote kans bestond dat ik er misschien iets vanaf wist.

Hij had helemaal gelijk.

Ik had Debbie Pelt een paar weken geleden doodgeschoten, uit zelfverdediging. Het was háár lichaam dat Eric had verborgen. Het was háár kogel die Eric voor mij had geïncasseerd.

Debbies verdwijning na haar vertrek van een 'feest' in Shreveport, Louisiana (in werkelijkheid een leven-op-dood-knokpartij tussen heksen, vamps, en Weers), was een negen dagen lang wonder geweest. Ik had gehoopt dat ik er het laatste van had gehoord.

'Dus de Pelts zijn niet tevreden met het politieonderzoek?' vroeg ik. Het was een stomme vraag, een die ik willekeurig uit de lucht had geplukt. Ik moest iets zeggen om de voortdurende stilte te verbreken.

'Er was niet echt een onderzoek,' zei Jack Leeds. 'De politie in Jackson besloot dat ze waarschijnlijk uit vrije wil was verdwenen.' Hij geloofde dat echter niet.

Zijn gezicht veranderde op dat moment; het was alsof iemand een licht had aangedaan achter zijn ogen. Ik draaide me om zodat ik kon zien waarnaar hij keek, en ik zag een blonde vrouw van gemiddelde lengte haar paraplu uitschudden bij de deur. Ze had kort haar en een bleke huid, en toen ze zich omdraaide, zag ik dat ze erg knap was; althans, dat zou ze geweest zijn als ze wat levendiger was geweest.

Maar dat was geen factor voor Jack Leeds. Hij keek naar de vrouw van wie hij hield, en toen ze hem zag, ging hetzelfde licht ook achter haar ogen aan. Ze liep zo ritmisch naar zijn tafel dat het leek alsof ze danste, en toen ze haar eigen natte jasje van zich afschudde, zag ik dat haar armen net zo gespierd waren als die van hem. Ze kusten elkaar niet, maar zijn hand schoof over de hare en kneep er heel even in. Nadat ze op haar stoel was gaan zitten en om een cola light had gevraagd, gingen haar ogen over de menukaart. Ze vond dat al het eten dat Merlotte te bieden had ongezond was. Ze had gelijk.

'Salade?' vroeg Jack Leeds.

'Ik heb iets warms nodig,' zei ze. 'Chili?'

'Oké, twee chili's,' zei hij tegen me. 'Lily, dit is Sookie Stackhouse. Miss Stackhouse, dit is Lily Bard Leeds.'

'Hallo,' zei ze. 'Ik ben net bij je huis geweest.'

Haar ogen waren lichtblauw, en ze had een blik als een laserstraal. 'Jij hebt Debbie Pelt gezien in de nacht dat ze verdween.' Haar gedachten voegden eraan toe: *jij bent degene die ze zo haatte.*

Ze kenden Debbie Pelts ware aard niet, en ik was opgelucht dat de Pelts geen Weerdetective hadden kunnen vinden. Ze zouden hun dochter niet openbaren aan gewone detectives. Hoe langer de tweesoortigen het feit van hun bestaan geheim konden houden, hoe beter, wat hen betreft.

'Ja,' zei ik. 'Ik heb haar die nacht gezien.'

'Kunnen we daarover met je komen praten? Nadat je klaar bent met werken?'

'Ik moet na het werk bij een vriend langs in het ziekenhuis,' zei ik.

'Ziek?' vroeg Jack Leeds.

'Neergeschoten,' zei ik.

Hun belangstelling werd geprikkeld. 'Door iemand van hier?' vroeg de blonde vrouw.

Toen zag ik hoe het allemaal zou kunnen uitpakken. 'Door een sluipschutter,' zei ik. 'Iemand is willekeurig op mensen aan het schieten in deze buurt.'

'Zijn ze daarna verdwenen?' vroeg Jack Leeds.

'Nee,' gaf ik toe. 'Iemand heeft ze allemaal op de grond laten liggen. Natuurlijk waren er getuigen van alle schietpartijen. Misschien is dat de reden.' Ik had niet gehoord dat iemand Calvin echt neergeschoten zag worden, maar iemand was meteen daarna langsgekomen en had het alarmnummer gebeld.

Lily Leeds vroeg me of ze de volgende dag met me konden praten voordat ik naar mijn werk ging. Ik vroeg ze om tien uur langs te komen bij mij thuis. Ik geloofde niet dat het een erg goed idee was om met ze te praten, maar ik geloofde ook niet dat ik veel keus had. Ik zou meer een object van verdenking worden als ik weigerde over Debbie te praten.

Ik wilde dat ik vanavond Eric kon bellen om hem over Jack en Lily Leeds te vertellen; gedeelde zorgen zijn halve zorgen. Maar Eric wist er niets meer van. Ik wilde dat ik Debbies dood ook kon vergeten. Het was afschuwelijk om zoiets heftigs en vreselijks te weten, om het met geen mens te kunnen delen.

Ik kende zoveel geheimen, maar bijna geen ervan was van mezelf. Dit geheim van mij was een duistere en bloederige last.

Charles Twining zou Terry aflossen als het volledig donker was. Arlene werkte over, omdat Danielle de dansuitvoering van haar dochter bijwoonde, en ik kon mijn stemming wat opbeuren door Arlene te informeren over de nieuwe barman/uitsmijter. Ze was geïntrigeerd. We hadden nog nooit een Engelsman in het café gehad, laat staan een Engelsman met een ooglapje.

'Doe Charles de groetjes van mij,' riep ik, terwijl ik mijn regenkleding aantrok. Na een paar uur van motregen, begonnen de druppels weer sneller te vallen.

Ik plonsde naar mijn auto, met mijn muts helemaal over mijn gezicht naar voren getrokken. Net toen ik het bestuurdersportier van het slot deed en hem openmaakte, hoorde ik een stem mijn naam roepen. Sam stond op krukken in de deuropening van zijn caravan. Hij had een paar jaar geleden een overdekte veranda bijgebouwd, dus hij werd niet nat, maar hij hoefde daar ook niet te staan. Ik smeet de autodeur dicht en sprong over plassen en stapstenen. Binnen een paar seconden stond ik over zijn hele veranda te druipen.

'Het spijt me,' zei hij.

Ik staarde hem aan. 'Dat mag ik hopen,' zei ik bits.

'Nou, het spijt me echt.'

'Oké. Goed.' Vastberaden vroeg ik hem niet wat hij met de vampier had gedaan.

'Is er vandaag iets in het café gebeurd?'

Ik aarzelde. 'Nou, het was een magere opkomst, op z'n zachtst gezegd. Maar...' Ik stond op het punt hem over de privédetectives te vertellen, maar toen besefte ik dat hij vragen zou stellen. En ik zou uiteindelijk misschien het hele ellendige verhaal vertellen alleen maar vanwege de opluchting om het aan iemand op te biechten. 'Ik moet gaan, Sam. Jason neemt me mee om Calvin te bezoeken in het ziekenhuis in Grainger.'

Hij keek naar me. Zijn ogen knepen zich samen. De wimpers waren net zo roodgoud als zijn haar, dus je zag ze alleen als je dicht bij hem stond. En ik had niet het recht om aan Sams oogwimpers te denken, of aan welk deel van zijn lichaam dan ook, wat dat betreft.

'Ik was een klootzak gisteren,' zei hij. 'Ik hoef je niet te vertellen waarom.'

'Nou, ik geloof van wel,' zei ik, verbijsterd. 'Want ik begrijp er helemaal niks van.'

'Het gaat erom dat je op me kunt rekenen.'

Om zonder reden kwaad op me te worden? Om achteraf je excuses aan te bieden? 'Je hebt me de laatste tijd erg in verwarring gebracht,' zei ik. 'Maar je bent al jaren een vriend van me, en ik heb een hoge dunk van je.' Dat klonk veel te hoogdravend, dus ik probeerde te lachen. Hij lachte terug, en een druppel regen viel van mijn muts en spetterde op mijn neus, en het moment was voorbij. Ik zei: 'Wanneer denk je dat je terug naar het café gaat?'

'Ik probeer er morgen een poosje te zijn,' zei hij. 'Ik kan tenminste in het kantoor zitten en de boeken doen, het archief wat bijwerken.'

'Tot ziens.'

'Zeker weten.'

En ik snelde terug naar mijn auto, en ik voelde dat mijn hart veel lichter was dan het ervoor was geweest. Onenigheid met Sam had verkeerd gevoeld. Ik had me niet gerealiseerd hoe dat mijn gedachten had beïnvloed tot het weer goed zat tussen ons.

5

DE REGEN KWAM MET BAKKEN NAAR BENEDEN toen we het parkeerterrein van het ziekenhuis in Grainger op reden. Het was net zo klein als dat in Clarice, waar de meeste mensen uit 'Renard Parish' naartoe werden gebracht. Maar het ziekenhuis in Grainger was nieuwer en had meer diagnostische apparatuur die vereist scheen te zijn voor moderne ziekenhuizen.

Ik had me omgekleed in een spijkerbroek en een trui, maar ik had mijn gevoerde oliejas aangehouden. Toen Jason en ik ons naar de glazen schuifdeuren haastten, gaf ik mezelf een schouderklopje omdat ik laarzen aanhad. Wat betreft het weer bleek de avond net zo vies te zijn als de ochtend was geweest.

Het ziekenhuis wemelde van de veranderaars. Ik kon hun woede voelen zodra ik binnen was. Twee van de weerpanters uit Hotshot stonden in de hal; ik nam aan dat ze als bodyguards fungeerden. Jason liep op hen af en schudde ze stevig de hand. Misschien wisselde hij een soort geheime handdruk of zo; weet ik veel. Ze wreven tenminste niet tegen elkaars benen. Ze leken niet zo blij te zijn om Jason te zien als hij was om hen te zien, en ik zag dat Jason met een kleine frons tussen zijn ogen een pas achteruit deed. De twee keken me doordringend aan. De man was van gemiddelde lengte en stevig, en hij had dik, bruinachtig blond haar. Zijn ogen stonden ontzettend nieuwsgierig.

'Sook, dit is Dixon Mayhew,' zei Jason. 'En dit is Dixie Mayhew, zijn tweelingzus.' Dixies kapsel, dezelfde kleur als dat van haar broer, was bijna net zo kort als dat van Dixon, maar ze had donkere, bijna zwarte, ogen. De tweeling was zeker niet identiek.

'Is het rustig geweest hier?' vroeg ik voorzichtig.

'Geen problemen tot nu toe,' zei Dixie, op zachte toon. Dixons blik was op Jason gefixeerd. 'Hoe is 't met je baas?'

'Hij zit in het gips, maar hij zal wel genezen.'

'Calvin was ernstig geraakt.' Dixie keek me een ogenblik lang aan. 'Hij ligt boven in 214.'

Na het zegel van goedkeuring te hebben gekregen, gingen Jason en ik de trap op. De tweeling keek ons helemaal na. We liepen langs de 'roze dame' van de ziekenhuisafdeling, die dienst had aan de bezoekersbalie. Ik maakte me wat zorgen over haar: witte haren, dikke bril, lief gezicht, aangevuld met rimpels. Ik hoopte dat er tijdens haar wacht niets zou gebeuren wat haar wereldbeeld zou verstoren.

Het was makkelijk om Calvins kamer eruit te pikken. Er stond een brok spieren tegen de muur geleund, een tonvormige man die ik nog nooit had gezien. Hij was een weerwolf. Weerwolven waren goede bodyguards volgens de volkswijsheid van de tweesoortigen, want ze zijn meedogenloos en vasthoudend. Van wat ik heb gezien, is dat alleen maar het kwajongensimago dat de Weers hebben. Maar het klopt dat ze in de regel de ruwste component zijn van de tweesoortige gemeenschap. Je zult niet gauw een Weerdokter vinden bijvoorbeeld, maar je zult veel Weers vinden in de bouw. Ook banen die verband houden met motoren worden zwaar gedomineerd door Weers. Sommige van die gangs doen meer dan alleen maar bier drinken op vollemaansnachten.

Het verontrustte me om een Weer te zien. Ik was verbaasd dat de panters van Hotshot een buitenstaander erbij hadden gehaald. Jason mompelde: 'Dat is Dawson. Hij heeft een kleine motorgarage tussen Hotshot en Grainger.'

Dawson was op zijn hoede toen we aankwamen.

'Jason Stackhouse,' zei hij, toen hij mijn broer even later identificeerde. Dawson droeg een spijkerhemd en spijkerbroek, maar zijn bicepsen stonden op het punt door de stof heen te barsten. Zijn zwarte leren laarzen waren beschadigd door het vele vechten.

'We komen kijken hoe het met Calvin is,' zei Jason. 'Dit is mijn zus, Sookie.'

'Mevrouw,' gromde Dawson. Hij nam me langzaam op, en er was niets wellustigs aan. Ik was blij dat ik mijn tas in de afgesloten truck had laten liggen. Hij zou hem doorzocht hebben, dat weet ik zeker. 'Kunt u die jas uitdoen en u even voor me omdraaien?'

Ik nam er geen aanstoot aan; Dawson deed gewoon zijn werk. Ik wilde ook niet dat Calvin weer geraakt zou worden. Ik deed mijn oliejas uit, gaf hem aan Jason, en draaide rond. Een verpleegster die iets op een kaart had ingevuld, bekeek deze procedure met onverholen nieuwsgierigheid. Ik hield Jasons jas vast toen het zijn beurt was. Tevredengesteld klopte Dawson op de deur. Hoewel ik geen antwoord had gehoord, moest hij er wel een gehoord hebben, want hij opende de deur en zei: 'De Stackhouses.'

Er kwam slechts een fluisterstem uit de kamer. Dawson knikte.

'Miss Stackhouse, u kunt naar binnen,' zei hij. Jason maakte aanstalten om me te volgen, maar Dawson hield hem met een enorme arm tegen. 'Alleen je zus,' zei hij.

Jason en ik begonnen op hetzelfde moment te protesteren, maar toen haalde Jason zijn schouders op. 'Ga maar, Sook,' zei hij. Dawson wist duidelijk van geen wijken, en het had trouwens ook geen zin om een gewonde man te ergeren. Ik duwde de zware deur wijd open.

Calvin was alleen, hoewel er nog een bed in de kamer stond. De panterleider zag er afschuwelijk uit. Hij zag bleek en verwrongen. Zijn haar was vies, hoewel zijn wangen boven zijn nette baard geschoren waren. Hij droeg een ziekenhuisnachthemd, en hij was aangesloten op een heleboel dingen.

'Het spijt me zo voor je,' flapte ik eruit. Ik was geschokt. Hoewel veel breinen het al min of meer hadden aangegeven, kon ik wel zien dat als Calvin niet tweesoortig was geweest, de wond hem onmiddellijk gedood zou hebben. Wie hem ook had neergeschoten, had hem dood gewild.

Calvin keerde zijn hoofd naar me toe, langzaam en met moeite. 'Het is niet zo erg als het eruitziet,' zei hij droog, zijn stem een zijden draadje. 'Ze halen morgen wat van dit spul van me af.'

'Waar was je geraakt?' vroeg ik.

Calvin bewoog één hand om zijn linkerbovenborst aan te raken. Zijn goudbruine ogen vingen de mijne op. Ik kwam dichter bij hem staan en bedekte zijn hand met de mijne. 'Het spijt me zo voor je,' zei ik weer. Zijn vingers krulden zich onder mijn vingers tot hij mijn hand vasthield.

'Er waren anderen,' zei hij op een fluistertoon.

'Ja.'

'Je baas.'

Ik knikte.

'Dat arme meisje.'

Ik knikte weer.

'Wie dit ook doet, ze moeten tegen worden gehouden.'

'Ja.'

'Het moet iemand zijn die een hekel heeft aan veranderaars. De politie zal er nooit achter komen wie dit doet. We kunnen ze niet vertellen waar ze naar moeten zoeken.'

Nou, dat was gedeeltelijk het probleem van het geheimhouden van je gesteldheid. 'Het zal lastiger zijn om de persoon te vinden,' gaf ik toe. 'Maar misschien lukt het ze wel.'

'Sommigen van mijn mensen vragen zich af of de schutter een veranderaar is,' zei Calvin. Zijn vingers klemden zich om de mijne. 'Iemand die zeker geen veranderaar wilde worden. Iemand die is gebeten.'

Het duurde even voor er bij mij een lampje ging branden. Wat ben ik een idioot.

'O nee, Calvin, nee, nee,' zei ik, en mijn woorden struikelden in mijn haast over elkaar heen. 'O, Calvin, laat ze alsjeblieft niet achter mijn broer aan gaan. Alsjeblieft, hij is alles wat ik heb.' Tranen liepen over mijn wangen alsof iemand een kraantje in mijn hoofd had opengedraaid. 'Hij vertelde me hoe fijn hij het vond om een van jullie te zijn, zelfs al kon hij niet precies hetzelfde zijn als een geboren panter. Hij is zo nieuw, hij heeft geen tijd gehad om te ontdekken wie er allemaal nog meer tweesoortig is. Ik geloof dat hij niet eens besefte dat Sam en Heather dat waren...'

'Niemand zal hem uitschakelen tot we de waarheid weten,' zei Calvin. 'Ik mag dan wel in dit bed liggen, maar ik ben nog altijd de leider.' Maar ik kon zien dat hij erover had moeten debatteren, en ik wist ook (door het rechtstreeks uit Calvins brein te lezen) dat sommige van de panters er nog steeds voor waren dat Jason zou worden geëxecuteerd. Calvin kon dat niet voorkomen. Hij zou achteraf misschien boos zijn, maar als Jason dood was, zou dat geen greintje verschil maken. Calvins vingers lieten de mijne los, en zijn hand kwam omhoog in een poging de tranen van mijn wangen te vegen.

'Je bent een lieve vrouw,' zei hij. 'Ik zou willen dat je van me kon houden.'

'Dat zou ik ook willen,' zei ik. Zoveel van mijn problemen zouden opgelost worden als ik van Calvin Norris hield. Ik zou naar Hotshot verhuizen, lid van de geheimzinnige, kleine gemeenschap worden. Twee of drie nachten per maand zou ik ervoor moeten zorgen dat ik binnenbleef, maar voor het overige zou ik veilig zijn. Niet alleen zou Calvin me tot de dood toe verdedigen, maar ook de andere leden van de Hotshotclan zouden dat doen.

Maar de gedachte alleen al deed me huiveren. De winderige open akkers, de krachtige en eeuwenoude kruising waaromheen de huisjes stonden geschaard... Ik geloofde niet dat ik de permanente afzondering van de rest van de wereld aan zou kunnen. Mijn oma zou erop aangedrongen hebben om Calvins aanbod aan te nemen. Hij was een betrouwbaar man, was ploegbaas bij Norcross, een baan met goede secundaire arbeidsvoorwaarden. Dat vind je misschien lachwekkend, maar wacht maar tot je helemaal alleen je verzekering moet betalen; lach dan maar.

Het kwam in me op (zoals meteen al het geval had moeten zijn), dat Calvin in een perfecte positie was om mijn volgzaamheid af te dwingen – Jasons leven voor mijn gezelschap – en hij had er geen misbruik van gemaakt.

Ik leunde voorover en gaf Calvin een zoen op de wang. 'Ik zal bidden voor je herstel,' zei ik. 'Bedankt dat je Jason een kans geeft.' Misschien was Calvins edelmoedigheid gedeeltelijk te danken aan het feit dat hij in geen enkele toestand was om misbruik van me te maken, maar het was edelmoedigheid, en ik nam het waar en stelde het op prijs. 'Je bent een goeie man,' zei ik, en ik raakte zijn gezicht aan. Het haar van zijn nette baard voelde zacht aan.

Zijn ogen stonden ernstig toen hij vaarwel zei. 'Pas op die broer van je, Sookie,' zei hij. 'O, en zeg tegen Dawson dat ik geen gezelschap meer wil vanavond.'

'Hij zal het niet van mij aannemen,' zei ik.

Calvin slaagde erin te lachen. 'Het zou maar een slechte bodyguard zijn als hij dat wel deed, geloof ik.'

Ik gaf de boodschap door aan de Weer. Maar ja hoor, toen Jason en ik terugliepen naar de trap, ging Dawson de kamer in om het bij Calvin na te gaan.

Ik overlegde even met mezelf voor ik besloot dat het beter zou zijn als Jason wist wat hem te wachten stond. In de truck, terwijl hij naar huis reed, vertelde ik hem over mijn conversatie met Calvin.

Hij was geschokt dat zijn nieuwe maatjes in de weerpanterwereld zoiets van hem zouden kunnen denken. 'Als ik daaraan gedacht had voordat ik voor de eerste keer was veranderd, kan ik niet zeggen dat het niet verleidelijk zou zijn geweest,' zei Jason terwijl we door de regen terugreden naar Bon Temps. 'Ik was boos. Niet gewoon boos, woedend. Maar nu ik veranderd ben, zie ik het anders.' Hij ging maar door terwijl mijn gedachten in een kringetje rondgingen in mijn hoofd, in een poging een weg uit deze rotzooi te zoeken.

De sluipschutterszaak moest voor de volgende vollemaan opgelost zijn. Als dat niet zo was, zouden de anderen Jason misschien verscheuren als ze veranderden. Misschien kon hij gewoon de bossen rondom zijn huis doorzwerven als hij in zijn panter-manvorm veranderde, of misschien kon hij in de bossen jagen bij mijn huis – maar hij zou niet veilig zijn ver weg in Hotshot. En ze zouden hem misschien komen zoeken. Ik kon hem niet tegen hen allemaal verdedigen.

Vóór de volgende vollemaan moest de schutter in hechtenis zitten.

Tot ik die avond mijn afwasje deed, was het niet in me opgekomen dat het vreemd was dat, hoewel Jason door de weerpantergemeenschap ervan werd beschuldigd een moordenaar te zijn, ik degene was die daadwerkelijk een veranderaar had neergeschoten. Ik had zitten denken aan de afspraak met de privédetective om me hier te ontmoeten de volgende ochtend. En, zoals ik nu uit gewoonte deed, ik had de keuken afgespeurd naar tekenen van de dood van Debbie Pelt. Door naar Discovery Channel en Learning Channel te kijken, wist ik dat ik onmogelijk de sporen van bloed en weefsel die mijn keuken hadden bespat volledig kon uitwissen, maar keer op keer had ik geschrobd en schoongemaakt. Ik was er zeker van dat geen enkele toevallige blik – trouwens, geen enkele nauwkeurige inspectie met het blote oog – kon onthullen dat er iets mis was in deze kamer. Ik had het enige gedaan wat ik kon doen, behalve blijven staan om te worden vermoord. Was dat wat Jezus had bedoeld met de andere wang toekeren? Ik hoopte van niet, want elk instinct in mij had me aangespoord om mezelf te verdedigen, en het middel dat me ter beschikking stond was een jachtgeweer geweest.

Natuurlijk had ik het onmiddellijk moeten aangeven. Maar tegen die tijd was Erics wond genezen, die door Debbie was toegebracht terwijl ze mij probeerde neer te schieten. Behalve de getuigenis van een vampier en mezelf, was er geen bewijs dat zij als eerste had geschoten, en Debbies lijk zou een krachtige verklaring van onze schuld zijn. Mijn eerste instinct was om haar bezoek aan mijn huis te verdoezelen. Eric had me geen andere raad gegeven, wat de zaak ook had kunnen veranderen.

Nee, ik nam Eric mijn hachelijke situatie niet kwalijk. Hij was destijds niet eens bij zijn volle verstand geweest. Het was mijn eigen schuld dat ik niet was gaan zitten om rustig na te denken. Er zouden hagelrestanten op Debbies hand hebben gezeten. Haar geweer was afgevuurd. Wat van Erics opgedroogde bloed zou op de vloer hebben gelegen. Ze had via mijn voordeur ingebroken en de deur had zichtbare tekenen van haar overtreding vertoond. Haar auto stond verscholen aan de overkant van de weg, en alleen háár vingerafdrukken zouden erin hebben gezeten.

Ik was in paniek geraakt, en had er een puinhoop van gemaakt.

Daar moest ik gewoon mee leren leven.

Maar het speet me heel erg van de onzekerheid waarin haar familie verkeerde. Ik was hun zekerheid schuldig – die ik niet kon verschaffen.

Ik wrong de vaatdoek uit en hing hem netjes over de gootsteenverdeler. Ik droogde mijn handen af en vouwde de theedoek op. Oké, nu had ik mijn schuldgevoelens op een rijtje. Dat was zoveel beter! Niet dus. Boos op mezelf stampte ik naar de huiskamer en zette de televisie aan: nog een vergissing. Er werd een verhaal over Heathers begrafenis uitgezonden; een nieuwsploeg uit Shreveport was gekomen om de bescheiden dienst van vanmiddag te verslaan. Denk eens aan de sensatie die het zou veroorzaken als de media beseften hoe de sluipschutter zijn slachtoffers selecteerde. De nieuwslezer, een ernstige Afro-Amerikaanse man, zei dat de politie in 'Renard Parish' andere gevallen van blijkbaar willekeurige schietpartijen had ontdekt in dorpjes in Tennessee en Mississippi. Ik schrok. Een serieschutter, hier?

De telefoon ging. 'Hallo,' zei ik, zonder iets goeds te verwachten.

'Sookie, hoi, met Alcide.'

Ik merkte dat ik lachte. Alcide Herveaux, die bij zijn vaders landmeetbedrijf in Shreveport werkte, was een van mijn lievelingspersonen. Hij was een Weer, hij was zowel sexy als hardwerkend, en ik mocht hem heel graag. Hij was ook Debbie Pelts verloofde geweest. Maar Alcide had haar afgezworen voordat ze was verdwenen, in een ritueel dat haar onzichtbaar en onhoorbaar voor hem maakte – niet letterlijk, maar in essentie.

'Sookie, ik ben in Merlotte. Ik dacht dat je vanavond misschien moest werken, dus ik ben hierheen gereden. Kan ik naar je huis komen? Ik moet met je praten.'

'Je weet dat je in gevaar verkeert door naar Bon Temps te komen.'

'Nee, hoezo?'

'Vanwege de sluipschutter.' Ik kon de bargeluiden horen op de achtergrond. Arlenes lach was onmiskenbaar. Ik wedde dat de nieuwe barman jan en alleman aan het charmeren was.

'Waarom zou ik me daar druk om maken?' Alcide had niet al te hard nagedacht over het nieuws, besloot ik.

'Al die mensen die zijn neergeschoten? Ze waren tweesoortig,' zei ik. 'Nu zeggen ze op het nieuws dat er nog veel meer zijn geweest door heel het zuiden. Willekeurige schietpartijen in kleine dorpen. Kogels die overeenstemmen met de kogel die hier in Heather Kinman is gevonden. En ik wed dat alle andere slachtoffers ook vormveranderaars waren.'

Er viel een peinzende stilte aan de andere kant van de lijn, als stilte getypeerd kan worden.

'Dat had ik me niet gerealiseerd,' zei Alcide. Zijn diepe, dreunende stem was nog bedachtzamer dan normaal.

‘O, en heb je met de privédetectives gesproken?’

‘Wat? Waar heb je het over?’

‘Als ze ons samen zien praten, zal het er zeer verdacht uitzien voor Debbies familie.’

‘Heeft Debbies familie privédetectives ingehuurd om haar te zoeken?’

‘Dat zeg ik.’

‘Luister, ik kom naar je huis.’ Hij hing de telefoon op.

Ik wist bij god niet waarom de detectives mijn huis in de gaten zouden houden, of vanwaar ze het in de gaten zouden houden, maar als ze Debbies ex-verloofde mijn oprit op zagen karren, zou het niet moeilijk zijn om de puntjes met elkaar te verbinden en met een totaal verkeerd beeld te komen. Ze zouden denken dat Alcide Debbie had vermoord om het pad voor mij te effenen, en niets had onjuister kunnen zijn. Ik hoopte als een gek dat Jack Leeds en Lily Bard Leeds in diepe slaap waren in plaats van dat ze ergens in de bossen met een verrekijker stonden te posten.

Alcide omhelsde me. Dat deed hij altijd. En ik werd nogmaals overweldigd door zijn grootte, zijn mannelijkheid, zijn vertrouwde geur. Ondanks de alarmbel die in mijn hoofd afging, omhelsde ik hem ook.

We zaten op de bank en keerden ons half naar elkaar toe. Alcide droeg zijn werkkleding, die met dit weer bestond uit een opengeknoopt flanellen overhemd over een T-shirt, een dikke spijkerbroek, en dikke sokken onder zijn werkschoenen. Zijn woeste bos zwart haar was geplet door zijn helm, en hij begon er een beetje borstelig uit te zien.

‘Vertel me over de detectives,’ zei hij, en ik omschreef het stel en vertelde hem wat ze hadden gezegd.

‘Debbies familie heeft er niets van gezegd tegen mij,’ zei Alcide. Hij liet het een poosje door zijn hoofd gaan. Ik kon zijn denkwijze volgen. ‘Ik geloof dat dat betekent dat ze ervan overtuigd zijn dat ik haar heb laten verdwijnen.’

'Misschien niet. Misschien denken ze alleen maar dat je zo'n verdriet hebt dat ze het niet ter sprake wilden brengen.'

'Verdriet.' Alcide overpeinsde dat even. 'Nee. Ik heb alle...' Hij aarzelde, terwijl hij worstelde met de woorden. 'Ik heb alle energie verbruikt die ik voor haar had,' zei hij uiteindelijk. 'Ik was zo blind, dat ik bijna geloof dat ze een soort magie op me uitoefende. Haar moeder gebruikt bezweringsformules en is een halfveranderaar. Haar vader is een volbloed veranderaar.'

'Is dat mogelijk denk je? Magie?' Ik twijfelde er niet aan dat magie bestond, maar wel of Debbie die had gebruikt.

'Waarom zou ik anders zo lang bij haar zijn gebleven? Vanaf het moment dat ze werd vermist, is het alsof iemand een donkere bril van mijn ogen heeft weggenomen. Ik was bereid haar zoveel te vergeven, zoals toen ze je in de kofferbak duwde.'

Debbie had de kans aangegrepen om me in een kofferbak te duwen met mijn vampiervriendje, Bill, die dagenlang geen bloed had gehad. En ze was weggelopen en had me achtergelaten in de kofferbak met Bill, die op het punt stond wakker te worden.

Ik keek omlaag naar mijn voeten, en verdrong de herinnering aan de wanhoop, de pijn.

'Ze liet je verkracht worden,' zei Alcide cru.

Dat hij het zo botweg zei, schokte me. 'Hé, Bill wist niet dat ik het was,' zei ik. 'Hij had dagenlang niets te eten gehad, en die impulsen hangen zo nauw samen. Ik bedoel, hij stopte, weet je? Hij stopte, toen hij wist dat ik het was.' Ik kon het niet op die manier zeggen tegen mezelf; ik kon dat woord niet uitbrengen. Ik wist zonder enige twijfel dat Bill nog liever zijn eigen hand had afgebeten dan dat met mij te doen als hij bij zijn volle verstand was geweest. Destijds was hij de enige sekspartner die ik ooit had gehad.

Mijn gevoelens over de gebeurtenis waren zo verward dat ik zelfs de poging om ze uit elkaar te halen niet kon verdragen. Wanneer ik daarvoor aan verkrachting had gedacht, wanneer andere meisjes me hadden verteld wat er met hen was gebeurd of ik het in hun hoofd had gelezen, had ik niet de ambiguïteit gehad die ik over mijn eigen korte, afschuwelijke tijd in de kofferbak had gevoeld.

'Hij deed iets wat je niet wilde dat hij deed,' zei Alcide eenvoudig.

'Hij was zichzelf niet,' zei ik.

'Maar hij deed het wel.'

'Ja, dat klopt, en ik was ontzettend bang.' Mijn stem begon te beven. 'Maar hij kwam weer bij zijn positieven, en hij stópte, en ik was in orde, en hij had heel, heel veel spijt. Sindsdien heeft hij me nooit meer met een vinger aangeraakt, me nooit gevraagd of we seks konden hebben, nooit...' Mijn stem stierf weg. Ik staarde omlaag naar mijn handen. 'Ja, Debbie was daarvoor verantwoordelijk.' Op de een of andere manier voelde ik me beter toen ik dat hardop zei. 'Ze wist wat er zou gebeuren, of ze gaf er althans niets om wat er zou gebeuren.'

'En zelfs daarna,' zei Alcide, terugkomend op zijn belangrijkste punt, 'kwam ze nog steeds terug en probeerde ik nog steeds haar gedrag te rationaliseren. Ik kan niet geloven dat ik dat zou doen als ik niet onder een of andere magische invloed stond.'

Ik was niet van plan om te proberen Alcide zich schuldiger te laten voelen. Ik had mijn eigen lading schuld te dragen. 'Hé, het is voorbij.'

'Je klinkt overtuigd.'

Ik keek Alcide recht in de ogen. Die van hem waren smal en groen. 'Denk je dat er ook maar de geringste kans bestaat dat Debbie in leven is?' vroeg ik.

'Haar familie...' Alcide viel stil. 'Nee, ik denk van niet.'

Ik kwam niet van Debbie af, dood of levend.

'Waarom wou je in eerste instantie met me praten?' vroeg ik. 'Je zei over de telefoon dat je me iets moest vertellen.'

'Kolonel Flood is gisteren overleden.'

'O, dat spijt me zo! Wat is er gebeurd?'

'Hij reed naar de winkel toen een andere bestuurder hem van opzij raakte.'

'Dat is afschuwelijk. Zat er iemand bij hem in de auto?'

'Nee, hij was alleen. Zijn kinderen komen terug naar Shreveport voor de begrafenis, uiteraard. Ik vroeg me af of je met me mee zou willen gaan naar de begrafenis.'

'Natuurlijk. Is die niet besloten?'

'Nee. Hij kende zoveel mensen die nog zijn gestationeerd op de Air Force Base, en hij was voorzitter van zijn buurtwachtgroepje en de penningmeester van zijn kerk, en natuurlijk was hij de troepmeester.'

'Hij had een belangrijk leven,' zei ik. 'Grote verantwoordelijkheden.'

'Het is morgen om één uur. Hoe is je werkschema?'

'Als ik met iemand een dienst kan ruilen, zou ik hier om halfvijf terug moeten zijn om me om te kleden en naar het werk te gaan.'

'Dat moet geen probleem zijn.'

'Wie wordt er nu troepmeester?'

'Dat weet ik niet,' zei Alcide, maar zijn stem was niet zo neutraal als ik had verwacht.

'Wil jij de baan?'

'Nee.' Hij leek wat weifelachtig, vond ik, en ik voelde het conflict in zijn hoofd. 'Maar mijn vader wel.' Hij was niet uitgesproken. Ik wachtte.

'Weerbegrafenissen zijn nogal ceremonieel,' zei hij, en ik besefte dat hij me iets probeerde te vertellen. Ik was er alleen niet zeker van wat het was.

'Voor de dag ermee.' Rechtdoorzee is altijd goed, wat mij betreft.

'Als je denkt dat je je hiervoor te chic kunt kleden, dan heb je 't mis,' zei hij. 'Ik weet dat de rest van de veranderaarwereld denkt dat Weers alleen voor leer en kettingen gaan, maar dat is niet waar. Voor begrafenissen halen we alles uit de kast.' Hij wilde me zelfs nog meer modetips geven, maar daar stopte hij. Ik kon de gedachten achter zijn ogen elkaar zien verdringen; ze wilden vrijgelaten worden.

'Elke vrouw wil weten wat gepast is om te dragen,' zei ik. 'Dank je, ik zal geen broek dragen.'

Hij schudde zijn hoofd. 'Ik weet dat je dat kunt doen, maar ik ben altijd overrompeld.' Ik kon horen dat hij in verlegenheid was gebracht. 'Ik pik je om halftwaalf op,' zei hij.

'Ik kijk even of ik mijn dienst kan ruilen.'

Ik belde Holly en hoorde dat het haar uitkwam onze diensten te ruilen. 'Ik kan ook gewoon erheen rijden en je daar ontmoeten,' bood ik aan.

'Nee,' zei hij. 'Ik kom je wel halen en breng je weer terug.'

Oké, als hij al die moeite wilde doen om me te komen halen, kon ik daar wel mee leven. Ik zou autokosten besparen, bedacht ik me. Mijn oude Nova was niet al te betrouwbaar.

'Goed. Ik zal klaarstaan.'

'Ik moest maar eens gaan,' zei hij. Er viel een ongemakkelijke stilte. Ik wist dat Alcide erover dacht om me te kussen. Hij boog zich naar me toe en kuste me licht op de lippen. We keken elkaar aan van een paar centimeter afstand.

'Nou, ik heb nog wat dingen te doen, en jij moet terug naar Shreveport. Ik zal morgen om halftwaalf klaarstaan.'

Nadat Alcide was vertrokken, pakte ik mijn bibliotheekboek, de nieuwste van Carolyn Haines, en probeerde mijn zorgen te vergeten. Maar voor deze ene keer werkte een boek gewoon niet. Ik probeerde een heetwaterbad, en ik schoor mijn benen tot ze volmaakt zacht waren. Ik lakte mijn teennagels en vingernagels dieproze en daarna epileerde ik mijn wenkbrauwen. Eindelijk voelde ik me ontspannen, en toen ik mijn bed in kroop had ik rust verkregen door die verwennerij. De slaap overviel me zo snel dat ik mijn gebeden niet afmaakte.

6

Je moet verzinnen wat je aan moet trekken voor een begrafenis, net als voor elke andere sociale gelegenheid, ook al lijkt het alsof je kleren het laatste behoren te zijn waaraan je moet denken. Ik had kolonel Flood gemogen en bewonderd tijdens onze korte kennismaking, dus ik wilde er betamelijk uitzien voor zijn uitvaart, vooral na Alcides opmerkingen.

Ik kon alleen niets in mijn kast vinden wat gepast was. Rond achten de volgende ochtend belde ik Tara, die me vertelde waar haar noodsleutel was. 'Pak uit mijn kast wat je nodig hebt,' zei Tara. 'Zorg er alleen voor dat je niet de andere kamers in gaat, oké? Ga meteen van de achterdeur naar mijn kamer en er achter weer uit.'

'Dat had ik sowieso gedaan,' zei ik, terwijl ik niet al te beledigd probeerde te klinken. Dacht Tara soms dat ik in haar huis zou rondneuzen?

'Natuurlijk, maar ik voel me gewoon verantwoordelijk.'

Opeens besefte ik dat Tara me zei dat er een vampier in haar huis sliep. Misschien was het Mickey de bodyguard, misschien Franklin Mott. Na Erics waarschuwing wilde ik ver uit de buurt blijven van Mickey. Alleen de alleroudste vampiers konden voor het donker opstaan, maar een slapende vampier tegenkomen zou me alleen al hevig laten schrikken.

'Oké, ik snap 't,' zei ik vlug. Het idee om alleen met Mickey te zijn deed me huiveren, en niet van vreugdevolle verwachting. 'Meteen erin, meteen eruit.' Aangezien ik geen tijd te verspillen had, sprong ik in mijn auto en reed het dorp in naar Tara's huisje. Het was een bescheiden woning in een bescheiden buurt van het dorp, maar dat Tara een eigen huis had was een wonder, als ik dacht aan de plek waar ze was opgegroeid.

Sommige mensen zouden zich nooit moeten voortplanten; als hun kinderen het ongeluk hebben geboren te worden, zouden die kinderen onmiddellijk weggehaald moeten worden. Dat is niet toegestaan in ons land, of in welk land dat ik ken dan ook, en op mijn helderdere momenten weet ik zeker dat dat een goede zaak is. Maar de Thorntons, beiden alcoholverslaafden, waren wrede mensen geweest die jaren eerder hadden moeten sterven. (Ik vergeet mijn religie als ik aan hen denk.) Ik weet nog dat Myrna Thornton mijn oma's huis afbrak toen ze op zoek was naar Tara, waarbij ze mijn grootmoeders tegenwerpingen negeerde, tot oma de politie moest bellen om Myrna weg te laten sleuren. Tara was de achterdeur uit gerend om zich te verstoppen in de bossen achter ons huis toen ze de houding van haar moeders schouders had gezien op het moment dat mevrouw Thornton naar onze deur wankelde, godzijdank. Tara en ik waren toen dertien.

Ik zie nog steeds de blik op mijn oma's gezicht voor me

terwijl ze met de hulpsheriff stond te praten die Myrna Thornton zojuist achter in de politieauto had gezet, geboeid en schreeuwend.

'Jammer dat ik haar niet in de *bayou* kan gooien op de weg terug naar het dorp,' had de hulpsheriff gezegd. Ik kon me zijn naam niet herinneren, maar zijn woorden hadden indruk op me gemaakt. Het had even geduurd, maar toen ik eenmaal zeker wist wat hij bedoelde, besefte ik dat andere mensen wisten wat Tara en haar broers en zussen doormaakten. Die andere mensen waren almachtige volwassenen. Als ze het wisten, waarom losten ze het probleem dan niet op?

Ik begreep nu min of meer dat het niet zo eenvoudig was geweest; maar ik geloofde nog steeds dat de Thorntonkinderen een paar jaar van hun ellende bespaard had kunnen blijven.

Tara had tenminste dit fraaie huisje met gloednieuwe apparaten, en een kast vol kleren, en een rijke vriend. Ik had het onbehaaglijke gevoel dat ik niet alles wist van wat er zich in Tara's leven afspeelde, maar aan de buitenkant was ze de voorspellingen nog steeds ruim vóór.

Zoals ze had geïnstrueerd, liep ik door de brandschone keuken, sloeg rechts af, passeerde een hoek van de huiskamer en liep door de deuropening Tara's slaapkamer binnen. Tara had niet de kans gehad om haar bed op te maken die ochtend. Ik trok in een flits de lakens recht zodat het er netjes uitzag. (Ik kon het niet laten.) Ik kon niet besluiten of ze dat als een gunst zag of niet, aangezien ze nu zou weten dat ik het vervelend vond als het bed niet was opgemaakt, maar ik kon er met de beste wil van de wereld niet weer een puinhoop van maken.

Ik opende haar inloopkast. Ik ontdekte meteen wat ik precies nodig had. In het midden van het achterste rek hing een pakje. Het jasje was zwart met een zachtroze uitmonstering op de revers, bedoeld om over de bijpassende roze bloes met korte mouwen te dragen die eronder op de hanger hing. De zwarte rok was geplisseerd. Tara had hem laten inkorten; het vermaaklabel zat nog op de plastic zak die het kledingstuk bedekte. Ik hield de rok voor me en keek in Tara's passpiegel. Tara was vijf á zeven centimeter langer dan ik, dus de rok viel net tweeënhalve centimeter boven mijn knieën, een mooie lengte voor een begrafenis. De mouwen van het jasje waren wat lang, maar dat viel niet zo op. Ik had een paar zwarte pumps en een tas, en zelfs een paar zwarte handschoenen die ik voor bijzondere gelegenheden bewaarde.

Taak volbracht, in recordtijd.

Ik schoof het jasje en het bloesje in de plastic zak met de rok en liep rechtstreeks het huis uit. Ik was minder dan tien minuten in Tara's woning geweest. Haastig, vanwege mijn afspraak om tien uur, begon ik me klaar te maken. Ik vlocht mijn haar in en rolde de resterende staart eronder, terwijl ik alles vastzette met een paar antieke haarspelden die mijn oma had opgeborgen; ze waren van haar oma geweest. Ik had gelukkig een paar zwarte kousen, en een zwarte onderjurk, en het roze van mijn vingernagels combineerde tenminste met het roze van het jasje en het bloesje. Toen ik om tien uur een klop op de voordeur hoorde, was ik op mijn schoenen na klaar. Onderweg naar de deur schoof ik in mijn pumps.

Jack Leeds keek openlijk verbaasd vanwege mijn transformatie, terwijl Lily's wenkbrauwen trilden.

'Kom binnen, alsjeblieft,' zei ik. 'Ik ben gekleed voor een begrafenis.'

'Ik hoop dat u geen vriend begraaft,' zei Jack Leeds. Het gezicht van zijn metgezel had uit marmer gebeeldhouwd kunnen zijn. Had die vrouw nog nooit van de zonnebank gehoord?

'Geen intieme. Gaat u toch zitten. Kan ik u iets aanbieden? Koffie?'

'Nee, dank u,' zei hij; zijn lach transformeerde zijn gezicht.

De detectives zaten op de bank terwijl ik op het puntje van de La-Z-Boy ging zitten. Op de een of andere manier voelde ik me moediger in mijn ongebruikelijke klederdracht.

'Wat betreft de avond waarop mevrouw Pelt verdween,' begon Leeds. 'Zag u haar in Shreveport?'

'Ja, ik was uitgenodigd op hetzelfde feest als zij. Bij Pam thuis.' Iedereen van ons die de Heksenoorlog had doorstaan – Pam, Eric, Clancy, de drie Wicca's, en de Weers die het hadden overleefd – had ingestemd met ons verhaal: in plaats van dat we de politie vertelden dat Debbie was vertrokken van de bouwvallige en leegstaande zaak waar de heksen hun schuilplek hadden opgezet, hadden we gezegd dat we de hele avond bij Pam thuis waren gebleven, en dat Debbie in haar auto was vertrokken vanaf dat adres. De buren hadden misschien verklaard dat iedereen eerder en masse was vertrokken als de Wicca's niet wat magie hadden uitgeoefend om hun herinneringen van de avond te vertroebelen.

'Kolonel Flood was er,' zei ik. 'Trouwens, het is zijn begrafenis waar ik naartoe ga.'

Lily keek vragend, wat waarschijnlijk het equivalent was van iemand anders die uitroept: 'O, dat meen je niet!'

'Kolonel Flood is twee dagen geleden bij een autoongeluk omgekomen,' vertelde ik hun.

Ze wierpen elkaar een vluchtige blik toe. 'Dus er waren nogal wat mensen op dit feest?' zei Jack Leeds. Ik was ervan overtuigd dat hij een complete lijst had van de mensen die in Pams woonkamer hadden gezeten vanwege wat in wezen een oorlogsberaad was geweest.

'O ja. Nogal wat. Ik kende ze niet allemaal. Mensen van Shreveport.' Ik had de drie Wicca's die avond voor het eerst ontmoet. Ik kende de weerwolven oppervlakkig. De vampiers kende ik wel.

'Maar u had Debbie Pelt al eerder ontmoet?'

'Ja.'

'Toen u wat had met Alcide Herveaux?'

Nou. Ze hadden beslist hun huiswerk gedaan.

'Ja,' zei ik. 'Toen ik wat met Alcide had.' Mijn gezicht stond zo kalm en onbewogen als dat van Lily. Ik had veel ervaring in geheimen bewaren.

'Bleef u een keer bij hem slapen in het appartement van Herveaux in Jackson?'

Ik begon eruit te flappen dat we in aparte slaapkamers hadden geslapen, maar daar hadden ze eigenlijk niets mee te maken. 'Ja,' zei ik enigszins bits.

'Kwamen jullie twee op een avond in Jackson mevrouw Pelt tegen in een club genaamd Josephine's?'

'Ja, ze vierde haar verloving met een kerel genaamd Clausen,' zei ik.

'Was er die avond iets tussen jullie voorgevallen?'

'Ja.' Ik vroeg me af met wie ze gepraat hadden; iemand had de detectives een hoop informatie gegeven die ze niet hadden moeten geven. 'Ze kwam op ons tafeltje af, maakte wat opmerkingen tegen ons.'

'En ging u een paar weken geleden ook bij Alcide langs op het kantoor van Herveaux? Waren jullie beiden op een plaats delict die middag?'

Ze hadden véél te veel huiswerk gedaan. 'Ja,' zei ik.

'En hebt u de agenten op die plaats delict verteld dat u en Alcide Herveaux verloofd waren?'

Leugens komen je altijd achterna. 'Ik geloof dat Alcide dat zei,' zei ik, en ik probeerde nadenkend te kijken.

'En klopte zijn bewering?'

Jack Leeds dacht dat ik een van de meest wispelturige vrouwen was die hij ooit had ontmoet, en hij kon niet begrijpen hoe iemand die in staat was zich zo meesterlijk te verloven en te onverloven de verstandige, hardwerkende serveerster kon zijn die hij de dag ervoor had gezien.

Zij zat te denken dat mijn huis erg schoon was. (Raar, hè?) Ook dacht ze dat ik best in staat was om Debbie Pelt te vermoorden, want ze had ontdekt dat mensen tot de meest afschuwelijke dingen in staat waren. Zij en ik deelden meer dan ze ooit zou weten. Ik had dezelfde treurige kennis, aangezien ik die rechtstreeks uit hun hoofden had opgedaan.

'Ja,' zei ik. 'Op dat moment klopte dat. We waren voor ongeveer tien minuten verloofd. Noem me maar Britney.' Ik had een hekel aan liegen. Ik wist het bijna altijd als iemand loog, dus het voelde alsof er in grote letters LEUGENAAR op mijn voorhoofd stond gedrukt.

De mond van Jack Leeds krulde, maar mijn toespeling op het vijfenvijftig uur durende huwelijk van de popzangeres veroorzaakte geen kuiltjes in de wangen van Lily Bard Leeds.

'Had mevrouw Pelt er bezwaar tegen dat u met Alcide uitging?'

'O, ja.' Ik was blij dat ik jaren ervaring had in het verbergen van mijn gevoelens. 'Maar Alcide wilde niet met haar trouwen.'

'Was ze kwaad op u?'

'Ja,' zei ik, omdat ze ongetwijfeld wisten dat dat de waarheid was. 'Ja, dat kun je wel zeggen. Ze schold me uit. U hebt vast gehoord dat Debbie haar gevoelens niet onder stoelen of banken schoof.'

'Dus wanneer hebt u haar voor het laatst gezien?'

'Ik zag haar voor het laatst...' *(met half haar hoofd weg, uitgespreid over de keukenvloer, haar benen in de knoop met de poten van een stoel)* 'Eens denken... Toen ze die avond van het feest vertrok. Ze liep in haar eentje weg het duister in.' Niet van Pams huis, maar van een heel andere locatie; één vol met dode lichamen, met bloed op de muren gespat. 'Ik nam gewoon aan dat ze terug naar Jackson ging.' Ik haalde mijn schouders op.

'Deed ze Bon Temps niet aan? Dat is precies ter hoogte van de snelweg op haar route terug.

'Ik kan niet bedenken waarom ze dat zou doen. Ze klopte niet op mijn deur.' Ze had ingebroken.

'Hebt u haar niet meer gezien na het feest?'

'Ik heb haar niet meer gezien sinds die avond.' Nou, dát was de volledige waarheid.

'Hebt u de heer Herveaux gezien?'

'Ja, dat klopt.'

'Bent u nu verloofd?'

Ik glimlachte. 'Niet dat ik weet,' zei ik.

Ik was niet verbaasd toen de vrouw vroeg of ze van mijn toilet gebruik mocht maken. Ik had mijn schild laten zaken om erachter te komen hoe achterdochtig de detectives waren, dus ik wist dat ze een uitgebreider kijkje in mijn huis wilde nemen. Ik liet haar de badkamer op de gang zien, niet die in mijn slaapkamer; niet dat ze in een van beide iets verdachts zou vinden.

'En haar auto?' vroeg Jack Leeds me plotseling. Ik had geprobeerd heimelijk een blik te werpen op de klok op de schouw boven de open haard, want ik wilde er zeker van zijn dat het duo weg was voordat Alcide me kwam ophalen voor de begrafenis.

'Hmm?' Ik was het spoor van het gesprek bijster geraakt.

'Debbie Pelts auto.'

'Wat is daarmee?'

'Hebt u enig idee waar hij is?'

'Geen flauw idee,' zei ik in alle eerlijkheid.

Toen Lily de huiskamer weer binnenkwam, vroeg hij: 'Mevrouw Stackhouse, gewoon uit nieuwsgierigheid, wat denkt u dat Debbie Pelt is overkomen?'

Ik dacht: ik denk dat ze heeft gekregen wat ze verdiende. Ik schrok een beetje van mezelf. Soms ben ik niet zo'n aardig persoon, en ik schijn er niet aardiger op te worden. 'Ik weet het niet, meneer Leeds,' zei ik. 'Ik geloof dat ik u moet vertellen dat ik er behalve de zorgen van haar familie niet echt iets om geef. We mochten elkaar niet. Ze brandde een gat in mijn sjaal, ze noemde me een hoer, en ze deed vreselijk tegen Alcide; maar aangezien hij een volwassen man is, is dat zijn probleem. Ze hield ervan mensen te belazeren. Ze liet ze graag naar haar pijpen dansen.' Jack Leeds keek wat verbluft bij deze stroom informatie. 'Dus,' concludeerde ik, 'zo denk ik erover.'

'Dank u voor uw eerlijkheid,' zei hij, terwijl zijn vrouw me met haar lichtblauwe ogen aanstaarde. Als ik ook maar enige twijfel had gehad, zag ik nu duidelijk in dat zij de meer geduchte was van de twee. Gezien de diepte van het onderzoek dat Jack Leeds had verricht, wilde dat wel wat zeggen.

'Uw kraagje zit scheef,' zei ze zacht. 'Ik doe 'm wel even goed.' Ik stond stil terwijl haar behendige vingers achter me reikten en aan het jasje trokken tot de kraag goed lag.

Daarna vertrokken ze. Nadat ik hun auto de oprit af zag rijden, trok ik mijn jasje uit en bekeek ik het nauwkeurig. Hoewel ik zo'n intentie niet van haar brein had opgepikt, had ze misschien een verborgen microfoontje aan me vastgemaakt. De Leeds konden achterdochtiger zijn dan ze hadden geklonken. Nee, ontdekte ik: ze was echt de netheidsfreak die ze had geleken, en ze had niet tegen mijn opstaande kraagje gekund. Nu ik toch argwanend was, inspecteerde ik de badkamer op de gang. Ik was er niet in geweest sinds ik hem een week geleden voor het laatst had schoongemaakt, dus hij zag er vrij fatsoenlijk uit en zo fris en sprankelend als een erg oude badkamer in een erg oud huis er maar uit kan zien. De gootsteen was vochtig, en de handdoek was gebruikt en opnieuw gevouwen, maar dat was alles. Er was niets extra's aanwezig, en niets ontbrak, en als de detective het badkamerkastje had geopend om de inhoud ervan te controleren, dan kon me dat gewoon niets schelen.

Mijn hiel bleef in een gat steken waar het vloermateriaal was versleten. Voor ongeveer de honderdste keer vroeg ik me af of ik mezelf kon leren hoe ik linoleum kon leggen, want de vloer kon beslist een nieuw laagje gebruiken. Ik vroeg me ook af hoe ik het ene moment het feit kon verbergen dat ik een vrouw had gedood, en het volgende moment me zorgen kon maken over het gescheurde linoleum in de badkamer.

'Ze was slecht,' zei ik hardop. 'Ze was gemeen en slecht, en ze wilde me dood zonder een enkele goede reden.'

Zo kon ik het doen. Ik had in een cocon van schuld geleefd, maar hij was zojuist gebarsten en uit elkaar gevallen. Ik was het moe om zo in te zitten over iemand die me binnen de kortste keren vermoord zou hebben, iemand die haar best had gedaan om mijn dood te veroorzaken. Ik zou Debbie nooit in een hinderlaag hebben laten lopen, maar ik was niet bereid geweest me door haar te laten doden, alleen maar omdat het haar uitkwam om mij dood te willen.

De pot op met het hele onderwerp. Ze zouden haar vinden, of ze zouden haar niet vinden. Het had geen zin om je daar hoe dan ook druk over te maken.

Opeens voelde ik me stukken beter.

Ik hoorde een voertuig door de bossen aankomen. Alcide was precies op tijd. Ik verwachtte zijn Dodge Ram te zien, maar tot mijn verbazing zat hij in een donkerblauwe Lincoln. Zijn haar zat zo glad als maar kon, wat niet heel glad was, en hij droeg een eenvoudig donkergrijs pak met een bordeauxrode das. Ik staarde hem door het raam met open mond aan toen hij de stapstenen op liep naar de voorveranda. Hij zag er goed genoeg uit om op te vreten, en ik probeerde niet als een idioot te giechelen bij het beeld dat dit bij me opriep.

Toen ik de deur openmaakte, scheen hij net zo verbluft. 'Je ziet er prachtig uit,' zei hij na eeen tijdje naar me te hebben gestaard.

'Jij ook,' zei ik, en ik voelde me bijna verlegen.

'Ik geloof dat we aanstalten moeten maken.'

'Tuurlijk, als we er op tijd willen zijn.'

'We moeten er tien minuten van tevoren zijn,' zei hij.

'Waarom eigenlijk?' Ik pakte mijn zwarte damestas op, wierp een blik in de spiegel om te zien of mijn lippenstift nog vers was, en deed de voordeur achter me op slot. Gelukkig was de dag warm genoeg om mijn jas thuis te laten. Ik wilde mijn outfit niet verhullen.

'Dit is een Weerbegrafenis,' zei hij op gewichtige toon.

'Waarin verschilt die van een gewone begrafenis?'

'Het is de begrafenis van een troepmeester, en dat maakt het wat... plechtiger.'

Goed, dat had hij me de dag ervoor al gezegd. 'Hoe zorg je ervoor dat gewone mensen daar niet achter komen?'

'Dat zul je wel zien.'

Ik had zo mijn twijfels over het hele gebeuren. 'Weet je zeker dat ik er wel naartoe zou moeten gaan?'

'Hij maakte je tot vriendin van de troep.'

Dat herinnerde ik me wel, hoewel ik me op dat moment niet had gerealiseerd dat het een titel was, zoals Alcide het nu liet klinken: Vriendin van de Troep.

Ik had het onbehaaglijke gevoel dat er nog veel meer te weten viel over de begrafenisceremonie van kolonel Flood. Normaal gesproken had ik meer informatie dan ik aankon over welk onderwerp dan ook, aangezien ik gedachten kon lezen; maar er woonden geen Weers in Bon Temps, en de andere veranderaars waren niet zo georganiseerd als de wolven. Hoewel Alcides gedachten moeilijk te lezen waren, kon ik merken dat hij in beslag werd genomen door wat er in de kerk stond te gebeuren, en eveneens dat hij zich zorgen maakte om een Weer genaamd Patrick.

De dienst werd gehouden in Grace Episcopal, een kerk in een oudere, welvarende buitenwijk van Shreveport. Het kerkgebouw was erg traditioneel, gemaakt van grijze steen, met bovenop een spitse toren. Je had geen anglicaanse kerk in Bon Temps, maar ik wist dat de diensten leken op die van de katholieke kerk. Alcide had me verteld dat zijn vader de begrafenis ook bijwoonde, en dat we er vanuit Bon Temps met zijn vaders auto heen zouden gaan. 'Mijn truck zag er niet waardig genoeg uit voor vandaag, vond mijn vader,' zei Alcide. Ik kon merken dat zijn vader prominent in zijn gedachten aanwezig was.

'Hoe komt je vader hier dan naartoe?' vroeg ik.

'Zijn andere auto,' zei Alcide afwezig, alsof hij niet echt luisterde naar wat ik zei. Ik was een beetje verbijsterd door het feit dat één man twee auto's in zijn bezit had: in mijn ervaring hadden mannen misschien een gezinsauto en een pick-up, of een pick-up en een fourwheeldrive. Mijn onaangename verrassinkjes voor vandaag waren pas net begonnen. Tegen de tijd dat we de I-20 hadden bereikten en naar het westen afsloegen, had Alcides stemming de auto gevuld. Ik wist niet zeker wat voor stemming het was, maar ze vereiste stilte.

'Sookie,' zei Alcide abrupt, zijn handen spanden zich om het stuur tot zijn knokkels wit waren.

'Ja?' Het feit dat er slecht nieuws op komst was, had net zo goed in knipperende letters boven Alcides hoofd geschreven kunnen staan. Meneer Innerlijk Conflict.

'Ik moet ergens met je over praten.'

'Waarover? Is er iets verdachts aan de dood van kolonel Flood?' *Ik had het me moeten afvragen!* berispte ik mezelf. Maar de andere veranderaars waren neergeschoten. Een verkeersongeluk was een enorm contrast.

'Nee,' zei Alcide, en hij keek verbaasd. 'Voor zover ik weet, was het ongeluk gewoon een ongeluk. Die andere kerel reed door rood.'

Ik leunde weer achterover in de leren stoel. 'Wat is er dan aan de hand?'

'Is er iets wat je me wilt vertellen?'

Ik verstijfde. 'Je vertellen? Waarover?'

'Over die avond. De avond van de Heksenoorlog.'

Een jarenlange ervaring met het beheersen van mijn gezicht snelde te hulp. 'Helemaal niets,' zei ik tamelijk kalm, hoewel ik misschien mijn vuisten balde toen ik het zei.

Alcide zei niets meer. Hij parkeerde de auto en liep eromheen om me eruit te helpen, wat onnodig maar aardig was. Ik had besloten dat ik mijn tas niet mee naar binnen hoefde te nemen, dus ik stopte hem onder de stoel en Alcide deed de auto op slot. We liepen naar de voorkant van de kerk. Alcide pakte mijn hand, enigszins tot mijn verbazing. Ik mocht dan een vriendin van de troep zijn, ik werd kennelijk verondersteld vriendelijker met één lid van de troep te zijn dan met de anderen.

'Daar is pa,' zei Alcide toen we een kluitje treurenden naderden. Alcides vader was iets kleiner dan Alcide, maar hij was net zo'n potige man als zijn zoon. Jackson Herveaux had ijzergrijs haar in plaats van zwart, en een forsere neus. Hij had dezelfde olijfkleurige huid als Alcide. Jackson zag er des te donkerder uit omdat hij naast een bleke, tengere vrouw stond met glanzend wit haar.

'Vader,' zei Alcide formeel, 'dit is Sookie Stackhouse.'

'Aangenaam kennis met je te maken, Sookie,' zei Jackson Herveaux. 'Dit is Christine Larrabee.' Christine, die net zo goed zevenenvijftig als zevenenzestig had kunnen zijn, zag eruit als een schilderij in pastelkleuren. Haar ogen waren bleekblauw, haar gladde huid was magnoliawit met een vaag tintje roze, haar witte haar was onberispelijk gekapt. Ze droeg een lichtblauw pakje, dat ik zelf niet zou hebben gedragen tot de winter helemaal voorbij was, maar het stond haar fantastisch, dat zeker.

'Aangenaam kennis te maken,' zei ik, terwijl ik me afvroeg of ik een reverence moest maken. Ik had handen geschud met Alcides vader, maar Christine stak die van haar niet uit. Ze schonk me een knikje en een bevallige glimlach. Wilde me zeker niet kneuzen met haar diamanten ringen, besloot ik na een vluchtige blik op haar vingers. Natuurlijk pasten ze bij haar oorbellen. Ze had me in klasse overtroffen, geen twijfel mogelijk. Stik toch, dacht ik. Het scheen mijn dag te zijn om onaangename dingen te negeren.

'Zo'n droevige zaak,' zei Christine.

Als ze een beleefd praatje wilde, was dat voor mij geen enkel probleem. 'Ja, kolonel Flood was een geweldige man,' zei ik.

'O, kende je hem dan?'

'Ja,' zei ik. Om de waarheid te zeggen had ik hem naakt gezien, maar onder uitgesproken onerotische omstandigheden.

Met mijn korte antwoord kon ze niet veel. Ik zag oprecht vermaak in haar lichte ogen. Alcide en zijn vader wisselden op zachte toon opmerkingen uit, die wij overduidelijk behoorden te negeren. 'Jij en ik zijn vandaag pure decoraties,' zei Christine.

'Dan weet jij meer dan ik.'

'Ik denk het. Hoor jij niet bij de tweesoortigen?'

'Nee.' Christine wel, natuurlijk. Ze was een volbloed Weer, net als Jackson en Alcide. Ik kon me niet voorstellen dat deze elegante vrouw in een wolf veranderde, vooral met de ongeremde reputatie die de Weers in de veranderaargemeenschap hadden, maar de indrukken die ik uit haar gedachten kreeg, waren niet mis te verstaan.

'De begrafenis van de troepmeester markeert het begin van de campagne om zijn plaats in te nemen,' zei Christine. Aangezien dat meer degelijke informatie was dan ik in twee uur van Alcide had gekregen, voelde ik me onmiddellijk gunstig gestemd tegenover de oudere vrouw.

'Je bent vast buitengewoon, als Alcide jou uitkiest als zijn metgezel vandaag,' vervolgde Christine.

'Ik weet niet of ik "buitengewoon" ben. In letterlijke zin misschien. Ik heb extraatjes die niet gewoon zijn.'

'Heks?' raadde Christine. 'Elf? Deels kabouter?'

Goh. Ik schudde mijn hoofd. 'Geen van het bovenstaande. Wat gaat daarbinnen nou gebeuren?'

'Er zijn meer afgezette kerkbanken dan normaal. De hele troep zal voor in de kerk zitten, de gepaarden naast hun partners, natuurlijk, en hun kinderen. De kandidaten voor troepmeester komen als laatste binnen.'

'Hoe worden ze gekozen?'

'Ze maken zichzelf bekend,' zei ze. 'Maar ze zullen aan een test worden onderworpen, en vervolgens zullen de leden stemmen.'

'Waarom neemt Alcides vader jou mee, of is dat een heel persoonlijke vraag?'

'Ik ben de weduwe van de troepmeester vóór kolonel Flood,' zei Christine Larrabee zachtjes. 'Dat geeft me een bepaalde invloed.'

Ik knikte. 'Is de troepmeester altijd een man?'

'Nee. Maar omdat kracht onderdeel uitmaakt van de test, winnen gewoonlijk de mannen.'

'Hoeveel kandidaten zijn er?'

'Twee. Jackson natuurlijk, en Patrick Furnan.' Ze neigde haar aristocratische hoofd lichtjes naar rechts, en ik bekeek het paar dat aan de periferie van mijn belangstelling had gestaan wat aandachtiger.

Patrick Furnan was midden veertig, ergens tussen Alcide en zijn vader in. Hij was een zwaargebouwde man met lichtbruin stekeltjeshaar en een zeer korte baard in een fraaie vorm geschoren. Zijn pak was ook bruin, en hij had moeite gehad om het jasje dicht te knopen. Zijn partner was een mooie vrouw die in veel lippenstift en sieraden geloofde. Ze had eveneens kort bruin haar, maar er zaten geblondeerde strepen in en het was met zorg gestileerd. Haar hakken waren minstens acht centimeter hoog. Ik keek met ontzag naar de schoenen. Ik zou mijn nek breken als ik erop probeerde te lopen. Maar deze vrouw bleef glimlachen en had een vriendelijk woord voor iedereen die haar benaderde. Patrick Furnan was afstandelijker. Zijn smalle ogen beoordeelden en namen elke Weer op in de zich verzamelende massa.

'Is Tammy Faye daar, zijn vrouw?' vroeg ik Christine op een discreet zachte toon.

Christine maakte een geluid dat ik gegrinnik genoemd zou hebben als het door een minder aristocratisch iemand was uitgestoten. 'Ze draagt inderdaad een hoop make-up,' zei Christine. 'Ze heet eigenlijk Libby. Ja, ze is zijn vrouw en een volbloed Weer, en ze hebben twee kinderen. Dus hij heeft de troep vermeerderd.'

Alleen het oudste kind zou in de puberteit een Weer worden.

'Wat doet hij voor de kost?' vroeg ik.

'Hij is een Harley-Davidson-dealer,' zei Christine.

'Dat is een klassieker.' Weers houden dikwijls van motoren.

Christine lachte, net niet hardop.

'Wie is de koploper?' Ik was midden in het spel gedumpt, en ik moest de regels leren. Straks zou ik Alcide van katoen geven; maar nu zou ik de begrafenis uitzitten, omdat ik daarvoor gekomen was.

'Lastig te zeggen,' mompelde Christine. 'Ik zou met geen van beiden hebben samengewerkt, als ik de keus had gehad, maar Jackson deed een beroep op onze oude vriendschap, en ik moest me ten gunste van hem uitspreken.'

'Dat is niet aardig.'

'Nee, maar het is praktisch,' zei ze, geamuseerd. 'Hij heeft alle steun nodig die hij kan krijgen. Heeft Alcide jou gevraagd om zijn vader te steunen?'

'Nee. Ik zou helemaal niets van de situatie af weten als jij niet zo aardig was geweest om me op de hoogte te brengen.' Ik gaf haar een dankbaar knikje.

'Aangezien je geen Weer bent – sorry, lieverd, maar ik probeer dit alleen maar uit te vogelen –, wat kun jij dan voor Alcide doen, vraag ik me af? Waarom zou hij je hierbij betrekken?'

'Hij zal me dat heel snel moeten vertellen,' zei ik, en als mijn stem koel en onheilspellend klonk, kon me dat niks schelen.

'Zijn vorige vriendin verdween,' zei Christine nadenkend. 'Ze waren nogal aan-uit, aan-uit, zei Alcide tegen me. Als zijn vijanden er iets mee te maken hadden, kun je maar beter uitkijken.'

'Ik denk niet dat ik gevaar loop,' zei ik.

'O?'

Maar ik had genoeg gezegd.

'Hmmmm,' zei Christine na een lange, peinzende blik op mijn gezicht. 'Nou, ze gedroeg zich te veel als een diva voor iemand die zelfs niet eens een Weer is.' Christines stem toonde de minachting die Weers voor de andere veranderaars voelden. ('Waarom zou je veranderen, als je niet in een wolf kunt veranderen?' hoorde ik een Weer eens zeggen.)

Mijn aandacht werd getrokken door de doffe glans van een geschoren hoofd, en ik stapte een stukje naar links om beter zicht te hebben. Ik had deze man nog nooit gezien. Ik zou me hem vast en zeker herinnerd hebben; hij was erg lang, langer dan Alcide of zelfs Eric, dacht ik. Hij had forse schouders en armen met spieren als touwen. Zijn hoofd en armen hadden het zongebruinde kleurtje van een blanke. Dat kon ik zien, want hij droeg een zwartzijden T-shirt zonder mouwen dat in een zwarte broek was gestopt en glimmende nette schoenen. Het was een frisse dag aan het einde van januari, maar de kou scheen hem helemaal niet te deren. Er was een duidelijk afgebakende ruimte tussen hem en de mensen om hem heen.

Terwijl ik benieuwd naar hem keek, draaide hij zich om en keek me aan, alsof hij mijn aandacht kon voelen. Hij had een imposante neus, en zijn gezicht was net zo glad als zijn geschoren hoofd. Vanaf deze afstand leken zijn ogen zwart.

'Wie is dat?' vroeg ik Christine, mijn stem klonk dun als een draadje door de wind die was komen opzetten en de bladeren van de hulststruiken deed schudden die om de kerk waren geplant.

Christine wierp een vlugge blik op de man, en ze moest geweten hebben wie ik bedoelde, maar ze antwoordde niet.

Gewone mensen waren langzaamaan tussen de Weers door gesijpeld, terwijl ze de trap op gingen en de kerk in. Nu verschenen er twee mannen in zwarte pakken bij de deuren. Ze sloegen hun handen over elkaar voor hun lichaam, en degene rechts knikte naar Jackson Herveaux en Patrick Furnan.

De twee mannen, met hun vrouwelijke partners, kwamen onder aan de trap tegenover elkaar te staan. De verzamelde Weers gingen tussen hen door om de kerk binnen te gaan. Sommigen knikten naar de een, sommigen naar de ander, sommigen naar allebei. Zwevende kiezers. Zelfs nadat hun manschappen waren gereduceerd door de recente oorlog met de heksen, telde ik vijfentwintig volwassen volbloed Weers in Shreveport, een zeer grote troep voor zo'n klein stadje. De grootte ervan was toe te schrijven aan de Air Force Base, meende ik.

Iedereen die tussen de twee kandidaten door liep was een meerderjarige Weer. Ik zag maar twee kinderen. Natuurlijk hadden sommige ouders hun kinderen misschien liever op school gelaten dan ze mee te nemen naar de begrafenis. Maar ik was er vrij zeker van dat ik de waarheid zag van wat Alcide me had verteld: onvruchtbaarheid en een hoog kindersterftecijfer teisterden de Weers.

Alcides jongere zus, Janice, was met een mens getrouwd. Ze zou zelf nooit van vorm veranderen, aangezien ze niet het eerstgeboren kind was. De recessieve Weereigenschappen van haar zoon, had Alcide me verteld, zouden zich kunnen openbaren als een verhoogde vitaliteit en een groot genezingsvermogen. Veel beroepsatleten kwamen van stellen van wie de gemeenschappelijke genen een percentage van Weerbloed bevatten.

'We gaan zo meteen,' mompelde Alcide. Hij stond naast me, en speurde de gezichten af die voorbijkwamen.

'Ik vermoord je straks,' zei ik tegen hem, terwijl ik mijn gezicht kalm hield voor de Weers die langsliepen. 'Waarom heb je dit niet uitgelegd?'

De lange man liep de trap op; zijn armen zwaaiden onder het lopen, zijn grote lichaam bewoog zich doelbewust en elegant. Zijn hoofd zwaaide mijn kant op toen hij voorbijliep, en ik keek hem in de ogen. Ze waren erg donker, maar ik kon nog steeds de kleur niet onderscheiden. Hij lachte naar me.

Alcide raakte mijn hand aan, alsof hij wist dat mijn aandacht was afgedwaald. Hij boog zich naar me toe om in mijn oor te fluisteren: 'Ik heb je hulp nodig. Ik wil dat je na de begrafenis een gelegenheid vindt om Patricks gedachten te lezen. Hij gaat iets doen om mijn vader te saboteren.'

'Waarom heb je me dat niet gewoon gevraagd?' Ik was in de war, en ik was vooral gekwetst.

'Ik dacht dat je misschien toch al het gevoel had dat je me iets verschuldigd bent!'

'Hoe kom je daarbij?'

'Ik weet dat je Debbie hebt gedood.'

Als hij me een klap had gegeven, had dat me niet erger kunnen schokken. Ik heb geen idee hoe mijn gezicht eruitzag. Nadat de impact van de schok en het terugkerende schuldgevoel waren weggeëbd, zei ik: 'Jij had haar afgezworen. Wat gaat jou 't aan?'

'Niets,' zei hij. 'Niets. Ze was voor mij al dood.' Dat geloofde ik geen seconde. 'Maar jij dacht dat het mij nogal zou raken, en je hield het geheim. Ik meende dat je vond dat je me wat verschuldigd was.'

Als ik een geweer in mijn tas had gehad, zou ik geneigd zijn geweest om het op dat moment tevoorschijn te halen. 'Ik ben je geen bal verschuldigd,' zei ik. 'Volgens mij kwam je me in je vaders auto ophalen omdat je wist dat ik weg zou rijden zodra je dat zei.'

'Nee,' zei hij. We spraken nog steeds op zachte toon, maar aan de zijdelingse blikken die we kregen, kon ik merken dat ons intense colloquium de aandacht trok. 'Nou, misschien. Vergeet alsjeblieft wat ik zei over dat je me iets verschuldigd bent. Het feit is dat mijn vader in de problemen zit en ik zou bijna alles doen om hem uit de moeilijkheden te redden. En jij kunt helpen.'

'Als je de volgende keer weer hulp nodig hebt, vráág het

dan. Probeer me er niet toe te chanteren of te manipuleren. Ik help mensen graag. Maar ik haat het om gedwongen en erin geluisd te worden.' Hij had zijn ogen naar beneden gericht, dus ik pakte zijn kin beet en dwong hem in de mijne te kijken. *'Ik haat het.'*

Ik keek even naar de trap omhoog om te peilen hoeveel belangstelling onze ruzie trok. De lange man was opnieuw tevoorschijn gekomen. Hij keek zonder waarneembare uitdrukking naar ons omlaag. Maar ik wist dat we zijn aandacht hadden.

Alcide keek ook omhoog. Zijn gezicht werd rood. 'We moeten nu naar binnen. Ga je met me mee?'

'Wat betekent het als ik met je mee naar binnen ga?'

'Het betekent dat je aan mijn vaders kant staat in zijn gooi naar de troep.'

'Wat ben ik daarvoor verplicht te doen?'

'Niets.'

'Waarom is het dan belangrijk dat ik het doe?'

'Hoewel een troepmeester kiezen een zaak van de troep is, zou het diegenen kunnen beïnvloeden die weten hoeveel je ons hebt geholpen tijdens de Heksenoorlog.'

Heksenschermutseling zou een betere omschrijving zijn geweest, want hoewel het zeker zij tegen wij was geweest, was het totale aantal mensen dat erbij was betrokken vrij klein – zeg veertig of vijftig. Maar in de geschiedenis van de Shreveporttroep was het een epische episode, kreeg ik de indruk.

Ik staarde omlaag naar mijn zwarte pumps. Ik worstelde met mijn tegenstrijdige instincten. Ze leken ongeveer even sterk. Het ene zei: 'Alcide is goed voor je geweest, en het zou geen kwaad kunnen als je dit voor hem doet.' Het andere zei: 'Alcide hielp je in Jackson omdat hij zijn vader uit de problemen met de vampiers probeerde te halen. Nu is hij opnieuw bereid je te betrekken bij iets gevaarlijks om zijn vader bij te staan.' De eerste stem onderbrak: 'Hij wist dat Debbie slecht was. Hij probeerde zich van haar los te rukken, en daarna zwoer hij haar af.' De tweede zei: 'Waarom zou hij op de eerste plaats van zo'n teef houden? Waarom zou hij er ook maar over denken om bij haar te blijven als hij duidelijk bewijs had dat ze kwaadaardig was? Niemand anders heeft gesuggereerd dat ze magische krachten bezat. Dit "magische" gedoe is een goedkope smoes.' Ik voelde me net Linda Blair in *The Exorcist*, met haar hoofd ronddraaiend op haar nek.

Stem nummer één won het. Ik legde mijn hand op Alcides gekromde elleboog en we gingen de trap op en de kerk in.

De kerkbanken zaten vol gewone mensen. De voorste drie rijen aan beide kanten waren gereserveerd voor de troep. Maar de lange man, die overal zou opvallen, zat op de achterste rij. Ik ving een glimp op van zijn forse schouders voor ik mijn uiterste aandacht moest richten op de troepceremonie. De twee Furnankindereren, drommels schattig, liepen plechtig naar de voorste kerkbank aan de rechterkant van de kerk. Daarna liepen Alcide en ik erheen, terwijl we de twee kandidaten voor troepmeester voorgingen. Deze plaatsingsceremonie leek vreemd genoeg op een bruiloft, met Alcide en ik als de getuige en het eerste bruidsmeisje. Jackson en Christine en Patrick en Libby Furnan zouden dan binnenkomen als de ouders van de bruid en bruidegom.

Wat de burgers hiervan maakten, weet ik niet.

Ik wist dat ze allemaal zaten te staren, maar dat ben ik wel gewend. Als er ook maar iets is waaraan je als serveerster gewend raakt, is het aan snelle, controlerende blikken. Ik was naar behoren gekleed en ik zag er zo goed uit als ik mezelf eruit kon laten zien, en Alcide had hetzelfde gedaan, dus laat ze maar staren. Alcide en ik zaten op de voorste rij aan de linkerkant van de kerk, we schoven op onze plaatsen. Ik zag Patrick Furnan en zijn vrouw, Libby, de kerkbank in gaan aan de overkant van het gangpad. Toen keek ik achterom en zag ik Jackson en Christine langzaam binnenkomen, en ze keken gepast ernstig. Er ontstond een licht heen en weer bewegen van hoofden en handen, een zacht geroezemoes van fluisteringen, en toen liep Christine zijwaarts de kerkbank in, met Jackson aan haar zij.

De kist, gedrapeerd met een fijn geborduurd laken, werd het gangpad op gereden terwijl we allemaal gingen staan, waarna de sombere dienst begon.

Nadat de litanie, die Alcide me aanwees in het kerkboek, was doorgenomen, vroeg de priester of iemand een paar woorden wilde zeggen over kolonel Flood. Een van zijn Air Force-vrienden ging eerst en sprak over de toewijding van de kolonel aan zijn plicht en zijn eergevoel onder zijn commando. Een van zijn medekerkgangers was als volgende aan de beurt; hij prees de generositeit van de kolonel en loofde de tijd die hij had besteed aan de kerkboekhouding.

Patrick Furnan verliet zijn kerkbank en liep met statige passen naar de katheder. Hij had geen geweldig statige tred; daarvoor was hij te gezet. Maar zijn toespraak was beslist een afwisseling ten opzichte van de elegieën die de twee voorgaande mannen hadden voorgedragen. 'John Flood was een opmerkelijke man en een groot leider,' begon Furnan. Hij was een veel betere spreker dan ik had verwacht. Hoewel ik niet wist wie zijn opmerkingen had geschreven, was het een onderlegd iemand. 'In de broederschap waartoe we beiden behoorden, was hij altijd degene die ons vertelde welke richting we in moesten gaan, het doel dat we moesten bereiken. Toen hij ouder werd, merkte hij vaak op dat dit een taak was voor de jongelui.'

Een complete wending van lofrede naar campagnetoespraak. Ik was niet de enige die het was opgevallen; overal om me heen ontstonden beweginkjes, gefluisterde opmerkingen.

Hoewel hij van zijn stuk was gebracht door de reactie die hij had uitgelokt, ploeterde Patrick Furnan voort. 'Ik zei tegen John dat hij de beste man voor de baan was die we ooit hadden gehad, en dat geloof ik nog steeds. Wie er ook in zijn voetsporen treedt, John Flood zal nooit vergeten of verdrongen worden. De volgende leider kan alleen maar hopen net zo hard te werken als John. Ik zal er altijd trots op zijn dat John meer dan eens zijn vertrouwen in me heeft gesteld, dat hij me zelfs zijn rechterhand noemde.' Met die zinnen onderstreepte de Harley-dealer zijn gooi naar kolonel Floods baan als troepmeester (of, zoals ik er inwendig aan refereerde: *Leader of the Pack*).

Alcide, rechts van mij, was verstijfd van woede. Als hij niet op de voorste rij van een begrafenis had gezeten, zou hij graag een paar opmerkingen tegen me gemaakt hebben over Patrick Furnan. Aan de andere kant van Alcide kon ik nog net Christine zien; haar gezicht leek gebeeldhouwd uit ivoor. Zelf onderdrukte ze ook heel wat dingen.

Alcides vader wachtte even met zijn gang naar de katheder. Hij wilde duidelijk dat we eerst onze mentale smaak zuiverden voor hij zijn rede hield.

Jackson Herveaux, vermogend landmeetkundige en weerwolf, gaf ons de gelegenheid om zijn rijpe, knappe gezicht te bestuderen. Hij begon: 'We zullen niet gauw de gelijke van John Flood aanschouwen. Een man wiens wijsheid met de jaren werd getemperd en op de proef gesteld...' O, oef. Dit ging niet venijnig worden of zo, helemaal niet.

Ik sloot me voor de rest van de dienst af om me op mijn eigen gedachten te kunnen concentreren. Ik had genoeg stof tot nadenken. We stonden op terwijl John Flood, Air Force-kolonel en troepmeester, voor de laatste keer de kerk uit ging. Ik zweeg tijdens de rit naar het kerkhof, stond naast Alcide tijdens de dienst bij het graf, en stapte de auto weer in toen hij voorbij was en al het handen schudden na de begrafenis was gedaan.

Ik zocht naar de lange man, maar hij was niet op het kerkhof.

Op de terugrit naar Bon Temps wilde Alcide onze stilte duidelijk beschaafd en onschuldig houden, maar het was tijd om een paar vragen te beantwoorden.

'Hoe wist je het?' vroeg ik.

Hij probeerde niet eens te doen alsof hij niet begreep waar ik het over had. 'Toen ik gisteren naar jouw huis kwam, kon ik een heel, heel flauw spoor van haar ruiken bij je voordeur,' zei hij. 'Het duurde even voor ik het had overdacht.'

Ik had nooit rekening gehouden met die mogelijkheid.

'Ik geloof niet dat ik het had opgepikt als ik haar niet zo goed had gekend,' gaf hij toe. 'Ik pikte nergens anders in het huis een geur op.'

Dus al mijn geschrob was niet helemaal voor niets geweest. Ik bofte maar dat Jack en Lily Leeds niet tweesoortig waren. 'Wil je weten wat er is gebeurd?'

'Ik denk het niet,' zei hij na een aanzienlijke stilte. 'Debbie kennende, geloof ik dat je slechts hebt gedaan wat je moest doen. Het was uiteindelijk haar geur in je huis. Ze had daar niets te zoeken.'

Dit was allesbehalve een klinkende goedkeuring.

'En Eric zat toen nog bij jou in huis, hè? Misschien was het Eric?' Alcide klonk bijna hoopvol.

'Nee,' zei ik.

'Misschien wil ik toch het hele verhaal horen.'

'Misschien heb ik me bedacht en wil ik 't je niet vertellen. Of je gelooft me, of je gelooft me niet. Of je denkt dat ik het soort persoon ben die zonder goede reden een vrouw zou doden, of je weet dat ik dat niet ben.' Eerlijk, ik was meer gekwetst dan ik van tevoren had gedacht. Ik paste er erg voor op om niet in Alcides hoofd te glippen, want ik was bang dat ik misschien iets opving wat nog pijnlijker zou zijn.

Alcide probeerde een paar keer een ander gesprek aan te knopen, maar voor mij kon er niet snel genoeg een eind komen aan de rit. Toen hij op de open plek stopte en ik wist dat ik over enkele meters in mijn eigen huis zou zijn, was de opluchting immens. Ik wist niet hoe snel ik die chique auto uit moest klauteren.

Maar Alcide liep vlak achter me aan.

'Het kan me niet schelen,' zei hij met een stem die bijna klonk als gegrom.

'Wat?' Ik was bij mijn voordeur aangekomen, en de sleutel zat al in het slot.

'Het kan me niet schelen.'

'Dat geloof ik geen moment.'

'Wat?'

'Je bent moeilijker te lezen dan een gewoon mens, Alcide, maar ik zie de bedenkingen in je hoofd genesteld. Aangezien je wou dat ik je met je vader hielp, zal ik het je vertellen: Patrick Hoe-heet-ie-ook-weer is van plan je vaders gokproblemen naar voren te brengen om aan te tonen dat hij ongeschikt is als troepleider.' Niets is sluwer en bovennatuurlijker dan de waarheid. 'Ik had zijn gedachten al gelezen voordat je me dat vroeg te doen. Ik wil je niet meer zien voor een lange, lange, lange tijd.'

'Wat?' zei Alcide weer. Hij keek alsof ik hem met een strijkijzer op zijn hoofd had geslagen.

'Jou zien... naar je hoofd luisteren... geeft me een naar gevoel.' Er waren natuurlijk verschillende redenen waarom dat zo was, maar ik wilde ze niet opsommen. 'Dus bedankt voor de rit naar de begrafenis.' (Ik klonk misschien een beetje sarcastisch.) 'Ik stel het op prijs dat je aan me hebt gedacht.' (Waarschijnlijk nóg sarcastischer.) Ik ging het huis binnen, sloeg de deur in zijn geschrokken gezicht dicht, en deed hem voor de zekerheid maar op slot. Ik stampte door de woonkamer zodat hij mijn stappen kon horen, maar toen hield ik in de gang stil en stond te luisteren terwijl hij de Lincoln weer in ging. Ik luisterde naar de grote autoraket die de oprit af reed, terwijl hij waarschijnlijk geulen maakte in mijn mooie grind.

Toen ik Tara's pakje uittrok en het inpakte om het bij de stomerij te droppen, moest ik toegeven dat ik chagrijnig was. Ze zeggen dat wanneer er één deur dichtgaat, er een andere opengaat. Maar ze hebben niet in mijn huis gewoond.

Achter de meeste deuren die ik opendoe, lijkt trouwens iets engs te hurken.

7

SAM WAS DIE AVOND IN HET CAFÉ, GEZETEN AAN een hoektafeltje als een invloedrijke koning, met zijn been steunend op een andere stoel voorzien van kussens. Met één oog hield hij Charles in de gaten, en met het andere de reactie van de clientèle op de vampierbarman.

Mensen kwamen langs, lieten zich op de stoel tegenover hem vallen, bleven een paar minuten, en maakten de stoel weer vrij. Ik wist dat Sam pijn had. Ik kan altijd de zorgen lezen van mensen die pijn hebben. Maar hij was blij dat hij andere mensen zag, blij om weer in het café te zijn, tevreden met Charles' werk.

Dit alles kon ik weten, maar als het ging om de vraag wie er op hem had geschoten, had ik geen flauw idee. Iemand had het op de tweesoortigen gemunt, iemand die er een behoorlijk aantal had vermoord en er nog meer had verwond. De identiteit van de schutter achterhalen, was essentieel. De politie verdacht Jason niet, maar zijn eigen mensen wel. Als de mensen van Calvin Norris besloten om de zaak in eigen handen te nemen, konden ze makkelijk een gelegenheid vinden om Jason uit de weg te ruimen. Ze wisten niet dat er nog meer slachtoffers waren dan die in Bon Temps.

Ik peilde gedachten, ik probeerde mensen te pakken op onbewaakte ogenblikken, ik probeerde me zelfs de meest veelbelovende kandidaten in te denken voor de rol van huurmoordenaar zodat ik geen tijd zou verspillen met het luisteren naar (bijvoorbeeld) Liz Baldwins zorgen over haar oudste kleindochter.

Ik ging ervan uit dat de schutter vrijwel zeker een kerel was. Ik kende genoeg vrouwen die jaagden, en nog veel meer met toegang tot geweren. Maar waren sluipschutters niet altijd mannen? De doelwitkeuze van de sluipschutter deed de politie voor een raadsel staan, want ze waren niet op de hoogte van de ware aard van alle slachtoffers. De tweesoortigen werden in hun zoektocht belemmerd omdat ze alleen naar de plaatselijke verdachten keken.

'Sookie,' zei Sam toen ik vlak langs hem liep. 'Kniel eens eventjes neer.'

Ik liet me op één knie zakken recht naast zijn stoel zodat hij op zachte toon kon spreken.

'Sookie, ik vind het vervelend om het je weer te vragen, maar de kast in de opslagkamer werkt niet voor Charles.' De voorraadkast voor schoonmaakmiddelen was niet gebouwd om lichtdicht te zijn, maar hij was ontoegankelijk voor daglicht, wat goed genoeg was. De kast had tenslotte geen ramen, en hij stond in een kamer zonder ramen.

Het duurde even om mijn gedachten op een ander spoor te zetten. 'Je gaat me niet vertellen dat hij niet kan slapen,' zei ik ongelovig. Vampiers kunnen overdag onder alle omstandigheden slapen. 'En ik weet zeker dat je ook een slot op de binnenkant van de deur hebt gezet.'

'Ja, maar hij moet min of meer in elkaar kruipen op de vloer, en hij zegt dat het er stinkt naar oude dweilen.'

'Nou, we bewaarden er immers onze schoonmaakspullen.'

'Wat ik bedoel, is of het zo erg zou zijn als hij bij jou thuis logeerde?'

'Waarom wil je zo graag dat hij bij mij in huis komt?' vroeg ik. 'Er moet een andere reden zijn dan alleen het comfort voor een vampier overdag, wanneer hij trouwens toch dood is.'

'We zijn toch al heel lang vrienden, Sookie?'

Ik rook dat er iets niet pluis was.

'Ja,' gaf ik toe, terwijl ik opstond zodat hij naar me op moest kijken. 'En?'

'Ik heb horen zeggen dat de Hotshotgemeenschap een Weerbodyguard heeft ingehuurd voor Calvins ziekenhuiskamer.'

'Ja, dat vind ik ook nogal raar.' Ik erkende zijn onuitgesproken bezorgdheid. 'Dus ik neem aan dat je hebt gehoord wat ze vermoeden.'

Sam knikte. Zijn helderblauwe ogen keken in de mijne. 'Je moet dit serieus nemen, Sookie.'

'Waarom denk je dat ik dat niet doe?'

'Je weigerde Charles.'

'Ik zie niet in wat hem vertellen dat hij niet bij mij in huis kon logeren te maken heeft met zorgen om Jason.'

'Ik denk dat hij je zou helpen om Jason te beschermen, als het zover zou komen. Ik zit met dit been, anders zou ik... Ik geloof niet dat het Jason was die op mij heeft geschoten.'

Een knobbel zenuwen binnenin ontspande zich toen Sam dat zei. Ik had me niet gerealiseerd dat ik me zorgen had gemaakt om wat hij dacht, maar dat had ik wel.

Mijn hart werd wat weker. 'O, goed dan,' zei ik met tegenzin. 'Hij kan bij mij komen logeren.' Prikkelbaar stampte ik weg, ik wist nog steeds niet zeker waarom ik had toegestemd.

Sam wenkte Charles, beraadslaagde even met hem. Later op de avond leende Charles mijn sleutels om zijn tas in de auto te stouwen. Na een paar minuten was hij terug bij de bar en gebaarde dat hij mijn sleutels terug in mijn tas had gestopt. Ik knikte, misschien wat kortaf. Ik was niet blij, maar als ik met een logé opgezadeld moest worden, dan was hij tenminste een beleefde logé.

Mickey en Tara kwamen die avond Merlotte binnen. Net als de vorige keer maakte de donkere intensiteit van de vampier iedereen een beetje opgewonden, een beetje luider. Tara's ogen volgden me met een soort droevige passiviteit. Ik hoopte haar alleen te spreken te krijgen, maar ik zag haar om geen enkele reden de tafel verlaten. Dat vond ik nog een reden voor ongerustheid. Toen ze nog met Franklin Mott in het café kwam, had ze altijd even de tijd genomen om me te omhelzen, om met me te kletsen over familie en werk.

Ik ving een glimp op van Claudine de elf aan de andere kant van de ruimte, en hoewel ik van plan was me een weg erheen te banen om haar even te spreken, werd ik te zeer in beslag genomen door Tara's situatie. Als gewoonlijk werd Claudine omringd door bewonderaars.

Uiteindelijk raakte ik zo ongerust dat ik de vampier bij de hoektanden vatte en naar Tara's tafel liep. De slangachtige Mickey zat naar onze flamboyante barman te staren, en hij wierp amper een blik op mij toen ik eraan kwam. Tara keek zowel hoopvol als bang. Ik ging naast haar staan en legde mijn hand op haar schouder om een beter beeld van haar hoofd te krijgen. Tara is zo succesvol geworden dat ik me zelden zorgen maak om haar enige zwakheid: ze kiest de verkeerde mannen uit. Ik weet nog dat ze wat had met 'Eggs' Benedict, die kennelijk vorige herfst bij een brand is omgekomen. Eggs was een zware drinker geweest met een slap karakter. Franklin Mott had Tara tenminste met respect behandeld en had haar met geschenken overladen, hoewel de aard van die geschenken eerder hadden uitgedrukt: 'Ik ben een minnares', dan 'Ik ben een gewaardeerde vriendin'. Maar hoe was het zo gekomen dat ze in Mickeys gezelschap verkeerde – Mickey, van wie de naam zelfs Eric deed weifelen?

Het voelde alsof ik een boek aan het lezen was om vervolgens tot de ontdekking te komen dat iemand ermiddenin een paar bladzijden uit had gescheurd.

'Tara,' zei ik zacht. Ze keek naar me op, haar grote bruine ogen dof en leeg: de angst voorbij, de schaamte voorbij.

Op het eerste gezicht zag ze er bijna normaal uit. Ze was keurig verzorgd en opgemaakt, en haar kleding was modieus en aantrekkelijk. Maar vanbinnen werd Tara gekweld. Wat was er aan de hand met mijn vriendin? Waarom had ik niet eerder gemerkt dat iets haar compleet opvrat vanbinnen?

Ik vroeg me af wat ik nu moest doen. Tara en ik staarden elkaar alleen maar aan, en hoewel ze wist dat ik bij haar naar binnen keek, reageerde ze niet. 'Word 's wakker,' zei ik, niet eens wetend waar de woorden vandaan kwamen. 'Word wakker, Tara!'

Een witte hand greep mijn arm vast en verwijderde krachtig mijn hand van Tara's schouder. 'Ik betaal je niet om mijn date aan te raken,' zei Mickey. Hij had de kilste ogen die ik ooit had gezien – de kleur van modder, reptielachtig. 'Ik betaal je om onze drankjes te brengen.'

'Tara is mijn vriendin,' zei ik. Hij kneep nog steeds in mijn arm, en als een vampier je knijpt, dan voel je dat wel.

'Je doet iets met haar. Of je laat iemand anders haar pijn doen.'

'Dat gaat je niets aan.'

'Dat gaat mij wel aan,' zei ik. Ik wist dat mijn ogen traanden van de pijn, en ik had even een moment van pure lafheid. Terwijl ik hem recht aankeek, wist ik dat hij me kon doden en het café uit kon zijn voordat iemand hierbinnen hem zou kunnen tegenhouden. Hij kon Tara met zich meenemen, als een huisdier of zijn stuk vee. Voordat de angst vat kon krijgen, zei ik: 'Laat me los.' Ik sprak elk woord helder en duidelijk uit, ook al wist ik dat hij een speld kon horen vallen in een storm.

'Je beeft als een zieke hond,' zei hij smalend.

'Laat me los,' herhaalde ik.

'Of anders zul je... wat?'

'Je kunt niet eeuwig wakker blijven. Als ik het niet ben, is het wel iemand anders.'

Mickey scheen iets te heroverwegen. Ik geloof niet dat het mijn dreiging was, hoewel ik het meende van mijn tenen tot aan de wortels van mijn haren.

Hij keek omlaag naar Tara, en ze begon te praten, alsof hij aan een touwtje had getrokken. 'Sookie, maak niet zo'n heisa om niets. Mickey is nu mijn man. Breng me niet in verlegenheid in zijn bijzijn.'

Mijn hand viel weer op haar schouder en ik waagde het om mijn ogen van Mickey af te wenden om naar haar omlaag te kijken. Ze wilde beslist dat ik me erbuiten hield; daarin was ze volkomen oprecht. Maar haar gedachten over haar motivatie waren vreemd genoeg ondoordringbaar.

'Oké, Tara. Wil je nog wat te drinken?' vroeg ik langzaam. Ik voelde mijn weg door haar hoofd, en ik stuitte op een muur van ijs, glad en bijna opaak.

'Nee, dank je,' zei Tara beleefd. 'Mickey en ik moeten ervandoor.'

Dat verraste Mickey, dat kon ik zien. Ik voelde me wat beter; Tara had de controle over zichzelf, tot op zekere hoogte althans.

'Ik zal je pakje teruggeven. Ik heb het al naar de stomerij gebracht,' zei ik.

'Geen haast.'

'Goed. Tot ziens.' Mickey had de arm van mijn vriendin stevig vast toen het stel zich op weg door de menigte begaf.

Ik haalde de lege glazen van de tafel, veegde hem grondig schoon, en liep terug naar de bar. Charles Twining en Sam waren op hun hoede. Ze hadden het hele incidentje gadegeslagen. Ik haalde mijn schouders op, en ze ontspanden zich.

Toen we die avond het café sloten, stond de nieuwe uitsmijter op me te wachten bij de achterdeur terwijl ik mijn jas aantrok en mijn sleutels uit mijn tas haalde.

Ik deed mijn autodeuren van het slot en hij klom erin.

'Dank je dat je het goed vindt dat ik bij je in huis kom,' zei hij. Ik dwong mezelf beleefd te antwoorden. Het heeft geen zin om grof te zijn.

'Denk je dat Eric het erg vindt dat ik hier ben?' vroeg Charles toen we de smalle provinciale weg af reden.

'Daar heeft hij niets over te zeggen,' zei ik kortaf. Het ergerde me dat hij automatisch aan Eric dacht.

'Komt hij niet zo vaak bij je op bezoek?' informeerde Charles met ongewone volharding.

Ik antwoordde niet tot we achter mijn huis hadden geparkeerd. 'Hoor eens,' zei ik, 'ik weet niet wat je hebt gehoord, maar hij is niet... we zijn niet... zo.' Charles keek naar mijn gezicht en hield wijselijk zijn mond terwijl ik mijn achterdeur van het slot deed.

'Kijk gerust rond,' zei ik nadat ik hem over de drempel had uitgenodigd. Vampiers willen graag weten waar de ingangen en uitgangen zijn. 'Daarna zal ik je je slaapplaats laten zien.' Terwijl de uitsmijter nieuwsgierig het eenvoudige huisje verkende waarin mijn familie vele jaren had gewoond, hing ik mijn jas op en legde ik mijn tas in mijn kamer. Ik maakte een boterham voor mezelf klaar nadat ik Charles had gevraagd of hij wat bloed wilde. Ik bewaar altijd wat bloedgroep o in mijn koelkast, en hij leek blij om te gaan zitten en wat te drinken nadat hij het huis had bezichtigd. Charles Twining was een vreedzame kerel om bij in de buurt te zijn, vooral voor een vampier. Hij geilde niet op me, en hij scheen niets van me te willen.

Ik liet hem het vloerluik zien in de logeerkamer. Ik vertelde hem hoe de afstandsbediening van de tv werkte, liet hem mijn kleine collectie films zien en wees naar de boeken op de planken in de logeerkamer en de huiskamer.

'Is er nog iets anders wat je misschien nodig hebt?' vroeg ik. Mijn oma had me goed opgevoed, hoewel ik niet geloof dat ze ooit had kunnen voorspellen dat ik gastvrouw moest zijn voor een stelletje vampiers.

'Nee, dank je, miss Sookie,' zei Charles beleefd. Zijn lange witte vingers klopten op zijn ooglapje, een vreemde gewoonte van hem waar ik helemaal naar van werd.

'Dan, als je het niet erg vindt, zeg ik goedenacht.' Ik was moe, en het was uitputtend om een praatje te maken met een bijna-onbekende.

'Natuurlijk. Slaap fijn, Sookie. Als ik door de bossen wil zwerven...?'

'Ga je gang,' zei ik onmiddellijk. Ik had een reservesleutel van de achterdeur, en ik haalde hem uit de la in de keuken waar ik alle sleutels in bewaar. Dit was al ongeveer tachtig jaar de rommella, sinds de keuken bij het huis was aangebouwd. Er lagen minstens honderd sleutels in. Enkele, die al oud waren toen de keuken werd aangebouwd, zagen er geweldig vreemd uit. Die van mijn generatie had ik gelabeld, en ik had de achterdeursleutel aan een felroze sleutelhanger van mijn State Farm-verzekeringsagent gedaan. 'Als je eenmaal binnen bent voor de nacht – nou, voorgoed – schuif 'm dan op het nachtslot, alsjeblieft.'

Hij knikte en pakte de sleutel.

Normaal was het een vergissing om mee te leven met een vampier, maar ik kon niet anders dan constateren dat Charles iets droevigs had. Hij kwam me voor als eenzaam, en eenzaamheid heeft altijd iets meelijwekkends. Ik had dat zelf ervaren. Ik zou driftig ontkennen dat ik meelijwekkend was, maar als ik eenzaamheid in iemand anders zag, voelde ik het medelijden steken.

Ik schrobde mijn gezicht en trok een roze nylonpyjama aan. Ik was al half in slaap toen ik mijn tanden borstelde en het bed in dook waarin mijn oma had geslapen tot ze stierf. Mijn overgrootmoeder had de deken gemaakt die ik over me heen trok, en mijn oudtante Julia had het patroon aan de boorden van de sprei geborduurd. Hoewel ik misschien eigenlijk alleen in de wereld stond – met uitzondering van mijn broer, Jason – ging ik slapen omringd door mijn familie.

Mijn diepste slaap is rond drie uur 's nachts, en ergens rond die tijd werd ik gewekt door de greep van een hand op mijn schouder.

Ik kwam met een schok tot volledig bewustzijn, als iemand die in een koude plas wordt gegooid. Om de schok af te houden die me zowat verlamde, zwaaide ik met mijn vuist. Hij werd gevangen in een koele greep.

'Nee, nee, nee, sssttt' klonk een doordringende fluistering vanuit het donker. Engels accent. Charles. 'Iemand sluipt buiten rond je huis, Sookie.'

Mijn adem piepte als een accordeon. Ik vroeg me af of ik een hartaanval kreeg. Ik legde een hand over mijn hart, alsof ik het vast kon houden terwijl het vastbesloten leek zich uit mijn borst te bonzen.

'Ga liggen!' zei hij vlak bij mijn oor, en toen voelde ik hem naast mijn bed hurken in het schemerduister. Ik ging liggen en deed mijn ogen bijna helemaal dicht. Het hoofdeinde van het bed was gesitueerd tussen de twee ramen in de kamer, dus wie er ook rondom mijn huis sloop, kon mijn gezicht niet echt goed bekijken. Ik zorgde ervoor dat ik stillag en me zo veel mogelijk ontspande. Ik probeerde na te denken, maar ik was gewoon te bang. Als degene die rondsloop een vampier was, kon hij of zij niet binnenkomen – tenzij het Eric was. Had ik Erics uitnodiging om binnen te komen ingetrokken? Ik wist het niet meer. *Zoiets moet ik nou bijhouden*, wauwelde ik in mezelf.

'Hij is doorgelopen,' zei Charles met een stem zo zwak dat hij haast niet te horen was.

'Wat is het?' vroeg ik met een stem waarvan ik hoopte dat die bijna net zo geluidloos klonk.

'Het is buiten te donker om te kunnen zeggen.' Als een vampier niet kon zien wat zich daarbuiten bevond, moet het wel heel donker zijn. 'Ik glip wel naar buiten om te gaan kijken.'

'Nee,' zei ik dringend, maar het was al te laat.

Jezus christus, herder van Judea! Wat als de snuffelaar Mickey was? Hij zou Charles vermoorden – dat wist ik gewoon.

'Sookie!' Het laatste wat ik had verwacht – hoewel ik eerlijk gezegd allang niets meer bewust verwachtte – was dat Charles me zou roepen. 'Kom hierheen, alsjeblieft!'

Ik schoof mijn voeten in mijn roze donzige pantoffels en haastte me de gang door naar de achterdeur; daar was de stem vandaan gekomen, dacht ik.

'Ik doe de buitenlamp aan,' gilde ik. Ik wilde niet dat iemand werd verblind door de plotselinge elektrische stroom. 'Weet je zeker dat het daarbuiten veilig is?'

'Ja,' zeiden twee stemmen bijna gelijktijdig.

Ik knipte de schakelaar aan met mijn ogen dicht. Een seconde later deed ik ze open en liep naar de deur van de afgeschermde achterveranda, in mijn roze pyjama en op pantoffels. Ik kruiste mijn armen voor mijn borst. Hoewel het deze nacht niet koud was, was het fris.

Ik nam het tafereel voor me in me op. 'Oké,' zei ik langzaam. Charles stond op de met grind geplaveide plek waar ik altijd parkeerde, en hij had een elleboog om de nek van Bill Compton, mijn buurman. Bill is een vampier, al sinds vlak na de Burgeroorlog. We hebben een verleden. Het is vast niet meer dan een kiezelsteentje van een verleden in Bills lange leven, maar in het mijne is het een kei.

'Sookie,' zei Bill door op elkaar geklemde tanden. 'Ik wil deze vreemdeling geen kwaad doen. Zeg hem dat hij z'n handen thuishoudt.'

Ik overwoog dat in een versneld tempo. 'Charles, ik geloof dat je hem wel kunt laten gaan,' zei ik, en zo snel als ik met mijn vingers kon knippen, stond hij naast me.

'Ken je deze man?' Charles' stem klonk ijzig.

Even koel zei Bill: 'Ze kent me inderdaad, intiem.'

O, jásses.

'Is dat nou beleefd?' Mijn eigen stem klonk misschien ook wat ijzig. 'Ik ga niet iedereen de details van onze vroegere relatie lopen vertellen. Ik verwacht hetzelfde van elke fatsoenlijke man.'

Tot mijn voldoening keek Charles Bill dreigend aan, terwijl hij één wenkbrauw op een nogal superieure en irritante manier optrok.

'Dus deze deelt nu je bed?' Bill gebaarde met zijn hoofd naar de kleinere vampier.

Als hij allesbehalve dit had gezegd, had ik mijn kalmte kunnen bewaren. Ik verlies mijn kalmte niet vaak, maar als dat wel gebeurt, raak ik haar volledig kwijt. 'Heb jij daar iets mee te maken?' vroeg ik, terwijl ik elk woord afbeet. 'Al slaap ik met honderd mannen, of honderd schapen, daar heb jij niks mee te maken! Waarom sluip je midden in de nacht rond mijn huis? Je hebt me halfdood laten schrikken.'

Bill leek niet in het minst berouwvol. 'Het spijt me dat je wakker werd en bang werd,' zei hij onoprecht. 'Ik controleerde je veiligheid.'

'Je was door de bossen aan het dolen en rook een andere vampier,' zei ik. Hij had altijd al een scherp reukvermogen gehad. 'Dus je kwam hierheen om te zien wie het was.'

'Ik wilde zeker weten dat je niet werd aangevallen,' zei Bill. 'Ik dacht dat ik ook een vleugje mens rook. Heb je vandaag een menselijke bezoeker gehad?'

Ik geloofde geen moment dat Bill alleen maar bezorgd was om mijn veiligheid, maar ik wilde niet geloven dat jaloezie hem naar mijn raam had gebracht, of een of andere obscene nieuwsgierigheid. Ik ademde even rustig in en uit, terwijl ik kalmeerde en nadacht.

'Charles valt me niet aan,' zei ik, trots op het feit dat ik zo bedaard sprak.

Bill grijnsde. 'Charles,' herhaalde hij, met grote minachting.

'Charles Twining,' zei mijn metgezel, en hij maakte een buiging – als je een lichte nijging van zijn krullerig bruine hoofd een buiging kunt noemen.

'Waar heb je deze vandaan gehaald?' Bills stem had zijn kalmte herwonnen.

'Nou, hij werkt voor Eric, net als jij.'

'Heeft Eric je van een bodyguard voorzien? Heb je een bodyguard nodig?'

'Hoor 's even, kleerkast,' zei ik door op elkaar geklemde kaken, 'mijn leven gaat door terwijl jij weg bent. Net als het dorp. Mensen worden hier neergeschoten, onder wie Sam. We hadden een plaatsvervangende barman nodig, en Charles werd aangeboden om ons bij te springen.' Dat klopte misschien niet helemaal precies, maar ik was even niet bezig met precisie op dit moment. Ik was bezig met Mijn Bedoeling Duidelijk Te Maken.

Bill was tenminste terecht verontrust door de informatie.

'Sam. Wie nog meer?'

Ik huiverde, aangezien het geen nylonpyjamaweer was. Maar ik wilde Bill niet in huis hebben. 'Calvin Norris en Heather Kinman.'

'Doodgeschoten?'

'Heather wel. Calvin raakte vrij ernstig gewond.'

'Heeft de politie iemand gearresteerd?'

'Nee.'

'Weet je wie het heeft gedaan?'

'Nee.'

'Je maakt je zorgen om je broer.'

'Ja.'

'Hij veranderde toen het vollemaan was.'

'Ja.'

Bill keek me aan met wat een medelijdende blik had kunnen zijn. 'Het spijt me, Sookie,' zei hij, en hij meende het.

'Het heeft weinig zin om dat tegen mij te zeggen,' snauwde ik. 'Zeg dat maar tegen Jason – hij is degene die pluizig wordt.'

Bills gezicht werd koel en stijf. 'Excuses voor mijn opdringerigheid,' zei hij. 'Ik ga al.' Hij loste zich op in de bossen.

Ik weet niet hoe Charles op de episode reageerde, want ik draaide me om en stapte kwaad het huis weer in en deed onderweg de buitenlamp uit. Ik gooide mezelf weer op het bed en lag daar zwijgend te koken en me op te winden. Ik trok de dekens over mijn hoofd zodat de vampier zou snappen dat ik het niet over het incident wilde hebben. Hij bewoog zich zo stil, dat ik er niet zeker van was waar hij zich in huis bevond; volgens mij hield hij even stil in de deuropening, en liep hij vervolgens verder.

Ik lag op z'n minst drie kwartier wakker, en toen viel ik langzaam weer in slaap.

Plotseling schudde iemand me bij de schouder. Ik rook zoete parfum, en ik rook wat anders, iets afschuwelijks. Ik was vreselijk verdwaasd.

'Sookie, je huis staat in brand,' zei een stem.

'Kan niet,' zei ik. 'Ik heb niets aan gelaten.'

'Je moet er nu uit,' drong de stem aan. Een aanhoudende gil deed me denken aan brandoefeningen op de basisschool.

'Oké,' zei ik, mijn hoofd was zwaar van de slaap en (zo zag ik toen ik mijn ogen opendeed) de rook. De gil op de achtergrond, besefte ik, was mijn rookmelder. Dikke grijze wolken dreven als boze geesten door mijn geel-witte slaapkamer. Ik schoot niet snel genoeg op voor Claudine, die me uit bed trok en me door de voordeur naar buiten droeg. Nog nooit had een vrouw me opgetild, maar Claudine was natuurlijk geen gewone vrouw. Ze zette me overeind in het koele gras van de voortuin. De koude aanraking ervan maakte me ineens wakker. Dit was geen nachtmerrie.

'Mijn huis in brand?' Ik had nog steeds moeite alert te blijven.

'De vampier zegt dat het die mens was, daar,' zei ze, wijzend naar links van het huis. Maar een minuut lang waren mijn ogen gefixeerd op de vreselijke aanblik van de vlammen, en de rode gloed van vuur die de nacht verlichtte. De achterveranda en een deel van de keuken stonden in lichterlaaie.

Ik dwong mezelf te kijken naar een ineengedoken gedaante op de grond, vlak bij een ontluikende forsythia. Charles zat ernaast geknield. 'Heb je de brandweer gebeld?' vroeg ik hun allebei, terwijl ik op mijn blote voeten een weg zocht om het huis heen om een kijkje te gaan nemen bij de liggende gestalte. Ik tuurde naar het onbeweeglijke gezicht van de dode man in het flauwe licht. Hij was blank, goed geschoren, en waarschijnlijk in de dertig. Hoewel de omstandigheden verre van ideaal waren, herkende ik hem niet.

'O nee, daar heb ik niet aan gedacht.' Charles keek op van het lichaam. Hij kwam uit een tijd van voor de brandweer.

'En ik ben mijn gsm vergeten,' zei Claudine, die uiterst modern was.

'Dan moet ik terug naar binnen om dat te doen, als de telefoons nog werken,' zei ik, en ik draaide me abrupt om. Charles rees tot zijn onaanzienlijke lengte en staarde me aan.

'Je gaat daar niet weer naar binnen.' Dit was absoluut een bevel van Claudine. 'Nieuwe man, jij rent snel genoeg om dat te doen.'

'Brand,' zei Charles, 'is heel snel fataal voor vampiers.'

Dat klopte; ze brandden als een fakkel als ze eenmaal vlam vatten. Egoïstisch drong ik er bijna op aan; ik wilde mijn jas en mijn pantoffels en mijn tas.

'Bel vanaf Bills telefoon,' zei ik, in de goede richting wijzend, en hij ging er als een prairiehaas vandoor. Zodra hij uit het zicht was en voordat Claudine me kon tegenhouden, stormde ik terug naar de voordeur en baande me een weg naar mijn kamer. De rook was veel dikker, en ik kon de vlammen een paar meter verder op de gang in de keuken zien. Zodra ik de vlammen zag, wist ik dat ik een enorme vergissing had gemaakt door het huis weer te betreden, en het was moeilijk om niet in paniek te raken. Mijn tas lag precies waar ik hem had achtergelaten, en mijn jas lag over de luie stoel in een hoek van mijn kamer geslingerd. Ik kon mijn pantoffels niet vinden, en ik wist dat ik niet lang kon blijven. Ik graaide in een la naar een paar sokken, ik wist dat ze daarin moesten liggen, en toen rende ik hoestend en naar adem snakkend mijn kamer uit. Handelend uit puur instinct, keerde ik me even naar links om de deur naar de keuken dicht te doen, en daarna draaide ik me vliegensvlug om om me de voordeur uit te haasten. Ik viel over een stoel in de huiskamer.

'Dat was stom,' zei Claudine de elf, en ik gilde. Ze greep me bij mijn middel en rende het huis weer uit, met mij onder haar arm als een opgerold tapijt.

De combinatie van gillen en hoesten bracht mijn ademhalingsstelsel een paar minuten van de kook, terwijl Claudine me ondertussen steeds verder van mijn huis vandaan bracht. Ze zette me neer op het gras en deed de sokken aan mijn voeten. Toen hielp ze me overeind en hielp ze me mijn armen in de jas te krijgen. Ik knoopte hem dankbaar dicht.

Dit was de tweede keer dat Claudine uit het niets was verschenen op het moment dat ik zwaar in de problemen dreigde te raken. De eerste keer was ik achter het stuur in slaap gevallen na een zeer lange dag.

'Je maakt het me wel ontzettend lastig,' zei ze. Ze klonk nog steeds opgewekt, maar misschien niet meer zo beminnelijk.

Iets veranderde er in het huis, en ik besefte dat het nachtlicht in de gang was uitgegaan. Of de elektriciteit was uitgevallen, of afgesloten in het dorp door de brandweer.

'Het spijt me,' zei ik, want ik had het gevoel dat dat gepast was, hoewel ik geen idee had waarom Claudine het lastig vond terwijl het mijn huis was dat in brand stond. Ik wilde me naar de achtertuin haasten om een beter zicht te krijgen, maar Claudine greep mijn arm vast.

'Niet dichterbij,' zei ze eenvoudig, en ik kon niet uit haar greep ontsnappen. 'Luister, de trucks komen eraan.'

Nu kon ik de brandweerwagens horen, en ik dankte elke persoon die kwam helpen. Ik wist dat de piepers over het hele gebied waren afgegaan, en dat de vrijwilligers direct vanuit hun bed naar de brandweerkazerne waren gevlogen.

Catfish Hunter, de baas van mijn broer, zette zijn auto stil. Hij sprong eruit en rende meteen op mij af. 'Is er nog iemand binnen?' vroeg hij dringend. De brandweerwagen van het dorp stopte na hem, en liet mijn nieuwe grind alle kanten op spatten.

'Nee,' zei ik.

'Is er een propaantank?'

'Ja.'

'Waar?'

'Achtertuin.'

'Waar staat je auto, Sookie?'

'Achter,' zei ik, en mijn stem begon te beven.

'Propaantank achter!' bulderde Catfish over zijn schouder.

Er klonk een schreeuw als antwoord, gevolgd door heel wat doelbewuste bedrijvigheid. Ik herkende Hoyt Fortenberry en Ralph Tooten, plus vier of vijf andere mannen en een paar vrouwen.

Catfish, na een snelle uitwisseling met Hoyt en Ralph, riep naar een tamelijk kleine vrouw die leek te verzuipen in haar uitrusting. Hij wees naar de onbeweeglijke gedaante in het gras, en ze gooide haar helm af en knielde naast hem neer. Na wat turen en voelen, schudde ze haar hoofd. Ik herkende haar amper als de verpleegster van dr. Robert Meredith, Jan nog iets.

'Wie is de dode man?' vroeg Catfish. Hij scheen niet al te zeer van streek door het lijk.

'Ik heb geen idee,' zei ik. Ik merkte pas hoe geschrokken ik was aan de manier waarop mijn stem klonk – bibberig, zwak. Claudine legde haar arm om me heen.

Een politieauto stopte naast de brandweerwagen, en sheriff Bud Dearborn kwam uit de bestuurdersstoel. Andy Bellefleur was zijn passagier.

Claudine zei: 'Oh-o.'

'Ja,' zei ik.

Toen stond Charles weer bij me, met Bill vlak op zijn hielen. De vampiers namen de dolle maar doelbewuste bedrijvigheid in zich op. Ze merkten Claudine op.

De kleine vrouw, die opstond om haar uitrusting weer op te pakken, riep: 'Sheriff, doe me een lol en bel een ambulance om dit lijk weg te halen.'

Bud Dearborn keek Andy even aan, die zich afwendde om in de autoradio te spreken.

'Is één dode vrijer niet genoeg voor je, Sookie?' vroeg Bud Dearborn me.

Bill gromde, de brandweermannen braken het raam bij mijn betovergrootmoeders eettafel, en een zichtbare golf van hitte en vonken stroomde de nacht in. De pomptruck maakte een hoop lawaai, en het zinken dak dat op de keuken en de veranda lag, kwam los van het huis.

Mijn huis ging in vlammen en rook op.

8

CLAUDINE STOND LINKS VAN MIJ. BILL KWAM RECHTS van me staan en pakte mijn hand. Samen keken we hoe de brandweermannen de slang door het gebroken raam richtten. Een geluid van verbrijzelend glas aan de andere kant van het huis wees erop dat ze het raam boven de gootsteen ook opengebroken hadden. Terwijl de brandweermannen zich op de brand concentreerden, concentreerde de politie zich op het lichaam. Charles aarzelde geen moment.

'Ik heb hem gedood,' zei hij kalm. 'Ik betrapte hem toen hij het huis in brand zette. Hij was gewapend, en hij viel me aan.'

Sheriff Bud Dearborn leek meer op een pekinees dan een mens behoorde te lijken. Zijn gezicht was zowat concaaf. Zijn ogen waren rond en helder, en op dit moment stonden ze extreem nieuwsgierig. Zijn bruine haar, met rijkelijk grijze strepen, was overal rondom zijn gezicht achterovergekamd, en ik dacht al dat hij zou gaan snuffelen toen hij begon te praten. 'En u bent?' vroeg hij de vampier.

'Charles Twining,' antwoordde Charles beleefd. 'Tot uw dienst.'

Ik beeldde me het gesnuif van de sheriff of Andy Bellefleurs rollende ogen niet in.

'En u bent ter plaatse omdat...?'

'Hij logeert bij mij,' zei Bill minzaam, 'zolang hij bij Merlotte werkt.'

Vermoedelijk had de sheriff al over de nieuwe barman gehoord, want hij knikte alleen maar. Ik was opgelucht dat ik niet hoefde op te biechten dat Charles verondersteld werd in mijn kast te slapen, en ik dankte Bill omdat hij daarover had gelogen. Onze blikken kruisten elkaar even.

'Dus u geeft toe dat u deze man hebt gedood?' vroeg Andy aan Charles. Charles knikte kort.

Andy wenkte naar de vrouw in ziekenhuisuniform die bij haar auto had staan wachten – wat op misschien vijf auto's kwam in mijn voortuin, plus de brandweerwagen. Deze nieuwkomer wierp een nieuwsgierige blik op me toen ze voorbijliep naar de in elkaar gedoken gedaante in de struiken. Terwijl ze een stethoscoop uit een zak trok, knielde ze neer bij de man en luisterde ze naar verschillende delen van zijn lichaam. 'Ja, zo dood als een pier,' riep ze.

Andy had een polaroidcamera uit de politieauto gehaald om foto's van het lichaam te maken. Aangezien het enige licht de flits van de camera en de flikkering van de vlammen van mijn huis was, geloofde ik niet dat de foto's zo goed zouden lukken. Ik was verdoofd van de schok, en ik keek naar Andy alsof dat een belangrijke bezigheid was.

'Wat jammer. Het zou mooi geweest zijn om erachter te komen waarom hij Sookies huis in brand stak,' zei Bill, terwijl hij naar de bezigheden van Andy keek. Zijn stem was zo koud als een koelkast.

'In mijn angst om Sookies veiligheid, sloeg ik hem vermoedelijk te hard.' Charles probeerde berouwvol te kijken.

'Aangezien zijn nek gebroken lijkt te zijn, is dat vermoedelijk het geval,' zei de dokter, terwijl ze Charles' witte gezicht bestudeerde met dezelfde zorgvuldige aandacht als die ze mij had geschonken. De dokter was in de dertig, dacht ik; een vrouw zo slank dat ze bijna mager was, met heel kort rood haar. Ze was ongeveer een meter zestig, en ze had elfachtige trekken, of althans het soort dat me altijd elfachtig voorkwam: een korte wipneus, brede ogen, grote mond. Haar woorden klonken zowel droog als schaamteloos, en ze leek helemaal niet van haar stuk gebracht of opgewonden omdat ze in het holst van de nacht werd opgeroepen voor zoiets als dit. Ze moest de gemeentelijke lijkschouwer zijn, dus ik moest op haar hebben gestemd, maar ik kon me haar naam niet herinneren.

'Wie ben jij?' vroeg Claudine met haar allerliefste stem.

De dokter knipperde met haar ogen bij het zien van de droomverschijning van Claudine. Claudine was op dit onchristelijke uur in de ochtend volledig opgemaakt en droeg een fuchsia truitje met een zwarte legging. Haar schoenen waren fuchsia-met-zwart gestreept, en haar jasje ook. Haar zwarte, golvende haar werd uit haar gezicht gehouden met fuchsia kammetjes.

'Ik ben dr. Tonnesen. Linda. Wie ben jij?'

'Claudine Crane,' zei de elf. Ik had de achternaam die Claudine gebruikte nog nooit gehoord.

'En waarom was u hier ter plaatse, mevrouw Crane?' vroeg Andy Bellefleur.

'Ik ben Sookies elfenpeetmoeder,' zei Claudine lachend. Hoewel het tafereel grimmig was, lachten de anderen ook. Het was net alsof we gewoon niet op konden houden vrolijk te zijn rondom Claudine. Maar ik twijfelde nogal aan Claudines verklaring.

'Nee, serieus,' zei Bud Dearborn. 'Waarom bent u hier, mevrouw Crane?'

Claudine lachte schalks. 'Ik bracht de nacht door met Sookie,' zei ze knipogend.

Binnen een seconde waren we het voorwerp van de geboeide blikken van elke man binnen gehoorsafstand, en ik moest mijn hoofd vergrendelen alsof het een maximaal beveiligde gevangenis was om de mentale beelden te blokkeren die de kerels uitzonden.

Andy schudde zichzelf wakker, sloot zijn mond en hurkte bij de dode man neer. 'Bud, ik rol hem om,' zei hij een beetje schor, en hij draaide het lijk zodat hij in de zakken van de dode man kon voelen. De portemonnee van de man bleek in zijn jas te zitten, wat me wat ongewoon leek. Andy richtte zich weer op en stapte weg van het lichaam om de inhoud van de portemonnee te onderzoeken.

'Wil je een kijkje nemen om te zien of je hem herkent?' vroeg sheriff Dearborn aan me. Natuurlijk wilde ik dat niet, maar ik zag ook in dat ik niet echt een keus had. Zenuwachtig schuifelde ik wat dichterbij en keek nog eens naar het gezicht van de dode man. Hij zag er nog steeds gewoontjes uit. Hij zag er nog steeds dood uit. Hij was misschien in de dertig. 'Ik ken hem niet,' zei ik, mijn stem klonk zwak in het kabaal van de brandweermannen en het water dat over het huis werd uitgestort.

'Wat?' Bud Dearborn had moeite om me te horen. Zijn ronde bruine ogen waren gefixeerd op mijn gezicht.

'Ken 'm niet!' zei ik bijna schreeuwend. 'Ik heb hem nog nooit gezien, zover ik me kan herinneren. Claudine?'

Ik weet niet waarom ik het Claudine vroeg.

'O ja, ik heb hem wel gezien,' zei ze vrolijk.

Dat trok de onverdeelde aandacht van de twee andere vampiers, de twee politiemannen, de dokter, en mij.

'Waar?'

Claudine slingerde haar arm om mijn schouders. 'Nou, hij was vanavond in Merlotte. Jij maakte je te veel zorgen om je vriendin om hem op te merken, denk ik. Hij zat aan de kant van de ruimte waar ik zat.' Arlene had aan die kant gewerkt.

Het was niet zo verrassend dat ik één mannelijk gezicht had gemist in een vol café. Maar het zat me wel dwars dat ik de gedachten van mensen had zitten afluisteren en degene had gemist die op mij van toepassing moesten zijn geweest. Hij was immers in het café met mij, en een paar uur later zou hij mijn huis in brand steken. Hij moest over me nagedacht hebben, toch?

'Op dit rijbewijs staat dat hij uit Little Rock, Arkansas, komt,' zei Andy.

'Dat was niet wat hij tegen mij zei,' zei Claudine. 'Hij zei dat hij uit Georgia kwam.' Ze keek nog even stralend toen ze besefte dat hij tegen haar had gelogen, maar ze lachte niet. 'Hij zei dat hij Marlon heette.'

'Zei hij tegen u waarom hij in het dorp was, mevrouw Crane?'

'Hij zei dat hij op doorreis was; hij had een motelkamer bij de snelweg.'

'Zei hij nog meer daarover?'

'Nee.'

'Ging u naar zijn motel, mevrouw Crane?' vroeg Bud Dearborn zo onbevooroordeeld mogelijk.

Dr. Tonnesen keek van spreker naar spreker alsof ze bij een verbale tenniswedstrijd zat.

'Jeetje, nee, dat soort dingen doe ik niet.' Claudine glimlachte in het rond.

Bill zag eruit alsof iemand zojuist met een fles bloed

voor zijn neus had gezwaaid. Zijn hoektanden staken uit, en zijn ogen waren op Claudine gericht. Vampiers kunnen zich maar zo lang inhouden als er elfen in de buurt zijn. Charles was ook dichter bij Claudine gekomen.

Ze moest weg voordat de agenten zagen hoe de vampiers reageerden. Linda Tonnesen had het al opgemerkt; ze was zelf nogal geïnteresseerd in Claudine. Ik hoopte maar dat ze de fascinatie van de vamps toeschreef aan Claudines voortreffelijke uiterlijk, en niet aan de overweldigende aantrekkingskracht die elfen op vamps uitoefenden.

'Verbond van de Zon,' zei Andy. 'Hij heeft een onvervalste lidmaatschapskaart. Er staat geen naam op de kaart; dat is vreemd. Zijn rijbewijs staat op naam van Jeff Marriot.' Hij keek me vragend aan.

Ik schudde mijn hoofd. De naam zei me niets.

Het was echt iets voor een Verbondslid om te denken dat hij zoiets laags kon doen als mijn huis in brand steken – met mij erin – zonder dat iemand hem vragen zou stellen. Het was niet de eerste keer dat het Verbond van de Zon, een antivampiergroep, me levend had proberen te verbranden.

'Hij moet geweten hebben dat jij, eh, omging met vampiers,' zei Andy in de stilte.

'Ik raak mijn huis kwijt, en ik had wel dood kunnen zijn omdat ik vampiers ken?'

Zelfs Bud Dearborn leek een beetje in verlegenheid gebracht.

'Iemand moet gehoord hebben dat je wat met meneer Compton, hierzo, hebt gehad,' mompelde Bud. 'Neem me niet kwalijk, Sookie.'

Ik zei: 'Claudine moet gaan.'

De abrupte verandering van onderwerp deed zowel Andy als Bud opschrikken, alsook Claudine. Ze keek naar de twee vampiers, die overduidelijk dichter bij haar stonden, en zei haastig: 'Ja, sorry, ik moet naar huis. Ik moet morgen werken.'

'Waar staat uw auto, mevrouw Crane?' Bud Dearborn keek uitgebreid om zich heen. 'Ik heb behalve die van Sookie geen auto gezien, en die staat achter geparkeerd.'

'Ik sta geparkeerd bij Bill,' loog Claudine gladjes, ze had jarenlange ervaring. Zonder op verdere discussies te wachten, verdween ze de bossen in, en alleen mijn handen die hun armen vastgrepen, beletten Charles en Bill om achter haar aan de duisternis in te glijden. Ze stonden de zwartheid van de bomen in te staren toen ik ze kneep, hard.

'Wat?' vroeg Bill, bijna dromerig.

'Kom tot je positieven,' mompelde ik, hopend dat Bud en Andy en de nieuwe dokter het niet zouden opvangen. Ze hoefden niet te weten dat Claudine bovennatuurlijk was.

'Dat is nog 's een bijzondere vrouw,' zei dr. Tonnesen, bijna net zo bedwelmd als de vampiers. Ze schudde zichzelf wakker. 'De ambulance komt, eh, Jeff Marriot ophalen. Ik ben alleen maar hier omdat ik mijn scanner had aanstaan toen ik terugreed van mijn dienst in het Clarice-ziekenhuis. Ik moet naar huis om te gaan slapen. Het spijt me van uw brand, mevrouw Stackhouse, maar u bent tenminste niet geëindigd zoals deze kerel hier.' Ze knikte omlaag naar het lijk.

Toen ze in haar Ranger stapte, sjokte de brandweercommandant op ons af. Ik kende Catfish Hunter al jaren – hij was een vriend van mijn vader geweest – maar ik had hem nog nooit gezien in zijn rol als vrijwillig brandweercommandant. Catfish zweette ondanks de kou, en zijn gezicht was besmeurd door de rook.

'Sookie, we hebben het uit gekregen,' zei hij vermoeid. 'Het is niet zo erg als je misschien denkt.'

'Niet?' vroeg ik met een klein stemmetje.

'Nee, lieverd. Je bent je achterveranda kwijt en je keuken en je auto, ben ik bang. Daar had hij ook wat benzine in gegooid. Maar het grootste gedeelte van het huis is wel in orde.'

De keuken... waar de enige sporen van de dood die ik had veroorzaakt gevonden hadden kunnen worden. Nu konden zelfs de specialisten die op Discovery Channel te zien waren geen enkel bloedspoor ontdekken in de verschroeide ruimte. Ongewild begon ik te lachen. 'De keuken,' zei ik tussen het gegiechel door. 'De keuken is helemaal weg?'

'Ja,' zei Catfish ongemakkelijk. 'Ik hoop dat je een opstalverzekering hebt.'

'O,' zei ik, terwijl ik mijn best deed om niet meer te giechelen. 'Die heb ik. Het was zwaar om de betalingen bij te houden, maar ik heb de polis gehouden die oma op het huis had.' Godzijdank had mijn oma heilig geloofd in verzekeringen. Ze had te veel mensen hun polisbetalingen zien laten vallen om hun maandelijkse uitgaven te verminderen en vervolgens verliezen te lijden die ze niet konden verhalen.

'Bij wie? Ik bel meteen.' Catfish wilde zo graag dat ik ophield met lachen dat hij bereid was gekke gezichten te trekken en te blaffen als ik het hem had gevraagd.

'Greg Aubert,' zei ik.

De hele nacht zwol ineens op en gaf me een optater. Mijn huis was afgebrand, gedeeltelijk althans. Ik had meer dan één rondsluiper gehad. Ik had een vampier *in residence* die voorzien moest worden van een schuilplaats voor overdag. Mijn auto was total loss. Er lag een dode man genaamd Jeff Marriot in mijn tuin, en hij had mijn huis en auto in de fik gezet puur uit vooroordeel. Ik was overstelpt.

'Jason is niet thuis, zei Catfish van een afstand. 'Ik heb

hem geprobeerd te bellen. Hij zou willen dat ze naar hem thuis ging.'

'Zij en Charles – ik bedoel, Charles en ik zullen haar meenemen naar mijn huis,' zei Bill. Hij leek net zo ver weg te zijn.

'Ik weet niet of dat een goed plan is,' zei Bud Dearborn bedenkelijk. 'Sookie, vind je dat goed?'

Ik kon mijn gedachten nauwelijks over de paar opties laten gaan. Ik kon Tara niet bellen, want Mickey zat daar. Arlenes woonwagen was al zo vol als nodig was.

'Ja, dat is wel goed,' zei ik, en mijn stem klonk ver weg en leeg, zelfs in mijn oren.

'Goed, zolang we maar weten waar we je kunnen bereiken.'

'Ik heb Greg gebeld, Sookie, en heb een bericht achtergelaten op zijn antwoordapparaat op kantoor. Je kunt hem beter zelf bellen morgenvroeg,' zei Catfish.

'Prima,' zei ik.

En alle brandweermannen schuifelden voorbij, en ze zeiden me allemaal hoe erg ze het vonden. Ik kende ze stuk voor stuk: vrienden van mijn vader, vrienden van Jason, stamgasten van het café, kennissen van de middelbare school.

'Jullie hebben allemaal jullie uiterste best gedaan,' zei ik telkens weer. 'Bedankt dat jullie het meeste ervan gered hebben.'

En de ambulance kwam om de brandstichter weg te karren.

Ondertussen had Andy een jerrycan in de struiken gevonden, en de handen van het lijk roken naar benzine, had dr. Tonnesen gezegd.

Ik kon nauwelijks geloven dat een onbekende had besloten dat ik mijn thuis en mijn leven moest verliezen vanwege mijn voorkeur voor de mannen met wie ik uitging. Toen ik er op dat moment aan dacht hoe dicht ik bij de dood was geweest, vond ik het niet onrechtvaardig dat hij en passant zijn eigen leven had verloren. Ik moest mezelf bekennen dat ik vond dat Charles iets goeds had gedaan. Ik had misschien wel mijn leven te danken aan Sams aansporing dat de vampier in mijn huis werd ingekwartierd. Als Sam op dat moment aanwezig was geweest, zou ik hem een heel enthousiast dankjewel gegeven hebben.

Ten slotte gingen Bill, Charles en ik op weg naar Bills huis. Catfish had me aangeraden mijn huis niet meer in te gaan tot de morgen, en dan pas nadat de verzekeringsagent en de technisch rechercheur het hadden gecontroleerd. Dr. Tonnesen had me gezegd dat als ik me kortademig voelde, ik 's morgens naar haar kantoor moest komen. Ze had nog meer gezegd, maar ik had het niet echt in me opgenomen.

Het was donker in de bossen, uiteraard, en inmiddels was het misschien vijf uur in de morgen. Na een paar stappen door de bomen, pakte Bill me op en droeg me. Ik maakte geen bezwaar, want ik was zo moe dat ik me had afgevraagd hoe ik het voor elkaar zou krijgen over het kerkhof te strompelen.

Hij zette me neer toen we zijn huis bereikten. 'Kun je de trap op?' vroeg hij.

'Ik breng je wel,' bood Charles aan.

'Nee, ik kan het wel,' zei ik, en begon te lopen voordat ze nog iets konden zeggen. Om eerlijk te zeggen, was ik er niet zeker van dat ik het kon, maar langzaam liep ik omhoog naar de slaapkamer waarvan ik gebruik had gemaakt toen Bill nog mijn vriend was. Hij had een knusse, lichtdichte plek ergens op de begane grond van het huis, maar ik had hem nooit gevraagd precies waar. (Ik had sterk het idee dat die zich bevond in de ruimte die de bouwvakkers van de keuken hadden afgehakt om de bubbelbad- en plantenkamer te creëren.) Hoewel de grondwaterspiegel in Louisiana te hoog is voor huizen om kelders te hebben, wist ik bijna net zo zeker dat er ergens nog een donker gat verscholen lag. Hij had trouwens ruimte voor Charles zonder dat ze samen hoefden te maffen – niet dat dat al te hoog op mijn zorgenlijstje stond. Een van mijn nachtjaponnen lag nog steeds in de la in de ouderwetse slaapkamer, en er lag ook nog een tandenborstel van mij in de badkamer op de gang. Bill had mijn dingen niet bij het vuilnis gezet; hij had ze laten liggen alsof hij verwachtte dat ik terug zou komen.

Of misschien had hij gewoon weinig reden gehad om naar boven te gaan sinds we uit elkaar waren.

Terwijl ik mezelf een lange douche in de ochtend beloofde, deed ik mijn stinkende, besmeurde pyjama en geruïneerde sokken uit. Ik waste mijn gezicht en trok de schone nachtjapon aan voor ik het hoge bed in kroop, waarbij ik de antieke kruk gebruikte die nog steeds stond waar ik hem had laten staan. Terwijl de gebeurtenissen van de dag en nacht in mijn hoofd zoemden als bijen, dankte ik God voor het feit dat mijn leven was gespaard, en dat was alles wat ik nog tegen Hem kon zeggen voor de slaap me opslokte.

Ik sliep slechts drie uur. Daarna werd ik gewekt door beslommeringen. Ik was ruim op tijd op om Greg Aubert, de verzekeringsagent, te ontmoeten. Ik kleedde me in een spijkerbroek en een overhemd van Bill. Die waren achtergelaten voor mijn deur, samen met een paar dikke sokken. Zijn schoenen waren onmogelijk, maar tot mijn vreugde had ik een oud paar pantoffels met rubberzolen gevonden die ik helemaal achter in de kast had laten liggen. Bill had nog steeds wat koffie en een koffiezetapparaat in zijn keuken staan van onze verkeringstijd, en ik was blij dat ik een beker bij me had toen ik voorzichtig over het kerkhof en door de gordel van bossen liep die de overblijfselen van mijn huis omringde.

Greg stopte net in de voortuin toen ik tussen de bomen uit kwam lopen. Hij stapte zijn truck uit, bekeek vluchtig mijn merkwaardig passend ensemble, en negeerde het beleefd. Hij en ik stonden naast elkaar het oude huis te bekijken. Greg had zandkleurig haar en een bril zonder montuur, en hij was een ouderling in de presbyteriaanse kerk. Ik had hem altijd al gemogen, althans ten dele omdat altijd als ik met mijn oma was langsgekomen om haar premies te betalen, hij zijn kantoor uit was gekomen om haar hand te schudden en haar een gewaardeerde klant te doen voelen. Zijn zakeninzicht werd alleen door zijn geluk geevenaard. De mensen zeiden al jaren dat zijn persoonlijke voorspoed zich uitstrekte tot zijn polishouders, hoewel ze dat natuurlijk op een gekscherende manier zeiden.

'Als ik dit maar had voorzien,' zei Greg. 'Sookie, het spijt me zo dat dit is gebeurd.'

'Hoezo, Greg?'

'O, ik ben gewoon... Ik wou dat ik eraan had gedacht dat je meer dekking nodig had,' zei hij afwezig. Hij liep naar de achterkant van het huis, en ik strompelde achter hem aan. Nieuwsgierig begon ik zijn hoofd af te luisteren, en ik schrok op uit mijn somberheid door wat ik daar hoorde.

'Dus toverspreuken gebruiken om je verzekering te ondersteunen werkt echt?' vroeg ik.

Hij gaf een gil. Er is geen ander woord voor. 'Het klopt over jou,' bracht hij hortend uit. 'I-Ik doe niet... Het is gewoon...' Hij stond buiten mijn zwartgeblakerde keuken en gaapte me aan.

'Het is al goed,' zei ik geruststellend. 'Je kunt doen alsof ik het niet weet als dat helpt om je beter te voelen.'

'Mijn vrouw zou doodgaan als ze het wist,' zei hij ernstig. 'En de kinderen ook. Ik wil ze gewoon gescheiden houden van dit deel van mijn leven. Mijn moeder was... ze was...'

'Een heks?' vulde ik behulpzaam aan.

'Nou, ja.' Gregs bril reflecteerde in de vroege ochtendzon terwijl hij stond te kijken naar wat er van mijn keuken was overgebleven. 'Maar mijn vader deed altijd alsof hij het niet wist, en hoewel ze me opleidde om haar plaats in te nemen, wilde ik het allerliefst een gewone man zijn.' Greg knikte, alsof hij wilde zeggen dat hij zijn doel had bereikt.

Ik keek omlaag in mijn mok met koffie, blij dat ik iets in mijn handen had. Greg loog enorm tegen zichzelf, maar het was niet aan mij om hem daarop te wijzen. Dat was iets waarmee hij met zijn god en zijn geweten in het reine moest komen. Ik zei niet dat Gregs methode een slechte was, maar het was zeker geen keuze van een gewone man. Het verzekeren van je middelen van bestaan (letterlijk) door het gebruik van magie was vast tegen bepaalde regels.

'Ik bedoel, ik ben een goede agent,' zei hij, zichzelf verdedigend, hoewel ik geen woord had gezegd. 'Ik let goed op wat ik verzeker. Ik controleer alles zorgvuldig. Het is niet allemaal magie.'

'O, nee,' zei ik, want hij zou gewoon ontploffen van angst als ik dat niet deed. 'Mensen krijgen toch wel ongelukken, hè?'

'Ongeacht welke toverformules ik gebruik,' gaf hij somber toe. 'Ze zitten dronken achter het stuur. En soms bezwijken metalen onderdelen hoe dan ook.'

Het idee dat de behouden Greg Aubert door heel Bon Temps auto's ging betoveren was bijna genoeg om me af te leiden van de ruïne van mijn huis... maar niet helemaal.

In het heldere, koude daglicht kon ik de totale schade zien. Hoewel ik steeds tegen mezelf zei dat het veel erger had kunnen zijn en dat ik geluk had dat de keuken was aangebouwd aan de achterkant van het huis – aangezien hij in een latere periode was gebouwd – was het ook de ruimte geweest waarin de dure spullen hadden gestaan. Ik zou het gasfornuis moeten vervangen, de koelkast, de boiler, en de magnetron; en de achterveranda had ruimte geboden aan mijn wasmachine en droger.

Na het verlies van al die belangrijke apparaten, kwamen het servies en de potten en pannen en het zilvergoed, waarvan een gedeelte zéér oud was. Een van mijn oudtantes kwam uit een gezin met wat geld, en ze had een delicaat porseleinen servies nagelaten en een zilveren theeservies dat een last was geweest om op te poetsen. Nu zou ik het nooit meer hoeven oppoetsen, realiseerde ik me, maar er was niets vrolijks aan die gedachte. Mijn Nova was oud, en ik had hem allang moeten vervangen, maar ik had er niet op gerekend dat dat nu zou zijn.

Nou, ik was verzekerd, en ik had geld op de bank, dankzij de vampiers die me hadden betaald om Eric te onderhouden toen hij zijn geheugen kwijt was.

'En je had rookmelders?' vroeg Greg.

'Ja, dat klopt,' zei ik, terwijl ik me het schelle pulseren herinnerde dat was begonnen net nadat Claudine me had gewekt. 'Als het plafond in de gang er nog is, kun je er een zien.'

Er was geen achtertrap meer om ons de veranda op te leiden, en de vloerplanken van de veranda leken niet erg stevig. De wasmachine was er zelfs half doorheen gevallen en lag schuin op zijn kant. Het maakte me ziek, te zien dat mijn alledaagse spullen, spullen die ik honderden keren aangeraakt en gebruikt had, voor de wereld tentoongespreid lagen en verwoest waren.

'We gaan wel naar binnen via de voordeur,' stelde Greg voor, en ik stemde graag in.

Hij zat nog steeds niet op slot, en ik voelde even een vlaag van paniek, maar besefte toen hoe belachelijk dat was. Ik ging naar binnen. Het eerste wat ik opmerkte was de geur. Alles stonk naar rook. Ik opende de ramen, en de koele bries die erdoorheen waaide, deed de geur wegtrekken tot het wel zo'n beetje te verdragen was.

Deze kant van het huis was beter dan ik had verwacht. De meubels moesten natuurlijk schoongemaakt worden. Maar de vloer was stevig en onbeschadigd. Ik ging niet eens de trap op; ik gebruikte de kamers boven bijna nooit, dus wat daar was gebeurd kon wel wachten.

Mijn armen waren gekruist onder mijn borsten. Ik keek van de ene kant naar de andere, terwijl ik langzaam door de kamer naar de gang liep. Ik voelde de vloer trillen toen er iemand anders binnenkwam. Ik wist zonder om te kijken dat Jason achter me stond. Hij en Greg zeiden iets tegen elkaar, maar even daarna viel Jason stil, net zo geschokt als ik.

We liepen door naar de gang. De deur naar mijn slaapkamer en de deur naar de slaapkamer aan de overkant van de gang stonden allebei open. Mijn beddengoed lag nog steeds teruggeslagen. Mijn pantoffels stonden naast het nachtkastje. Alle ramen waren besmeurd met rook en vocht, en de verschrikkelijke lucht werd zelfs sterker. Daar hing de rookmelder aan het plafond in de gang. Ik wees er zwijgend naar. Ik opende de deur naar de linnenkast en merkte dat alles erin klam aanvoelde. Nou ja, dat soort dingen kan gewassen worden. Ik liep mijn kamer in en opende mijn kastdeur. Mijn kast deelde een muur met de keuken. Op het eerste gezicht leken mijn kleren intact, tot ik zag dat er bij elk kledingstuk dat aan een ijzeren hanger hing, een streep over de schouders liep waar de verhitte hanger de stof had verschroeid. Mijn schoenen waren verbrand. Misschien drie paar waren nog te gebruiken.

Ik slikte.

Hoewel ik me met de seconde trilleriger voelde, voegde ik me bij mijn broer en de verzekeringsagent toen ze voorzichtig verder de gang door gingen naar de keuken.

De vloer het dichtst bij het oude gedeelte van het huis leek in orde. De keuken was een grote ruimte geweest, aangezien hij ook als de gezinseetkamer had gediend. De tafel was gedeeltelijk verbrand, net als twee van de stoelen. Het linoleum op de grond was helemaal kapot, en hier en daar verkoold. De geiser was door de vloer heen gezakt, en de gordijnen die het raam boven de gootsteen hadden bedekt, hingen in repen. Ik weet nog dat oma die gordijnen had gemaakt; ze hield niet echt van naaien, maar die van JCPenney die ze mooi vond, waren gewoon te duur. Dus ze had haar moeders oude naaimachine tevoorschijn gehaald en een goedkope maar mooi gebloemde stof gekocht bij Hancock's, en ze had gemeten, en binnensmonds gevloekt, en gewerkt en gewerkt tot ze ze eindelijk af had. Jason en ik hadden ze overdreven geprezen om haar het gevoel te geven dat het de moeite waard was geweest, en ze was zo ingenomen geweest.

Ik opende een la, die waarin alle sleutels hadden gelegen. Ze waren aan elkaar gesmolten. Ik perste mijn lippen op elkaar, hard. Jason stond naast me, keek omlaag.

'Shit,' zei hij, zijn stem zacht en giftig. Dat hielp me de tranen tegen te houden.

Ik hield me even vast aan zijn arm. Onhandig gaf hij me zachte klopjes. Het was een afschuwelijke schok om te zien dat voorwerpen die zo vertrouwd waren, voorwerpen die dierbaar waren geworden door gebruik, onherroepelijk veranderd waren door brand, hoe vaak ik mezelf ook voorhield dat het hele huis in vlammen op had kunnen gaan; dat ik zelfs dood had kunnen gaan. Zelfs als de rookmelder me op tijd wakker had gemaakt, was ik zeer waarschijnlijk naar buiten gerend om oog in oog te komen staan met de brandstichter, Jeff Marriot.

Bijna alles aan de oostkant van de keuken was verwoest. De vloer was instabiel. Het keukendak was weg.

'Het is een geluk dat de kamers boven zich niet uitstrekken tot boven de keuken,' zei Greg toen hij naar beneden kwam na de twee slaapkamers en de zolder gecontroleerd te hebben. 'Je zult het een bouwvakker moeten vragen, maar ik denk dat de tweede verdieping in wezen solide is.'

Ik sprak vervolgens met Greg over geld. Wanneer zou het komen? Hoeveel zou het zijn? Welk bedrag moest ik zelf betalen?

Jason doolde door de tuin terwijl Greg en ik bij zijn auto stonden. Ik kon mijn broers houding en bewegingen interpreteren. Jason was heel kwaad: op mijn bijna-doodontsnapping, op wat er met het huis was gebeurd. Nadat Greg was weggereden en mij achterliet met een uitputtende lijst van dingen die ik moest doen en telefoontjes die ik moest plegen (waarvandaan?) en werk waarvoor ik me moest klaarmaken (wat moest ik aan?), slenterde Jason op me af en zei: 'Als ik hier was geweest, had ik hem kunnen vermoorden.'

'In je nieuwe lichaam?' vroeg ik.

'Ja. Dat had die klootzak de schrik van zijn leven bezorgd voordat hij het had verlaten.'

'Ik denk dat Charles best schrikaanjagend was, maar toch bedankt.'

'Hebben ze de vamp opgesloten?'

'Nee, Bud Dearborn zei alleen maar tegen hem dat hij het dorp niet moest verlaten. De gevangenis van Bon Temps heeft immers geen vampiercel. En gewone cellen houden hen niet in bedwang, plus er zitten ramen in.'

'Is dat waar die kerel vandaan kwam – het Verbond van de Zon? Gewoon een vreemde die naar het dorp kwam om je uit de weg te ruimen?'

'Daar lijkt het op.'

'Wat hebben ze tegen jou? Behalve dat je wat met Bill hebt en met een paar andere vamps omgaat?'

Nou, het Verbond had in feite heel wat tegen mij. Ik was ervoor verantwoordelijk geweest dat hun enorme kerk in Dallas was overvallen en dat een van hun belangrijkste leiders moest onderduiken. De kranten hadden vol gestaan met wat de politie had ontdekt in het Verbondsgebouw in Texas. Toen ze bij aankomst de leden hadden zien rondspringen in een staat van beroering, waarbij ze beweerden dat de vampiers hen hadden aangevallen, betrad de politie het pand om het te doorzoeken en ontdekte in de kelder een martelkamer, illegale wapens aangepast om houten brandpalen in vampiers te schieten, en een lijk. De politie zag geen enkele vampier. Steve en Sarah Newlin, de leiders van de Verbondskerk in Dallas, werden sinds die avond vermist.

Ik heb Steve Newlin sindsdien nog gezien. Hij was in Club Dead in Jackson. Hij en een van zijn gabbers waren voorbereidingen aan het treffen om een vampier te doorboren in de club toen ik ze had verhinderd. Newlin was ontkomen; zijn maat niet.

Het zag ernaar uit dat de volgelingen van de Newlins me hadden opgespoord. Ik had zoiets niet voorzien, maar aan de andere kant had ik niets voorzien wat mij het afgelopen jaar was overkomen. Toen Bill aan het leren was hoe hij zijn computer moest gebruiken, zei hij tegen me dat met een beetje kennis en geld iedereen gevonden kon worden via een computer.

Misschien had het Verbond privédetectives ingehuurd, zoals het stel dat gisteren in mijn huis was geweest. Misschien hadden Jack en Lily Leeds gewoon gedaan alsof ze ingehuurd waren door de familie Pelt? Misschien waren de Newlins hun echte werkgevers? Ze kwamen me niet voor als politieke lui, maar de macht van geld is universeel.

'Ik geloof dat uitgaan met een vampier genoeg voor ze was om me te haten,' zei ik tegen Jason. We zaten op de achterklep van zijn truck gedeprimeerd naar het huis te staren. 'Wie denk je dat ik moet bellen om de keuken op te laten knappen?'

Ik dacht niet dat ik een architect nodig had: ik wilde alleen maar vervangen wat er ontbrak. Het huis was van de grond af gebouwd, dus de grootte van de ondergrond maakte niet uit. Omdat de vloer in de keuken was doorgebrand en geheel vervangen moest worden, zou het niet veel meer kosten om de keuken wat groter te maken en de achterveranda compleet in te sluiten. De wasmachine en droger zouden niet zo vreselijk zijn om te gebruiken bij slecht weer, dacht ik verlangend. Ik had meer dan genoeg geld om het eigen risico te kunnen betalen, en ik wist zeker dat de verzekering het grootste deel van de rest zou betalen.

Na een poosje hoorden we een andere truck aankomen. Maxine Fortenberry, Hoyts moeder, stapte uit met een paar wasmanden. 'Waar zijn je kleren, meiske,' riep ze. 'Ik neem ze mee naar huis om ze te wassen, zodat je iets te dragen hebt wat niet naar rook ruikt.'

Nadat ik had geprotesteerd en zij had aangedrongen, gingen we de verstikkend onaangename lucht van het huis binnen om wat kleren te halen. Maxine stond er ook op om een armvol linnengoed uit de linnenkast te halen om te kijken of enkele lappen weer tot leven gewekt konden worden.

Net nadat Maxine was vertrokken, reed Tara in haar nieuwe auto naar de open plek, gevolgd door haar parttimehulp, een lange jonge vrouw genaamd McKenna, die in Tara's oude auto reed.

Na een omhelzing en een paar woorden van medeleven, zei Tara: 'Rij jij maar in deze oude Malibu terwijl je je verzekeringsgedoe op orde brengt. Hij staat daar maar in mijn carport te staan, en ik wou hem net in de krant zetten in de Te Koop-rubriek. Terwijl jij hem kan gebruiken.'

'Dank je,' zei ik verbluft. 'Tara, dat is heel aardig van je.' Ze zag er niet goed uit, merkte ik vaag op, maar ik was te zeer in mijn eigen problemen verzonken om Tara's voorkomen goed te beoordelen. Toen zij en McKenna vertrokken, wuifde ik ze slapjes uit.

Daarna arriveerde Terry Bellefleur. Hij bood aan om het verbrande gedeelte voor een symbolisch bedrag te slopen, en voor een beetje meer zou hij al het resulterende puin naar de gemeentestortplaats slepen. Hij zou beginnen zodra de politie hem het groene licht gaf, zei hij, en tot mijn verbazing gaf hij me een omhelzinkje.

Daarna kwam Sam, gereden door Arlene. Hij bleef een paar minuten staan kijken naar de achterkant het huis. Zijn lippen waren dicht op elkaar geperst. Bijna elke man zou hebben gezegd: 'Je boft maar dat ik de vampier met je mee naar huis stuurde, hè?' Maar Sam niet. 'Wat kan ik doen?' zei hij in plaats daarvan.

'Hou me aan het werk,' zei ik, lachend. 'Neem me niet kwalijk dat ik op m'n werk kom in iets anders dan mijn eigenlijke werkkleding.' Arlene liep helemaal om het huis, en omhelsde me vervolgens zwijgend.

'Dat geeft niet,' zei hij. Hij lachte nog steeds niet. 'Ik hoor dat de kerel die de brand aanstak een Verbondslid was, dat dit een soort wraak is omdat jij wat met Bill had.'

'Hij had het kaartje in zijn portemonnee zitten, en hij had een jerrycan.' Ik haalde mijn schouders op.

'Maar hoe heeft-ie jou gevonden? Ik bedoel, niemand hier...' Sams stem stierf weg toen hij die mogelijkheid nader overwoog.

Hij dacht, net als ik had gedacht, dat hoewel de brandstichting misschien alleen maar was omdat ik wat met Bill had gehad, het een drastische overreactie leek. Een meer typische vergelding was dat een Verbondslid varkensbloed gooide over mensen die uitgingen met vampiers, of die een werkrelatie met hen hadden. Dat was meer dan eens gebeurd, het meest opmerkelijk bij een ontwerper van Dior die alleen maar vampiermodellen had aangenomen voor één lenteshow. Zulke incidenten kwamen meestal voor in grote steden, steden die onderdak boden aan grote 'kerken' van het Verbond en een omvangrijkere vampierpopulatie.

Wat als de man door iemand anders was ingehuurd om mijn huis in brand te steken? Wat als het Verbondskaartje in zijn portemonnee was gestopt ter misleiding?

Elk van die dingen kon waar zijn; of alle dingen, of geeneen ervan. Ik kon maar niet besluiten wat ik geloofde. Dus, was ik het doelwit van een huurmoordenaar, net als de vormveranderaars? Moest ook ik het schot uit het donker vrezen, nu de brand was mislukt?

Dat was zo'n angstaanjagend vooruitzicht dat ik ervoor terugdeinsde om erop voort te borduren. Die wateren hadden te diepe gronden voor mij.

De technisch rechercheur van de staatspolitie verscheen toen Sam en Arlene er waren. Ik zat een lunchmaaltijd te eten die Arlene voor me had meegebracht. Dat Arlene geen voedselgek was, is zacht uitgedrukt, dus mijn sandwich was gemaakt met goedkope *bologna*worst en plastic kaas, en mijn blikje drinken was gezoete thee van een onbekend merk. Maar ze had aan mij gedacht en ze had het voor me meegenomen, en haar kinderen hadden een tekening voor me gemaakt. Ik zou al blij zijn geweest als ze alleen maar een snee brood voor me had meegenomen onder die omstandigheden.

Automatisch lonkte Arlene naar de technisch rechercheur. Hij was een magere man van in de veertig genaamd Dennis Pettibone. Dennis had een camera, een notitieblok en een deprimerende zienswijze. Het kostte Arlene misschien twee minuten praten om een lachje aan de heer Pettibones lippen te ontlokken, en zijn bruine ogen bewonderden haar welvingen nadat er nog twee minuten verstreken waren. Voordat Arlene Sam naar huis reed, had ze een belofte van de rechercheur dat hij die avond het café zou binnenwippen.

Voor ze vertrok, bood Arlene me bovendien de slaapbank aan in haar caravan, wat lief van haar was, maar ik wist dat het dan te vol bij haar zou zijn en dat het haar de-kinderen-naar-school-brengen-ochtendroutine in de war zou schoppen, dus ik zei dat ik al ergens anders logeerde. Ik geloofde niet dat Bill me eruit zou gooien. Jason had gezegd dat zijn huis voor me openstond, en tot mijn verbazing zei Sam voor hij vertrok: 'Je kunt bij mij blijven, Sookie. Geen verplichtingen. Ik heb twee lege slaapkamers in de woonwagen. In één ervan staat zelfs een bed.'

'Dat is heel aardig van je,' zei ik, en ik stopte al mijn oprechtheid in mijn stem. 'Elke ziel in Bon Temps zou denken dat we hard op weg waren een getrouwd stel te worden als ik dat deed, maar ik stel het zeker op prijs.'

'Denk je dat ze geen conclusies trekken als je bij Bill logeert?'

'Ik kan niet met Bill trouwen. Niet legaal,' antwoordde ik, waarmee ik die discussie afkapte. 'Trouwens, Charles logeert er ook.'

'Olie op het vuur,' merkte Sam op. 'Dat is nog sappiger.'

'Dat is wel vleiend, dat je genoeg pit achter me zoekt om twee vampiers tegelijkertijd onder handen te nemen.'

Sam grinnikte, wat ongeveer tien jaar van zijn leeftijd aftrok. Hij keek over mijn schouder toen we het grind hoorden knarsen onder nóg een voertuig. 'Kijk 's wie daar aankomt,' zei hij.

Een enorme, antieke pick-up kwam denderend tot stilstand. Eruit stapte Dawson, de enorme Weer die had opgetreden als de bodyguard van Calvin Norris.

'Sookie,' donderde hij, zijn stem zo diep dat ik verwachtte dat de grond zou trillen.

'Hé, Dawson.' Ik wilde vragen: 'Wat doe jij hier?' maar ik bedacht me dat dat ronduit onbeleefd zou klinken.

'Calvin hoorde van je brand,' zei Dawson, zonder tijd te verspillen aan een inleiding. 'Hij zei me hier langs te gaan om te zien of je gewond was, en je te vertellen dat hij aan je denkt en dat als hij beter was hij hier al op spijkers zou staan hameren.'

Ik zag vanuit mijn ooghoek dat Dennis Pettibone Dawson met belangstelling in zich opnam. Dawson had net zo goed een bordje kunnen dragen met GEVAARLIJKE GOZER erop.

'Zeg hem maar dat ik erg dankbaar ben voor de gedachte. Ik zou ook willen dat hij beter was. Hoe gaat het met hem, Dawson?'

'Ze hebben vanmorgen wat dingen bij hem losgehaakt, en hij heeft een stukje gelopen. Het was een ernstige wond,' zei Dawson. 'Het duurt nog wel even.' Hij keek even hoe ver weg de technisch rechercheur stond. 'Zelfs voor een van ons,' voegde hij eraan toe.

'Natuurlijk,' zei ik. 'Ik stel het op prijs dat je langskomt.'

'Calvin zegt trouwens ook dat zijn huis leegstaat terwijl hij in het ziekenhuis is, als je een plek nodig hebt om te logeren. Hij zou blij zijn om je er gebruik van te laten maken.'

Dat was eveneens aardig, en dat zei ik ook. Maar ik zou me erg ongemakkelijk voelen, om Calvin op zo'n veelbetekenende manier iets verplicht te zijn.

Dennis Pettibone riep me bij hem. 'Ziet u, mevrouw Stackhouse,' zei hij. 'Je kunt zien waar hij de benzine op uw veranda heeft gebruikt. Ziet u hoe het vuur liep vanuit de vlek die hij op de deur maakte?'

Ik slikte. 'Ja, ik zie het.'

'U boft dat er gisteravond geen wind stond. En u boft vooral dat u die deur had dichtgedaan, die tussen de keuken en de rest van het huis. De brand zou rechtstreeks de gang in zijn gegaan als u de deur niet dicht had gedaan. Toen de brandweermannen dat raam aan de noordzijde insloegen, ging het vuur die kant op, op zoek naar zuurstof, in plaats van dat het probeerde de rest van het huis binnen te gaan.'

Ik herinnerde me de opwelling die me tegen alle logica in het huis weer in had geduwd. De klap op het laatste moment van die deur.

'Na een paar dagen geloof ik niet dat het grootste deel van het huis nog zo erg zal stinken,' zei de rechercheur tegen me. 'Doe nu de ramen open, bid dat het niet regent, en ik denk dat u al snel geen problemen meer zult hebben. Tuurlijk, u moet het energiebedrijf bellen om met ze over de elektriciteit te praten. En het gasbedrijf moet een kijkje komen nemen naar de tank. Dus het huis is niet bewoonbaar, vanuit dat oogpunt.'

De kern van wat hij zei, was dat ik er slechts kon slapen zodat ik een dak boven mijn hoofd had. Geen elektriciteit, geen verwarming, geen warm water, niet koken. Ik bedankte Dennis Pettibone en verontschuldigde me, zodat ik nog even kon praten met Dawson, die had staan luisteren.

'Ik zal proberen over een dag of twee bij Calvin langs te gaan, als ik dit eenmaal op orde heb,' zei ik, knikkend naar de geblakerde achterkant van het huis.

'O ja,' zei de bodyguard, één voet al in zijn pick-up. 'Calvin zei dat je moest laten weten wie dit heeft gedaan als er iemand anders opdracht heeft gegeven dan die klootzak die ter plekke dood was.'

Ik keek naar wat er van mijn keuken over was en kon bijna de meters tellen van de vlammen naar mijn slaapkamer. 'Dat stel ik nog het meest op prijs,' zei ik, voor mijn christelijke kant de gedachte kon verdrijven. Dawsons bruine ogen kruisten die van mij in een moment van volmaakte overeenstemming.

9

DANKZIJ MAXINE HAD IK FRIS RUIKENDE KLEREN om naar mijn werk te dragen, maar ik moest wat schoeisel gaan kopen bij Payless. Normaal gesproken zou ik wat meer uitgeven aan mijn schoenen omdat ik zoveel moet staan, maar er was geen tijd om naar Clarice te gaan, naar de enige goede schoenenwinkel daar, of om naar het winkelcentrum in Monroe te rijden. Toen ik aankwam op mijn werk, kwam Sweetie Des Arts uit de keuken om me te omhelzen, haar magere lichaam gewikkeld in een wit keukenschort. Zelfs de jongen die de tafels afruimde zei tegen me dat hij het erg voor me vond. Holly en Danielle, die net klaar waren met hun dienst, gaven me elk een klopje op de schouder en zeiden tegen me dat ze hoopten dat het snel beter zou gaan.

Arlene vroeg of ik dacht dat de knappe Dennis Pettibone

langs zou komen, en ik zei tegen haar dat ik zeker wist van wel.

'Hij moet vast veel reizen,' zei ze peinzend. 'Ik vraag me af waar hij is gestationeerd.'

'Ik heb zijn kaartje. Hij is gestationeerd in Shreveport. Hij vertelde me dat hij een boerderijtje heeft gekocht net buiten Shreveport, nu ik eraan denk.'

Arlenes ogen knepen zich samen. 'Klinkt alsof jij en Dennis een aangenaam gesprek hadden.'

Ik begon te protesteren dat de technisch rechercheur een beetje te oud voor me was, maar omdat Arlene de laatste drie jaar was blijven volhouden dat ze zesendertig was, bedacht ik me dat dat weinig tactvol was. 'Hij maakte alleen maar een praatje,' zei ik tegen haar. 'Hij vroeg me hoe lang ik al met jou werk, en of je kinderen had.'

'O. Echt?' Arlene straalde. 'Zo zo.' Ze begon opgewekt en in trotse pas haar tafels te controleren.

Ik ging aan de slag, en deed over alles langer dan normaal vanwege de voortdurende onderbrekingen. Ik wist dat een of andere dorpsroddel de brand in mijn huis gauw genoeg zou overschaduwen. Hoewel ik niet mocht hopen dat iemand anders eenzelfde ramp zou meemaken, zou ik blij zijn als ik niet langer het onderwerp van het gesprek van elke kroegganger was.

Terry was niet in staat geweest om overdag de lichte bartaken aan te kunnen vandaag, dus Arlene en ik hielpen mee om voor hem in te vallen. Door bezig te zijn, voelde ik me minder ongemakkelijk.

Hoewel ik high was omdat ik slechts drie uur geslapen had, redde ik me aardig tot Sam me riep vanuit de gang die naar zijn kantoor en de cafétoiletten leidde.

Eerder waren er twee mensen binnengekomen en naar zijn hoektafel gelopen om met hem te praten; ik had ze alleen in het voorbijgaan opgemerkt. De vrouw was in de zestig, erg rond en klein. Ze maakte gebruik van een stok. De jongeman die ze bij zich had, had bruin haar, een scherpe neus en zware wenkbrauwen die zijn gezicht een beetje karakter gaven. Hij deed me aan iemand denken, maar het lukte me niet om het verband naar boven te laten komen. Sam had hen zijn kantoor binnengeleid.

'Sookie,' zei Sam ongelukkig, 'de mensen in mijn kantoor willen je spreken.'

'Wie zijn ze?'

'Zij is Jeff Marriots moeder. De man is zijn tweelingbroer.'

'O, mijn god,' zei ik, en ik realiseerde me dat de man me aan het lijk deed denken. 'Waarom willen ze me spreken?'

'Ze geloven niet dat hij ooit wat te maken heeft gehad met het Verbond. Ze begrijpen helemaal niks van zijn dood.'

Om te zeggen dat ik erg opzag tegen deze ontmoeting was nog zacht uitgedrukt. 'Waarom ík?' zei ik in een soort gedempte jammerklacht. Ik was bijna aan het eind van mijn emotionele uithoudingsvermogen.

'Ze willen gewoon... antwoorden. Ze hebben verdriet.'

'Ik ook,' zei ik. 'Om mijn thuis.'

'Om hun dierbare.'

Ik staarde Sam aan. 'Waarom zou ik met ze praten?' vroeg ik. 'Wat wil je nou van mij?'

'Je moet horen wat ze te zeggen hebben,' zei Sam op besliste toon. Hij wilde niet meer aandringen, en hij wilde geen verdere uitleg geven. Nu was de beslissing aan mij.

Omdat ik Sam vertrouwde, knikte ik. 'Ik praat wel met ze als ik klaar ben met werken,' zei ik. Ik hoopte stiekem dat ze dan al vertrokken waren. Maar toen mijn dienst erop zat, zaten de twee nog steeds in Sams kantoor. Ik deed mijn schort af, gooide hem in de grote vuilnisbak met het etiket VUIL LINNENGOED erop (terwijl ik voor de honderdste keer bedacht dat de vuilnisbak waarschijnlijk zou imploderen als iemand er echt linnen in stopte), en sjokte het kantoor binnen.

Ik bekeek de Marriots eens wat nauwkeuriger nu we tegenover elkaar stonden. Mevrouw Marriot (nam ik aan) was er slecht aan toe. Haar huid was grijsachtig, en haar hele lichaam leek slap te hangen. Haar bril was vlekkerig geworden omdat ze zoveel had gehuild, en ze hield krampachtig wat vochtige zakdoekjes in haar handen. Haar zoon was zich wezenloos geschrokken. Hij had zijn tweelingbroer verloren, en er straalde zoveel misère van hem af dat ik die amper in me op kon nemen.

'Bedankt dat je met ons wilt praten,' zei hij. Hij stond automatisch op uit zijn stoel en stak zijn hand uit. 'Ik ben Jay Marriot, en dit is mijn moeder, Justine.'

Dit was een gezin dat een letter van het alfabet had gevonden dat het mooi vond en eraan vasthield.

Ik wist niet wat ik moest zeggen. Kon ik hun vertellen dat het me speet dat hun dierbare dood was, terwijl hij had geprobeerd me te doden? Hier bestond geen beleefdheidsregel voor; dit had zelfs mijn oma voor een raadsel gesteld.

'Miss – mevrouw – Stackhouse, had u mijn broer ooit eerder ontmoet?'

'Nee,' zei ik. Sam pakte mijn hand vast. Aangezien de Marriots op de enige twee stoelen zaten die Sams kantoor rijk was, leunden hij en ik tegen de voorkant van zijn bureau. Ik hoopte dat zijn been niet pijn deed.

'Waarom zou hij uw huis in brand steken? Hij was nog nooit gearresteerd, nergens voor,' Justine sprak voor het eerst. Haar stem was ruw en gesmoord door tranen; er zat een smekende ondertoon in. Ze vroeg me dit niet waar te laten zijn, deze beschuldiging over haar zoon Jeff.

'Ik weet het echt niet.'

‘Kunt u ons vertellen hoe dit is gebeurd? Zijn... dood, bedoel ik?’

Ik voelde een vlaag van boosheid omdat ik verplicht was medelijden met ze te hebben – omdat het nodig was fijngevoelig te zijn, ze speciaal te behandelen. Immers, wie was er hier bijna dood geweest? Wie was haar huis gedeeltelijk kwijt? Wie stond er voor een financiële crisis die alleen door toeval was verzacht en niet op een ramp was uitgelopen? Woede bruiste in me op, en Sam liet mijn hand los en sloeg zijn arm om me heen. Hij kon de spanning in mijn lichaam voelen. Hij hoopte dat ik de opwelling om uit te vallen kon beheersen.

Ik klampte me met mijn nagels vast aan mijn betere aard, maar ik hield vast.

‘Een vriendin maakte me wakker,’ zei ik. ‘Toen we buiten kwamen, zagen we een vampier die bij mijn buurman logeert – ook een vampier – bij meneer Marriots lichaam staan. Er lag een jerrycan vlak bij het... vlakbij. De dokter die kwam zei dat er benzine op zijn handen zat.’

‘Wat heeft hem gedood?’ De moeder weer.

‘De vampier.’

‘Heeft hij hem gebeten?’

‘Nee, hij... nee. Niet gebeten.’

‘Hoe dan?’ Jay toonde me wat van zijn eigen boosheid.

‘Zijn nek gebroken, meen ik.’

‘Dat hoorden we op het bureau van de sheriff,’ zei Jay. ‘Maar we wisten gewoon niet of ze de waarheid vertelden.’

O, in ’s hemelsnaam.

Sweetie Des Arts stak haar hoofd naar binnen om Sam te vragen of ze de sleutels van de opslagkamer kon lenen, want ze had een doos augurken nodig. Ze verontschuldigde zich dat ze stoorde. Arlene wuifde naar me toen ze door de gang naar de personeelsingang liep, en ik vroeg me af of Dennis Pettibone het café was binnengekomen. Ik was zo verdiept geweest in mijn eigen problemen dat ik dat niet had gezien. Toen de buitendeur met een klap achter haar dichtviel, leek de stilte in het kamertje toe te nemen.

'En waarom was de vampier in uw tuin?' vroeg Jay ongeduldig. 'In het holst van de nacht?'

Ik vertelde hem niet dat dat hem niets aanging. Sams hand streelde mijn arm. 'Op dat tijdstip zijn ze op. En hij logeerde in het enige andere huis vlak bij mij.' Dat is wat we de politie hadden verteld. 'Ik denk dat hij iemand in mijn tuin hoorde toen hij in de buurt was en dat hij poolshoogte kwam nemen.'

'We weten niet hoe Jeff daar terechtkwam,' zei Justine. 'Waar is zijn auto?'

'Dat weet ik niet.'

'En er zat een kaartje in zijn portemonnee?'

'Ja, een lidmaatschapskaart van het Verbond van de Zon,' vertelde ik haar.

'Maar hij had niets in het bijzonder tegen vampiers,' protesteerde Jay. 'We zijn een tweeling. Ik zou het geweten hebben als hij een of andere hevige wrok koesterde. Het slaat gewoon nergens op.'

'Hij gaf een vrouw in het café anders wel een valse naam en woonplaats,' zei ik, zo voorzichtig mogelijk.

'Nou, hij was alleen maar op doorreis,' zei Jay. 'Ik ben een getrouwd man, maar Jeff is gescheiden. Ik zeg het niet graag waar mijn moeder bij is, maar het is niet ongewoon voor mannen om een valse naam en vals verleden te geven als ze een vrouw in een café ontmoeten.'

Dat was waar. Hoewel Merlotte hoofdzakelijk een buurtcafé was, had ik naar vele verhalen van niet-dorpelingen geluisterd die binnen waren komen vallen; en ik had zeker geweten dat ze logen.

'Waar zat de portemonnee?' vroeg Justine. Ze keek naar me op als een oude, geslagen hond, en het maakte me diepbedroefd.

'In zijn jaszak,' zei ik.

Jay stond abrupt op. Hij kwam in beweging, en liep heen en weer in de smalle ruimte die hij tot zijn beschikking had. 'Alweer,' zei hij, zijn stem levendiger, 'dat klinkt gewoon niet als Jeff. Hij bewaarde zijn portemonnee in zijn spijkerbroek, net als ik. We stopten ze nooit in onze jas.'

'Wat wil je daarmee zeggen?' vroeg Sam.

'Ik wil zeggen dat ik niet geloof dat Jeff dit heeft gedaan,' zei zijn tweelingbroer. 'Zelfs die mensen van het Fina-benzinestation, zij kunnen zich vergist hebben.'

'Zegt iemand van de Fina dat hij daar een kan benzine heeft gekocht?' vroeg Sam.

Justine kromp weer ineen, de zachte huid van haar kin beefde.

Ik had me af zitten vragen of er misschien iets zat in de vermoedens van de Marriots, maar dat idee was nu vernietigd. De telefoon ging, en allemaal schrokken we op. Sam nam hem op en zei: 'Merlotte', op kalme toon. Hij luisterde, zei: 'Hm-hm.' En: 'Echt waar?' En ten slotte: 'Ik vertel het haar wel.' Hij hing op.

'De auto van uw broer is gevonden,' zei hij tegen Jay Marriot. 'Hij staat aan een weggetje bijna recht tegenover Sookies oprit.' Het licht van het sprankje hoop dat de familie had, ging nu helemaal uit, en ik kon alleen maar medelijden met ze hebben. Justine leek tien jaar ouder dan toen ze het café was binnengekomen, en Jay zag eruit alsof hij dagenlang geen slaap of eten had gehad. Ze vertrokken zonder nog een woord tegen me te zeggen, wat een opluchting was. Uit de weinige zinnen die ze met elkaar hadden gewisseld, kon ik opmaken dat ze naar Jeffs auto gingen kijken om te vragen of ze zijn persoonlijke eigendommen eruit konden halen. Ik had het gevoel dat ze daar tegen nóg een blinde muur zouden oplopen.

Eric had me verteld dat dat weggetje, een modderpad dat naar een hertenkamp leidde, de plek was waar Debbie Pelt haar auto had verscholen toen ze was gekomen om me vermoorden. Ik kon er net zo goed een bordje neerzetten: PARKEERGELEGENHEID VOOR NACHTAANVALLEN OP SOOKIE STACKHOUSE.

Sam kwam terug de kamer in zwieren. Hij had de Marriots uitgelaten. Hij stond naast me tegen zijn bureau geleund en zette zijn krukken terzijde. Hij sloeg zijn arm om me heen. Ik draaide me naar hem toe en schoof mijn armen om zijn middel. Hij hield me tegen zich aan, en ik voelde me een heerlijke minuut lang rustig. De gloed van zijn lichaam verwarmde me, en zijn affectie troostte me.

'Doet je been pijn?' vroeg ik toen hij zich onrustig bewoog.

'Niet mijn been,' zei hij.

Ik keek verward op om hem in de ogen te kijken. Hij keek meesmuilend. Opeens werd ik me ervan bewust wat Sam nou precies pijn deed, en ik liep rood aan. Maar ik liet hem niet los. Ik voelde er niet veel voor om een eind te maken aan het genoegen van dicht bij iemand te zijn – nee, van dicht bij Sam te zijn. Toen ik me niet van hem verwijderde, bracht hij langzaam zijn lippen naar de mijne, waarbij hij me alle kans gaf om buiten bereik te stappen. Zijn mond streek langs de mijne, en nog een keer. Toen begon hij me te kussen, en de gloed van zijn tong vulde strelend mijn mond.

Dat voelde ongelooflijk goed. Met het bezoek van de familie Marriot had ik door de thrillerafdeling geneusd. Nu was ik beslist afgedwaald naar de romannetjes.

Hij was niet veel langer dan ik, zodat ik me niet omhoog hoefde te worstelen om zijn kus te beantwoorden. Zijn kus werd dwingender. Zijn lippen zwierven langs mijn nek omlaag, naar het kwetsbare en gevoelige plekje net onderaan, en zijn tanden beten er zachtjes in.

Ik snakte naar adem. Ik kon er gewoon niets aan doen. Als ik de gave van teleportatie had gehad, zou ik ons meteen naar een meer afgelegen plekje hebben overgebracht. Ergens vond ik dat het iets goedkoops had om ons zo wellustig te voelen in een rommelig kantoor in een café. Maar de hitte steeg toen hij me weer kuste. Er was altijd al iets tussen ons geweest, en het smeulende vuurtje had zojuist vlam gevat.

Ik had moeite om vast te houden aan wat gezond verstand. Was dit overlevingslust? En zijn been dan? Had hij de knoopjes aan zijn overhemd echt nodig?

'Niet goed genoeg voor je hier,' zei hij, en hij snakte zelf ook een beetje naar adem. Hij trok zich los en greep naar zijn krukken, maar toen rukte hij me terug en kuste me weer. 'Sookie, ik ga...'

'Wat ga je doen?' vroeg een koude stem vanuit de deuropening.

Als ik me wezenloos was geschrokken, dan was Sam tot razernij gebracht. In een fractie van een seconde werd ik opzij geduwd, en stortte hij zich op de indringer, met gebroken been en al.

Mijn hart bonsde als dat van een bang konijn, en ik legde er één hand over om ervoor te zorgen dat het in mijn borstkast bleef. Sams plotselinge aanval had Bill tegen de grond gegooid. Sam bewoog zijn vuist naar achter om een stoot uit te delen, maar Bill gebruikte zijn grotere gewicht en kracht om Sam om te rollen tot hij onder lag. Bills hoektanden stonden uit en zijn ogen gloeiden.

'Stop!' gilde ik op een gereduceerd volume, bang dat de klanten zouden komen aanrennen. Ik ondernam mijn eigen kleine snelle actie, greep Bills zachte donkere haar met beide handen vast en gebruikte het om zijn hoofd naar achter te rukken. In de opwinding van het moment, reikte

Bill achter zich om mijn polsen in zijn handen te pakken, en hij begon te draaien. Ik stikte van de pijn. Allebei mijn armen stonden op het punt van breken toen Sam de gelegenheid te baat nam om Bill een kaakslag te geven met al zijn kracht. Veranderaars zijn niet zo krachtig als Weers en vampiers, maar ze kunnen rake klappen uitdelen, en Bill stond te wankelen. Hij kwam ook weer bij zijn positieven. Hij liet mijn armen los en stond op en draaide zich in één gracieuze beweging naar me toe.

Mijn ogen stonden vol tranen van de pijn, en ik deed ze wijd open, vastberaden om de druppels niet langs mijn wangen omlaag te laten rollen. Maar ik weet zeker dat ik er overduidelijk uitzag als iemand die haar best deed om niet te huilen. Ik hield mijn armen voor me uitgestrekt, me afvragend wanneer ze ophielden pijn te doen.

'Aangezien je auto was verbrand, kwam ik je halen omdat je nu klaar zou zijn met werken,' zei Bill, zijn vingers controleerden voorzichtig de plekken op mijn onderarmen. 'Ik zweer dat ik je alleen maar een dienst wilde bewijzen. Ik zweer dat ik je niet zat te bespioneren. Ik zweer dat het nooit mijn bedoeling was om je pijn te doen.'

Dat was een tamelijk goede verontschuldiging, en ik was blij dat hij als eerste had gesproken. Niet alleen had ik pijn, ik schaamde me dood. Vanzelfsprekend had Bill niet kunnen weten dat Tara me een auto had geleend. Ik had een briefje voor hem achter moeten laten, of een berichtje in moeten spreken op zijn antwoordapparaat, maar ik was rechtstreeks vanuit het verbrande huis naar het werk gereden, en het was gewoon niet bij me opgekomen. Iets anders kwam wel bij me op, waaraan ik meteen al had moeten denken.

'O, Sam, is je been nu erger gewond?' Ik schoot langs Bill om Sam overeind te helpen. Ik nam zo veel mogelijk van zijn gewicht op me in de wetenschap dat hij liever voor altijd op de grond zou blijven liggen dan dat hij hulp van Bill zou accepteren. Eindelijk, met wat moeite, manoeuvreerde ik Sam omhoog, en ik zag dat hij erop lette om zijn gewicht op zijn goede been te houden. Ik kon me niet eens indenken hoe Sam zich moest voelen.

Hij was behoorlijk kwaad, ontdekte ik meteen. Hij keek dreigend langs me heen naar Bill. 'Val je zomaar binnen zonder te roepen, zonder te kloppen? Je verwacht toch zeker niet dat ik je mijn excuses aanbied omdat ik je heb aangevallen?' Ik had Sam nog nooit zo boos gezien. Ik kon merken dat hij zich ervoor schaamde dat hij me niet beter had 'beschermd', dat hij was gekrenkt omdat Bill de overhand had gehad en me bovendien pijn had gedaan. Ten slotte worstelde Sam vooral met de terugslag van al die hormonen die waren ontploft toen we onderbroken werden.

'O nee. Dat verwacht ik ook niet.' Bills stem daalde in temperatuur toen hij tegen Sam sprak. Ik dacht even dat er ijspegels op de muren zouden verschijnen.

Was ik maar duizend kilometer verderop. Ik verlangde naar de mogelijkheid om weg te lopen, mijn auto in te stappen, en naar mijn eigen huis te rijden. Natuurlijk kon ik dat niet doen. Maar ik had in elk geval een auto tot mijn beschikking, en dat maakte ik Bill duidelijk.

'Dan had ik geen moeite hoeven doen om je op te komen halen, en hadden jullie twee ongestoord door kunnen gaan,' zei hij op dodelijke toon. 'Waar ga je de nacht doorbrengen, als ik vragen mag? Ik was van plan naar de winkel te gaan om eten voor je te kopen.'

Aangezien Bill een hekel had aan boodschappen doen, zou dat een enorme inspanning zijn geweest, en hij wilde ervan verzekerd zijn dat ik dat wist. (Natuurlijk was het ook mogelijk dat hij dit ter plekke verzon om ervoor te zorgen dat ik me zo schuldig mogelijk voelde.)

Ik liet mijn opties de revue passeren. Hoewel ik nooit wist wat ik zou aantreffen bij mijn broer thuis, leek dat mijn veiligste keus. 'Ik ga bij mijn huis langs om wat make-up uit de badkamer te halen, en daarna ga ik naar Jason,' zei ik. 'Bedankt dat ik gisteravond bij je kon blijven logeren, Bill. Ik neem aan dat je Charles naar het werk hebt gebracht? Zeg hem maar dat als hij de nacht in mijn huis wil doorbrengen, ik geloof dat het, eh, wel in orde is.'

'Zeg het hem zelf maar. Hij staat buiten,' zei Bill op een toon die ik alleen maar kan omschrijven als chagrijnig. Bills fantasie had duidelijk een heel ander scenario gesponnen voor de avond. De manier waarop de dingen uitpakten, maakte hem totaal niet blij.

Sam had zoveel pijn (ik kon hem als een rode gloed om hem heen zien zweven) dat het meest genadige wat ik kon doen was mijn biezen pakken voor hij eraan toegaf. 'Tot morgen, Sam,' zei ik, en ik zoende hem op de wang.

Hij probeerde naar me te lachen. Ik durfde niet aan te bieden hem naar zijn woonwagen te helpen met de vampiers erbij, want ik wist dat Sams trots eronder zou lijden. Op dit moment was dat belangrijker voor hem dan zijn gewonde been.

Charles stond achter de bar en was al druk bezig. Toen Bill nogmaals logies aanbood voor een tweede dag, accepteerde Charles dat liever dan voor mijn niet-geteste schuilgat te kiezen. 'We moeten je schuilplaats controleren, Sookie, op scheuren die misschien zijn ontstaan tijdens de brand,' zei Charles ernstig.

Ik kon de noodzaak daarvan wel inzien, en zonder een woord tegen Bill te zeggen, stapte ik in de leenauto en reed ik naar mijn huis. We hadden de ramen de hele dag opengelaten, en de stank was grotendeels verdreven. Dat was een welkome ontwikkeling. Dankzij de strategie van de brandbestrijders en de ondeskundige manier waarop de brand was aangestoken, zou mijn huis voor het merendeel algauw weer bewoonbaar zijn. Ik had die avond een aannemer, Randall Shurtliff, gebeld vanuit het café, en hij had afgesproken de volgende dag om twaalf uur 's middags langs te komen. Terry Bellefleur had beloofd de volgende dag vroeg een begin te maken met het verwijderen van de overblijfselen van de keuken. Ik zou aanwezig moeten zijn om alles wat ik kon redden apart te zetten. Ik had het gevoel alsof ik nu twee banen had.

Ik was ineens compleet uitgeput, en mijn armen deden zeer. Ik zou de volgende dag enorme blauwe plekken hebben. Het was bijna te warm om lange mouwen te rechtvaardigen, maar ik zou ze moeten dragen. Gewapend met een zaklamp uit het handschoenenkastje van Tara's auto, haalde ik mijn make-up en nog wat kleren uit mijn slaapkamer, en ik gooide alles in een sporttas die ik had gewonnen bij de Relay for Life. Ik slingerde er een paar paperbacks in die ik nog niet had gelezen – boeken die ik met iemand had geruild bij het bibliotheekruilrek. Dat riep nog een gedachte op. Had ik nog films die terug naar de verhuurzaak moesten? Nee. Bibliotheekboeken? Ja, een paar moesten er terug, en ik moest ze eerst laten luchten. Nog iets anders wat van een ander was? Godzijdank had ik Tara's pakje bij de stomerij afgegeven.

Het had geen zin om de ramen dicht en op slot te doen, die ik open had gelaten om de lucht te verdrijven, aangezien het huis gemakkelijk toegankelijk was via de verbrande keuken. Maar toen ik mijn voordeur uit ging, deed ik hem achter me op slot. Ik was al bij Hummingbird Road aangekomen voor ik me realiseerde hoe onnozel dat was geweest, en toen ik naar Jason reed, merkte ik dat ik voor het eerst in vele, vele uren zat te glimlachen.

10

MIJN NEERSLACHTIGE BROER WAS BLIJ ME TE ZIEN. Het feit dat zijn nieuwe 'familie' hem niet vertrouwde, had de hele dag aan Jason gevreten. Zelfs zijn pantervriendin, Crystal, was bang om hem te zien nu de schaduw van verdenking om hem heen hing. Ze had hem afgepoeierd toen hij vanavond bij haar op de stoep stond. Toen ik erachter kwam dat hij nota bene helemaal naar Hotshot was gereden, ontplofte ik. Ik vertelde mijn broer in niet mis te verstane bewoordingen dat hij blijkbaar een doodswens had en dat ik niet verantwoordelijk was voor wat er met hem zou gebeuren. Hij antwoordde dat ik hoe dan ook nog nooit verantwoordelijk was geweest voor wat hij deed, dus waarom zou ik daar nou mee beginnen?

Zo ging het een tijdje door.

Nadat hij er met tegenzin mee instemde om uit de buurt

te blijven van zijn medeveranderaars, droeg ik mijn tas de korte gang door naar de logeerkamer. Hier had hij zijn computer staan, zijn oude middelbareschooltrofeeën van het honkbalteam en het rugbyteam, en een antieke slaapbank hoofdzakelijk voorhanden voor gasten die te veel dronken en niet naar huis konden rijden. Ik deed niet eens moeite om hem uit te klappen en spreidde een deken over het glimmende kunstleer. Een andere trok ik over me heen.

Nadat ik mijn gebeden had gezegd, liet ik mijn dag de revue passeren. Die was zo vol van gebeurtenissen geweest dat ik er moe van werd om te proberen me alles te herinneren. Binnen ongeveer drie minuten lag ik buiten westen. Ik droomde die nacht over grommende beesten: ze waren overal om me heen in de mist, en ik was bang. Ik kon Jason ergens in de mist horen schreeuwen, hoewel ik hem niet kon vinden om hem te verdedigen.

Soms heb je geen psychiater nodig om een droom te interpreteren, nietwaar?

Ik werd half wakker toen Jason 's ochtends naar zijn werk vertrok, vooral omdat hij de deur achter zich dichtsloeg. Ik dommelde weer in voor een uurtje, maar toen werd ik gedecideerd wakker. Terry zou naar mijn huis komen om het beschadigde gedeelte te slopen, en ik moest kijken of er wat van mijn keukenspullen kon worden gered.

Omdat het ernaar uitzag dat dit een smerig klusje zou worden, leende ik Jasons blauwe overall, die hij aandeed als hij aan zijn auto werkte. Ik keek in zijn kast en trok er een oude leren jas uit die Jason voor grof werk droeg. Ik legde ook beslag op een doos vuilniszakken. Terwijl ik Tara's auto startte, vroeg ik me af hoe ik haar in 's hemelsnaam kon terugbetalen voor het gebruik ervan. Ik herinnerde mezelf eraan dat ik haar pakje op moest pikken. Nu ik er toch aan dacht, maakte ik meteen maar een kleine omweg om het op te halen van de stomerij.

Terry was in een stabiele bui vandaag, tot mijn opluchting. Hij glimlachte terwijl hij met een moker op de verkoolde planken van de achterveranda in sloeg. Hoewel de dag erg fris was, droeg Terry slechts een T-shirt met korte mouwen dat in zijn spijkerbroek gestopt was. Het bedekte de meeste van de vreselijke littekens. Nadat ik hem gedag had gezegd en het tot me was doorgedrongen dat hij niet wilde praten, ging ik door de voordeur naar binnen. Ik werd door de gang naar de keuken toe gezogen om de schade nog eens te bekijken.

De brandbestrijders hadden gezegd dat de vloer veilig was. Ik was bang om het verschroeide linoleum te betreden, maar na een tijdje voelde ik me meer op mijn gemak. Ik trok handschoenen aan en ging aan de slag, ik doorzocht de kastjes en lades. Sommige dingen waren door de hitte gesmolten of verbogen. Een paar dingen, zoals mijn plastic vergiet, waren zo kromgetrokken dat het een seconde of twee duurde voor ik kon identificeren wat ik beethad.

Ik gooide de verruïneerde dingen rechtstreeks het zuidelijke keukenraampje uit, weg van Terry.

Ik vertrouwde niets van het voedsel dat in de kastjes aan de buitenmuur had gestaan. De bloem, de rijst, de suiker – het had allemaal in tupperwaredozen gezeten, en hoewel de luchtdichte afsluitingen het hadden gehouden, wilde ik de inhoud gewoon niet gebruiken. Hetzelfde gold voor de waren in blik; om de een of andere reden maakte ik me zorgen over het gebruik van voedsel uit blikken die zo heet waren geweest.

Gelukkig hadden mijn doordeweekse steengoed en het goede porselein dat van mijn betovergrootmoeder was geweest het overleefd, omdat ze in het kastje het verst van de vlammen stonden. Haar sterlingzilver was ook in uitstekende conditie. Mijn veel nuttigere roestvrije tafelgerei, veel dichter bij het vuur, was kromgetrokken en verbogen. Enkele van de potten en pannen waren bruikbaar.

Ik werkte twee of drie uur lang, en deponeerde van alles op de groeiende stapel buiten het raam of stopte spullen in Jasons vuilniszakken voor toekomstig gebruik in een nieuwe keuken. Terry werkte eveneens hard, en nam af en toe pauze om uit een fles water te drinken terwijl hij op de laadklep van zijn pick-up zat. De temperatuur steeg tot ruim zestien graden. We kregen misschien nog een paar keer strenge vorst, en er bestond altijd de kans op ijzel, maar je kon er best van uitgaan dat de lente er gauw aan kwam.

Het was geen slechte ochtend. Het voelde alsof ik een begin had gemaakt met het terugwinnen van mijn huis. Terry was geen veeleisend gezelschap, aangezien hij niet van praten hield, en hij bande zijn demonen uit met hard werken. Hij was nu eind vijftig. Sommige van de borstharen die ik boven de hals van zijn T-shirt uit kon zien, waren grijs. Het haar op zijn hoofd, eens kastanjebruin, werd fletser naarmate hij ouder werd. Maar hij was een sterke man, en hij zwaaide energiek met zijn moker en gooide planken in de laadbak van zijn truck zonder enig teken van inspanning.

Terry vertrok om een lading naar de gemeentestortplaats te brengen. Terwijl hij weg was, ging ik mijn slaapkamer in en maakte mijn bed op – een eigenaardig en dwaas iets, ik weet het. Ik zou de lakens moeten afhalen en wassen; ik zou trouwens elk stukje stof in het huis moeten wassen om het compleet van de brandlucht te ontdoen. Ik zou zelfs de muren moeten wassen en de gang opnieuw moeten verven, hoewel de verf in de rest van het huis schoon genoeg leek.

Ik was net pauze aan het nemen in de tuin toen ik een truck hoorde aankomen, vlak voordat hij tussen de bomen door verscheen die de oprijlaan omgaven. Tot mijn verbazing herkende ik hem als Alcides truck, en ik voelde een scheut van ontzetting. Ik had tegen hem gezegd dat hij weg moest blijven.

Hij leek nijdig over iets te zijn toen hij uit de cabine sprong. Ik had me in de zon op een van mijn aluminium tuinstoelen zitten afvragen hoe laat het was en wanneer de aannemer langs zou komen. Na het gebrek aan comfort in alle opzichten gedurende mijn nacht bij Jason, was ik ook van plan om een andere logeerplek te vinden terwijl de keuken werd herbouwd. Ik kon me niet voorstellen dat de rest van het huis bewoonbaar zou zijn voordat het werk was voltooid, en dat kon nog wel maanden duren. Jason zou me niet zo lang om zich heen willen hebben, dat wist ik zeker. Hij zou me maar moeten verdragen als ik wilde blijven – hij was tenslotte mijn broer – maar ik wilde niet te veel vergen van zijn broederlijke gezindheid. Er was níémand bij wie ik voor een paar maanden wilde blijven logeren, nu ik over de kwestie nadacht.

'Waarom heb je niets gezegd?' bulderde Alcide zodra zijn voeten de grond raakten.

Ik zuchtte. Nog een boze man.

'We zijn nu niet de beste maatjes,' hield ik hem voor. 'Maar ik zou het uiteindelijk wel hebben gezegd. Het is pas een paar dagen geleden.'

'Je had me meteen moeten bellen,' zei hij tegen me, terwijl hij in grote passen om het huis liep om de schade op te nemen. Hij stopte recht voor me. 'Je had wel dood kunnen zijn,' zei hij, alsof het groot nieuws was.

'Ja,' zei ik. 'Dat weet ik.'

'Een vampier moest je redden.' Afkeer klonk in zijn stem. Vamps en Weers konden het gewoon niet met elkaar vinden.

'Ja,' stemde ik in, hoewel mijn redder eigenlijk Claudine was geweest. Maar Charles had de brandstichter gedood.

'O, had je liever dat ik was verbrand?'

'Nee, natuurlijk niet!' Hij wendde zich af, keek naar de grotendeels gesloopte veranda. 'Is er nu al iemand bezig het beschadigde stuk af te breken?'

'Ja.'

'Ik had een hele ploeg hierheen kunnen sturen.'

'Terry bood zich aan.'

'Ik kan een goeie prijs voor je regelen voor de herbouw.'

'Ik heb al een aannemer gebeld.'

'Ik kan je het geld lenen om het te doen.'

'Ik heb het geld, dank je wel.'

Daar schrok hij van op. 'Echt waar? Waar heb...' Hij zweeg voor hij iets onvergeeflijks zou zeggen. 'Ik dacht dat je oma niet veel had gehad om je na te laten,' zei hij, wat bijna net zo erg was.

'Ik heb het geld verdiend,' zei ik.

'Heb je het geld van Eric verdiend?' raadde hij correct. Alcides ogen gloeiden van woede. Ik dacht dat hij me door elkaar ging schudden.

'Doe eens even rustig, Alcide Herveaux,' zei ik scherp. 'Hoe ik het heb verdiend gaat je geen bal aan. Ik ben blij dat ik het heb. Als je eens een toontje lager zingt, zal ik je vertellen dat ik blij ben dat je bezorgd om me bent, en dat ik dankbaar ben dat je je hulp aanbiedt. Maar behandel me niet alsof ik een langzame vijfdeklasser ben op de lomschool.'

Alcide staarde naar me omlaag en liet mijn speech tot zich doordringen. 'Het spijt me. Ik dacht dat je... Ik dacht dat we close genoeg waren, dat je me had kunnen bellen die nacht. Ik dacht... dat je misschien hulp nodig had.'

Hij speelde de 'je-hebt-me-gekwetst'-troef.

'Ik vind het niet erg om om hulp te vragen als ik die nodig heb. Ik ben niet zo trots,' zei ik. 'En ik ben blij je te zien.' (Niet helemaal waar.) 'Maar doe niet alsof ik zelf niets kan regelen, want dat kan ik wel, en dat doe ik ook.'

'Hebben de vampiers je betaald om Eric kost en inwoning te verschaffen toen de heksen in Shreveport waren?'

'Ja,' zei ik. 'Idee van m'n broer. Ik schaamde me ervoor. Maar nu ben ik dankbaar dat ik het geld heb. Ik hoef niets te lenen om het huis te laten opknappen.'

Terry Bellefleur kwam net op dat moment met zijn pick-up terug, en ik stelde de twee mannen aan elkaar voor. Terry leek helemaal niet onder de indruk van de kennismaking met Alcide. Hij ging zelfs direct weer aan de slag nadat hij Alcides hand plichtmatig had geschud. Alcide keek bedenkelijk naar Terry.

'Waar logeer je?' Alcide had besloten geen vragen te stellen over Terry's littekens, godzijdank.

'Bij Jason,' zei ik meteen, het feit weglatend dat ik hoopte dat het tijdelijk zou zijn.

'Hoe lang gaat de verbouwing duren?'

'Daar is de man die me dat kan vertellen,' zei ik dankbaar. Randall Shurtliff kwam ook met een pick-up, en hij had zijn vrouw en partner bij zich. Delia Shurtliff was jonger dan Randall, beeldschoon en zo hard als een spijker. Ze was Randalls tweede vrouw. Toen hij scheidde van zijn eerste vrouw, degene die drie kinderen had gekregen en zijn huis twaalf jaar lang had schoongemaakt, werkte Delia al voor Randall en was ze langzaamaan zijn bedrijf veel efficiënter gaan leiden dan hij ooit had gedaan. Hij was in staat om zijn eerste vrouw en zonen meer voordelen te geven met het geld dat zijn tweede vrouw hem had helpen verdienen dan hij misschien had kunnen doen als hij met iemand anders was getrouwd. Het was algemeen bekend (waarmee ik bedoel dat ik niet de enige was die dit wist) dat Delia niet kon wachten tot Mary Helen zou hertrouwen en de drie Shurtliff-jongens eindexamen deden van de middelbare school.

Ik sloot Delia's gedachten buiten met het vaste voornemen om er voortaan voor te zorgen mijn schild op te houden. Randall was verheugd Alcide te ontmoeten, die hij van gezicht kende, en Randall was er nog meer op gebrand om mijn keuken te herbouwen toen hij besefte dat ik een vriendin van Alcide was. De familie Herveaux had persoonlijk en financieel veel invloed in de bouwbranche. Tot mijn ergernis begon Randall al zijn opmerkingen tot Alcide te richten in plaats van tot mij. Alcide aanvaardde dit tamelijk vanzelfsprekend.

Ik keek Delia aan. Delia keek mij aan. We waren heel verschillend, maar we waren op dat moment dezelfde mening toegedaan.

'Wat denk je, Delia?' vroeg ik haar. 'Hoe lang?'

'Hij zal wel zuchten en steunen,' zei ze. Haar haar was bleker dan het mijne, met dank aan de schoonheidssalon, en ze droeg opvallende oogmake-up, maar ze was functioneel gekleed in een kakibroek en poloshirt met 'Shurtliff Constructie' boven haar linkerborst gedrukt. 'Maar hij moet dat huis bij Robin Egg nog afmaken. Hij kan aan jouw keuken werken voordat hij aan een huis in Clarice begint. Dus over, zeg, drie of vier maanden heb je een bruikbare keuken.'

'Dank je, Delia. Moet ik iets tekenen?'

'We zullen een begroting voor je maken. Ik breng 'm wel naar het café zodat je 'm kunt controleren. We zullen de nieuwe apparaten erin opnemen, want we kunnen een dealerkorting krijgen. Maar ik zeg je nu alvast dat je ongeveer rond deze prijsklasse zit.' Ze liet me de begroting van een keukenrenovatie zien die ze een maand geleden hadden gedaan.

'Ik heb 't,' zei ik, hoewel ik een lange gil gaf diep vanbinnen. Zelfs met het verzekeringsgeld zou ik een grote hap opmaken van wat ik op de bank had staan.

Ik zou dankbaar moeten zijn, hield ik mezelf streng voor, dat Eric al dat geld had betaald, dat ik het kon uitgeven. Ik hoefde niet van de bank te lenen of het land te verkopen of een andere drastische maatregel te nemen. Ik moest dat geld beschouwen alsof het gewoon door mijn rekening reist in plaats van dat het er woont. Het was niet echt van mij geweest. Ik had het alleen maar even in bewaring gehad.

'Zijn jij en Alcide goeie vrienden?' vroeg Delia, toen onze deal rond was.

Ik dacht er even over na. 'Sommige dagen wel,' antwoordde ik eerlijk.

Ze lachte, een schel kakellachje dat op de een of andere manier sexy was. Beide mannen keken om, Randall lachend, Alcide nieuwsgierig. Ze stonden te ver weg om te kunnen horen wat we zeiden.

'Ik zal je eens wat vertellen,' zei Delia Shurtliff zachtjes tegen me. 'Alleen onder ons gezegd en gezwegen. De secretaresse van Jackson Herveaux, Connie Babcock – heb je haar ontmoet?'

Ik knikte. Ik had haar althans gezien en gesproken toen ik bij Alcides kantoor in Shreveport was langsgegaan.

'Ze is vanmorgen gearresteerd voor diefstal van Herveaux & Zoon.'

'Wat heeft ze gestolen?' Ik was een en al oor.

'Dat begrijp ik nou juist niet. Ze werd erop betrapt dat ze documenten uit Jackson Herveauxs kantoor smokkelde. Geen zakelijke documenten, maar persoonlijke, zoals ik heb gehoord. Ze zei dat ze ervoor was betaald om het te doen.'

'Door?'

'Een of andere kerel dic een motorzaak heeft. Daar kun je toch geen touw aan vastknopen?'

Wel als je wist dat Connie Babcock met Jackson Herveaux naar bed ging, en daarnaast op zijn kantoor werkte. Wel als je je opeens realiseerde dat Jackson Christine Larrabee, een rasechte Weer en invloedrijk, mee naar de begrafenis van kolonel Flood had genomen, in plaats van de machteloze mens Connie Babcock mee te nemen.

Terwijl Delia over het verhaal uitweidde, stond ik in gedachten verzonken. Jackson Herveaux was zonder twijfel een slimme zakenman, maar hij bleek een domme politicus te zijn. Connie te laten arresteren was onverstandig. Daardoor kwamen de Weers in de belangstelling te staan, konden ze in potentie ontmaskerd worden. Een volk dat zo gesloten was, zou een leider die een probleem niet met meer finesse kon aanpakken niet op prijs stellen.

Trouwens, een gebrek aan finesse scheen een familietrekje te zijn van de Herveauxs, aangezien Alcide en Randall nog steeds de verbouwing van mijn huis met elkaar aan het bespreken waren in plaats van met mij.

Toen fronste ik. Het kwam in me op dat Patrick Furnan misschien slinks en slim genoeg was om de hele zaak bekokstoofd te hebben – de afgewezen Connie omkopen om Jacksons privédocumenten te stelen, en dan ervoor zorgen dat ze werd betrapt – in de wetenschap dat Jackson met een heet hoofd zou reageren. Patrick Furnan was misschien veel slimmer dan hij eruitzag, en Jackson Herveaux veel stommer, althans in de manier waarop het ertoe deed als je troepmeester wilde zijn. Ik probeerde deze verontrustende speculaties van me af te schudden. Alcide had geen woord gezegd over Connies arrestatie, dus ik moest concluderen dat hij van mening was dat ik er niets mee te maken had. Oké, misschien vond hij dat ik genoeg had om me zorgen over te maken, en hij had gelijk. Ik concentreerde me weer op het nu.

'Denk je dat ze 't zouden merken als we weggingen?' vroeg ik Delia.

'O jawel,' zei Delia zelfverzekerd. 'Het kan even duren, maar Randall zou me komen zoeken. Hij zou de weg kwijtraken als hij me niet kon vinden.'

Dit was nu een vrouw die wist wat ze waard was. Ik zuchtte en dacht erover mijn geleende auto in te stappen en weg te rijden. Alcide, die mijn gezichtsuitdrukking in het oog kreeg, brak zijn bespreking met mijn aannemer af en keek schuldbewust. 'Sorry,' riep hij. 'Gewoonte.'

Randall liep heel wat sneller terug naar de plek waar ik stond dan dat hij weggekuierd was. 'Sorry,' verontschuldigde hij zich. 'We waren over zaken aan het praten. Hoe wil je 't hebben, Sookie?'

'Ik wil dezelfde afmetingen voor de keuken als eerst,' zei ik; ik had visioenen van een grotere ruimte maar laten varen nadat ik de begroting had gezien. 'Maar ik wil de nieuwe achterveranda net zo breed hebben als de keuken, en ik wil hem overdekken.'

Randall haalde een schrijfblok tevoorschijn, en ik schetste wat ik wilde.

'Wil je de gootstenen hebben waar ze stonden? Wil je alle apparaten hebben waar ze stonden?'

Na wat discussie, tekende ik alles wat ik wilde, en Randall zei dat hij me zou bellen als het tijd was om de kastjes en de gootstenen en alle andere accessoires uit te kiezen.

'Er is één ding wat ik graag zou willen dat je vandaag of morgen voor me doet, namelijk de deur van de gang naar de keuken maken,' zei ik. 'Ik wil het huis op slot kunnen doen.'

Randall rommelde een paar minuten in de achterbak van zijn pick-up en kwam aanzetten met een gloednieuwe deurknop met slot, nog in zijn verpakking. 'Dit houdt niemand buiten die erg vastberaden is,' zei hij, nog steeds in de verontschuldigende teneur, 'maar het is beter dan niks.' Hij had hem binnen een kwartier gemonteerd, en ik kon nu het gedeelte van het huis dat nog in tact was afsluiten van het verbrande gedeelte. Ik voelde me veel beter, ondanks dat ik wist dat dit slot niet veel waard was. Ik moest een nachtslot op de binnenkant van de deur zetten; dat zou nog beter zijn. Ik vroeg me af of ik het zelf kon doen, maar ik herinnerde me dat dan een stuk van het deurkozijn moest worden weggezaagd, en ik was bij lange na geen timmerman. Ik kon vast wel iemand vinden die me met die klus kon helpen.

Randall en Delia vertrokken met de belofte dat ik de volgende op de lijst zou zijn, en Terry hervatte zijn werk. Alcide zei op licht geërgerde toon: 'Je bent nooit alleen.'

'Waar wilde je over praten? Terry kan ons vanaf hier niet horen.' Ik ging hem voor naar de plek waar mijn aluminium stoel onder een boom stond. Zijn metgezel stond tegen de ruwe bast van de eik geleund, en Alcide klapte hem open. Hij kraakte wat onder zijn gewicht toen hij erin ging zitten. Ik nam aan dat hij me over de arrestatie van Connie Babcock ging vertellen.

'Ik heb je van streek gemaakt de laatste keer dat ik je sprak,' zei hij direct.

Ik moest even mentaal overschakelen door de onverwachte opening. Oké, ik hield wel van een man die zich kon verontschuldigen. 'Ja, dat klopt.'

'Wou je dat ik je niet had verteld dat ik het wist van Debbie?'

'Ik vind het vreselijk dat die hele toestand is gebeurd. Ik vind het vreselijk dat haar familie het er zo moeilijk mee heeft. Ik vind het vreselijk dat ze het niet weten, dat ze verdriet hebben. Maar ik ben blij dat ik nog leef, en ik ga niet de gevangenis in omdat ik mezelf heb verdedigd.'

'Als je je er beter door voelt, Debbie was niet zo close met haar familie. Haar ouders verkozen altijd haar kleine zusje, ook al heeft ze geen veranderaareigenschappen geërfd. Sandra is hun oogappel, en de enige reden waarom ze dit zo energiek vervolgen, is omdat Sandra daarop rekende.'

'Denk je dat ze het zullen opgeven?'

'Ze denken dat ik het heb gedaan,' zei Alcide. 'De Pelts denken dat, omdat Debbie zich met een andere man had verloofd, ik haar heb vermoord. Ik kreeg een e-mail van Sandra in antwoord op die van mij over de privédetectives.'

Ik kon hem alleen maar aanstaren. Ik kreeg een afschuwelijk visioen van de toekomst waarin ik mezelf naar het politiebureau zag gaan om te bekennen en zo Alcide te behoeden voor een celstraf. Om alleen al verdacht te worden van een moord die hij niet had gepleegd, was iets afschuwelijks, en ik kon het niet toestaan. Het was gewoon niet in me opgekomen dat iemand anders zou worden beschuldigd van iets wat ik had gedaan.

'Maar,' vervolgde Alcide, 'ik kan bewijzen dat ik 't niet heb gedaan. Vier troepleden hebben gezworen dat ik bij Pam thuis was toen Debbie vertrok, en één vrouwelijke Weer zal zweren dat ik de nacht bij haar heb doorgebracht.'

Hij was inderdaad bij de troepleden geweest, maar dan ergens anders. Ik zakte in elkaar van opluchting. Ik ging geen jaloerse aanval krijgen vanwege een vrouwelijke Weer. Hij zou haar zo niet genoemd hebben als hij echt seks met haar had gehad.

'Dus de Pelts moeten maar iemand anders verdenken. Daarover wilde ik 't niet met je hebben, trouwens.'

Alcide pakte mijn hand vast. Die van hem waren groot, en hard, en omsloten de mijne alsof hij iets wilds vasthield dat weg zou vliegen als hij zijn greep verslapte. 'Ik wil dat je erover nadenkt om me op een regelmatige basis te zien,' zei Alcide. 'Dat wil zeggen, elke dag.'

En alweer leek de wereld zich te herschikken om me heen. 'Hè?' zei ik.

'Ik mag je heel graag,' zei hij. 'Ik denk dat je mij ook mag. We willen elkaar.' Hij leunde voorover om me één keer op de wang te kussen en daarna, toen ik me niet verroerde, op de mond. Ik was te verrast om erin mee te gaan en niet zeker of ik dat wel wilde. Het komt niet vaak voor dat een gedachtelezer overrompeld wordt, maar Alcide had het voor elkaar gekregen.

Hij haalde diep adem en vervolgde. 'We genieten van elkaars gezelschap. Ik wil je zo graag in mijn bed hebben dat het pijn doet. Ik zou me niet zo snel hebben uitgesproken, zonder vaker samen te zijn geweest, maar je hebt nu een woonplek nodig. Ik heb een flat in Shreveport. Ik wil dat je erover nadenkt om bij mij te komen logeren.'

Als hij me met een plank op m'n kop had geslagen, had ik net zo perplex gestaan. In plaats van mijn best te doen om uit de hoofden van mensen te blijven, zou ik eens moeten overwegen om er juist in te gaan. Ik begon diverse zinnen in mijn hoofd, en gooide ze allemaal weg. Zijn warmte, de aantrekkingskracht van zijn grote lichaam was iets waar ik tegen moest vechten toen ik me inspande om mijn gedachten te ordenen.

'Alcide,' begon ik ten slotte, terwijl ik boven het achtergrondlawaai van Terry's moker uit sprak die de planken van mijn verbrande keuken tegen de grond sloeg, 'ik mag je inderdaad. Eigenlijk vind ik je meer dan leuk.' Ik kon hem niet eens recht aankijken. In plaats daarvan keek ik naar zijn grote handen, met dunne laagjes zwart haar op de ruggen. Als ik verder omlaag langs zijn handen keek, kon ik zijn gespierde dijen zien en zijn... Wel, terug naar de handen. 'Maar de timing lijkt helemaal verkeerd. Ik denk dat je meer tijd nodig hebt om je relatie met Debbie te verwerken, omdat je zo verslaafd aan haar leek. Je gelooft misschien dat je al je gevoelens voor Debbie kwijt bent door alleen maar de woorden 'Ik zweer je af' te hebben geuit, maar ik ben er niet van overtuigd dat dat zo is.'

'Het is een krachtig ritueel van mijn volk,' zei Alcide stijf, en ik waagde een snelle blik op zijn gezicht.

'Ik kon merken dat het een krachtig ritueel was,' verzekerde ik hem, 'en het had een enorm effect op iedereen die erbij was. Maar ik kan niet geloven dat, in een flits, elk gevoel dat je voor Debbie had was uitgeroeid toen je die woorden sprak. Zo steken mensen gewoon niet in elkaar.

'Zo steken weerwolven in elkaar.' Hij keek koppig. En vastberaden.

Ik dacht hard na over wat ik wilde zeggen.

'Ik zou heel graag willen dat er iemand te hulp schoot en al mijn problemen oploste,' vertelde ik hem. 'Maar ik wil je aanbod niet aannemen alleen omdat ik een woonplek nodig heb en we elkaar opwinden. Als mijn huis is opgeknapt, praten we wel verder, als je dan nog steeds hetzelfde voelt.'

'Nu heb je me het hardst nodig,' protesteerde hij, de woorden stroomden uit zijn mond in zijn haast om me over te halen. 'Je hebt me nú nodig. Ik heb je nú nodig. We zijn voor elkaar gemaakt. Dat weet je.'

'Nee, dat weet ik niet. Ik weet dat je je over heel veel dingen zorgen maakt op dit moment. Je bent je geliefde verloren, hoe het ook is gebeurd. Ik geloof niet dat het al tot je is doorgedrongen dat je haar nooit meer zult zien.'

Hij kromp ineen.

'Ik heb haar doodgeschoten, Alcide. Met een jachtgeweer.'

Zijn hele gezicht stond strak.

'Zie je wel? Alcide, ik heb je iemands vlees zien openrijten toen je een wolf was. En ik werd daardoor niet bang van je. Want *ik sta aan jouw kant.* Maar jij hield van Debbie, althans voor een poosje. Als we nu een relatie beginnen, zul je op een moment opkijken en zeggen: "Dit is degene die haar leven heeft beëindigd."'

Alcide opende zijn mond om te protesteren, maar ik stak een hand op. Ik wilde uitpraten.

'Bovendien, Alcide, zit je vader in die opvolgingsstrijd. Hij wil de verkiezingen winnen. Als jij een vaste relatie had, zou dat misschien zijn aspiraties helpen. Ik weet het niet. Maar ik wil niets met Weerpolitiek te maken hebben. Ik kon het niet waarderen dat je me er tegen mijn zin in en onvoorbereid bij betrok vorige week op de begrafenis. Je had me zelf moeten laten besluiten.'

'Ik wilde ze eraan laten wennen om jou naast me te zien,' zei Alcide, en zijn gezicht verstijfde van ergernis. 'Ik bedoelde het als een hulde aan jou.'

'Ik had die hulde misschien meer op prijs gesteld als ik er meer over had geweten,' beet ik hem toe. Het was een opluchting om een ander voertuig te horen naderen, om Andy Bellefleur uit zijn Ford te zien stappen en zijn neef mijn keuken te zien slopen. Voor het eerst in maanden was ik blij om Andy te zien.

Ik stelde Andy natuurlijk aan Alcide voor en keek hoe ze elkaar opnamen. Ik mag mannen over het algemeen graag, en sommige mannen in het bijzonder, maar toen ik ze praktisch om elkaar heen zag draaien terwijl ze aan elkaars kont snuffelden – neem me niet kwalijk, elkaar begroetten – moest ik gewoon mijn hoofd schudden. Alcide was de langste, met een verschil van ruim tien centimeter, maar Andy Bellefleur had bij het worstelteam van zijn universiteit gezeten en hij was nog steeds één bonk spieren. Ze waren ongeveer van dezelfde leeftijd. Ik zou op beiden evenveel geld zetten in een gevecht, op voorwaarde dat Alcide zijn menselijke vorm behield.

'Sookie, je vroeg me om je op de hoogte te houden van de man die hier gestorven is,' zei Andy.

Zeker, maar het was nooit bij me opgekomen dat hij dat

ook echt zou doen. Andy had geen erg hoge dunk van me, hoewel hij altijd een grote fan was geweest van mijn achterste. Is het niet geweldig om telepathisch te zijn?

'Hij heeft nog geen strafblad,' zei Andy, omlaag kijkend naar het aantekenboekje dat hij tevoorschijn had gehaald. 'Er is geen connectie bekend met het Verbond van de Zon.'

'Maar dat slaat nergens op,' zei ik in de korte stilte die volgde. 'Waarom zou hij anders de brand hebben gesticht?'

'Ik hoopte dat jij me dat kon vertellen,' zei Andy, zijn heldergrijze ogen keken me aan.

Ik had het gehad met Andy, plotseling en volledig. In onze betrekkingen door de jaren heen, had hij me beledigd en gekwetst, en nu was daar de druppel die de emmer deed overlopen.

'Hoor 's even, Andy,' zei ik, en ik keek hem recht in de ogen. 'Ik heb je nooit iets aangedaan voor zover ik weet. Ik ben nog nooit gearresteerd. Ik heb zelfs nog nooit door rood licht gelopen, en heb nog nooit te laat mijn belasting betaald of alcohol verkocht aan een minderjarige tiener. Ik heb zelfs nog nooit een bon gehad voor te hard rijden. En nu probeerde iemand me te roosteren in mijn eigen huis. Waar haal je 't vandaan, me het gevoel te geven alsof ik iets verkeerds heb gedaan?' *Behalve Debbie Pelt doodschieten*, fluisterde een stem in mijn hoofd. Het was de stem van mijn geweten.

'Ik geloof niet dat er iets in het verleden van die kerel is wat erop wijst dat hij jou dit zou aandoen.'

'Prima! Zoek dan uit wie het wel heeft gedaan! Want iemand heeft mijn huis in brand gestoken, en ik was het in elk geval niet!' Ik was aan het gillen toen ik bij het laatste stuk aankwam, gedeeltelijk om de stem te overschreeuwen. Mijn enige toevlucht was me om te draaien en te vertrekken, om het huis heen benend tot ik uit Andy's zicht was. Terry wierp me een zijdelingse blik toe, maar hij hield niet op met zijn moker te zwaaien.

Even later hoorde ik iemand zich een weg banen door het puin achter me. 'Hij is weg,' zei Alcide, zijn diepe stem klonk een heel klein beetje geamuseerd. 'Ik denk dat je er geen interesse in zult hebben om ons gesprek nog voort te zetten.'

'Dat klopt,' zei ik bondig.

'Dan ga ik terug naar Shreveport. Bel me als je me nodig hebt.'

'Tuurlijk.' Ik dwong mezelf beleefder te zijn. 'Bedankt voor je aanbod om te helpen.'

'"Helpen"? Ik heb je gevraagd of je bij me kwam wonen!'

'Dan bedankt dat je me hebt gevraagd bij je te komen wonen.' Ik kon er niets aan doen als ik niet helemaal oprecht klonk. Ik zei de juiste woorden. Toen klonk mijn oma's stem in mijn hoofd, die me zei dat ik me gedroeg alsof ik zeven jaar oud was. Ik dwong mezelf me om te draaien.

'Ik stel je... affectie zeer op prijs,' zei ik, en ik keek omhoog naar Alcides gezicht. Zelfs zo vroeg in de lente had hij al een zongebruinde streep omdat hij een helm droeg. Zijn olijfkleurige teint zou over een paar weken tinten donkerder zijn. 'Ik stel het echt op prijs...' Ik viel stil, niet precies wetend hoe ik het moest formuleren. Ik stelde zijn bereidwilligheid op prijs om me te beschouwen als een geschikte vrouw om te huwen, wat zo vele mannen niet deden, evenals zijn veronderstelling dat ik een goede partner en een goede bondgenoot zou zijn. Veel beter kon ik niet uitdrukken wat ik bedoelde.

'Maar je wilt er niets van weten.' De groene ogen keken me strak aan.

'Dat zeg ik niet.' Ik ademde in. 'Ik zeg dat het nu niet het moment is om te werken aan een relatie met jou.' *Hoe-*

wel ik het niet erg zou vinden om met jou het bed in te duiken, voegde ik er smachtend bij mezelf aan toe.

Maar dat ging ik niet in een opwelling doen, en zeker niet met een man als Alcide. De nieuwe Sookie, de terugveer-Sookie, zou niet twee keer achter elkaar dezelfde fout maken. Ik was dubbel aan het terugveren. (Als je terugveert van de twee mannen die je tot dan toe hebt gehad, word je dan weer maagd? In welke toestand veer je terug?) Alcide gaf me een krachtige omhelzing en drukte een kus op mijn wang. Hij vertrok terwijl ik dat nog aan het overpeinzen was. Vlak nadat Alcide was vertrokken, hield Terry het voor gezien. Ik deed mijn overall uit en trok mijn werkkleren aan. De middag was afgekoeld, dus deed ik het jasje aan dat ik uit Jasons kast had geleend. Het rook vaag naar Jason.

Ik ging via een omweg naar mijn werk om het roze-met-zwarte pakje bij Tara thuis af te geven. Haar auto stond er niet, dus ik nam aan dat ze nog steeds in de winkel was. Ik liet mezelf binnen en ging weer naar haar slaapkamer om de plastic zak in haar kast te leggen. Het huis was schemerig en vol schaduwen. Het was bijna donker buiten. Plotseling gonsden mijn zenuwen van schrik. Ik zou hier niet moeten zijn. Ik wendde me af van de kast en staarde de kamer rond. Toen mijn ogen bij de deuropening aankwamen, was die gevuld met een slanke gedaante. Ik snakte naar adem, ik kon het niet tegenhouden. Ze laten zien dat je bang bent is als een rode vlag voor een stier zwaaien.

Ik kon Mickeys gezicht niet zien, dus ik kon niet zien wat voor uitdrukking erop stond, als hij er al een had.

'Waar komt die nieuwe barman bij Merlotte vandaan?' vroeg hij.

Als ik iets niet had verwacht, was het dat wel.

'Toen Sam werd neergeschoten, hadden we snel een nieuwe barman nodig. We hebben hem uit Shreveport geleend,' zei ik. 'Van de vampierbar.'

‘Werkte hij daar al lang?’

‘Nee,’ zei ik, en ik slaagde erin me verbaasd te voelen, zelfs door mijn knagende angst heen. ‘Hij heeft er helemaal niet lang gewerkt.’

Mickey knikte, alsof dat een of andere conclusie bevestigde waartoe hij was gekomen. ‘Wegwezen hier,’ zei hij, zijn diepe stem klonk vrij kalm. ‘Je hebt een slechte invloed op Tara. Ze heeft niks nodig behalve mij, tot ik haar zat ben. Kom niet meer terug.’

De enige weg naar buiten was via de deur die hij blokkeerde. Ik durfde het niet aan om iets te zeggen. Ik liep zo zelfverzekerd mogelijk op hem toe, en ik vroeg me af of hij aan de kant zou gaan wanneer ik hem had bereikt. Het voelde alsof het drie uur later was tegen de tijd dat ik om Tara’s bed heen was gelopen en me behoedzaam langs haar kaptafel had bewogen. Toen het duidelijk werd dat ik niet langzamer zou gaan lopen, stapte de vampier opzij. Ik kon mezelf er niet van weerhouden naar zijn gezicht op te kijken toen ik hem voorbijliep, en hij toonde een stukje hoektand. Ik huiverde. Ik voelde me zo misselijk vanwege Tara dat ik mezelf niet kon stoppen. Hoe was haar dit overkomen?

Toen hij mijn walging zag, glimlachte hij.

Ik stopte het probleem van Tara weg in mijn hart om het later tevoorschijn te halen. Misschien kon ik iets verzinnen om iets voor haar te doen, maar zolang ze bereid scheen te zijn bij dit monsterlijke schepsel te blijven, zag ik niet in wat ik kon doen om te helpen.

Sweetie Des Arts stond buiten een sigaret te roken toen ik mijn auto achter Merlotte parkeerde. Ze zag er vrij goed uit, ondanks het feit dat ze in een bevlekt wit schort was gehuld. De buitenschijnwerpers verlichtten elk rimpeltje in haar huid, en onthulden dat Sweetie iets ouder was dan ik had gedacht, maar ze zag er nog steeds erg fit uit voor iemand die het grootste gedeelte van de dag kookt. Zonder het witte schort waarin ze was verpakt en het voortdurende parfum van bakolie, zou Sweetie zelfs een sexy vrouw kunnen zijn. Ze gedroeg zich beslist als een vrouw die eraan gewend was om op te vallen.

We hadden zo'n snelle opeenvolging van koks gehad dat ik niet veel moeite had gedaan om haar te leren kennen. Ik was ervan overtuigd dat ze vroeg of laat langzaam zou verdwijnen – waarschijnlijk vroeg. Maar ze stak een hand op ter begroeting en scheen met me te willen praten, dus ik hield stil.

'Het spijt me van je huis,' zei ze. Haar ogen blonken in het kunstlicht. Het rook niet zo geweldig hier bij de afvalbak, maar Sweetie was net zo relaxed als wanneer ze op een strand in Acapulco zou zijn.

'Dank je,' zei ik. Ik wilde er gewoon niet over praten. 'Hoe gaat 't met jou vandaag?'

'Goed, dank je.' Ze zwaaide de hand met de sigaret in het rond, wijzend op de parkeerplaats. 'Ik geniet van het uitzicht. Hé, er zit iets op je jasje.' Ze hield haar hand voorzichtig aan één kant zodat ze geen as op me zou laten vallen en leunde voorover, dichterbij dan me lief was, en veegde iets van mijn schouder af. Ze snoof. Misschien hing de rookgeur van het verbrande hout nog om me heen, ondanks al mijn inspanningen.

'Ik moet naar binnen. Tijd voor mijn dienst. Het is een drukke avond.' Maar Sweetie bleef staan waar ze stond. 'Weet je, Sam is echt ontzettend gek op je.'

'Ik werk al heel lang voor hem.'

'Nee, ik denk dat het iets meer is dan dat.'

'Eh, ik denk van niet, Sweetie.' Ik kon geen beleefde manier verzinnen om een gesprek af te sluiten dat veel te persoonlijk was geworden.

'Je was bij hem toen hij werd neergeschoten, hè?'

'Ja, hij was op weg naar zijn woonwagen en ik was op

weg naar mijn auto.' Ik wilde duidelijk maken dat we verschillende kanten op gingen.

'Heb je niets gemerkt?' Sweetie leunde tegen de muur met haar hoofd achterover, haar ogen dicht alsof ze aan het zonnebaden was.

'Nee. Had ik dat maar. Ik zou graag zien dat de politie degene oppakt die hiermee bezig is.'

'Heb je wel eens gedacht dat er misschien een reden is waarom die mensen het doelwit waren?'

'Nee,' loog ik dapper. 'Heather en Sam en Calvin hebben niets gemeen.'

Sweetie opende één bruin oog en tuurde door haar wimpers naar me omhoog. 'Als dit een detectiveroman was, zouden ze allemaal hetzelfde geheim kennen, of ze zouden getuige zijn geweest van hetzelfde ongeluk, of zoiets. Of de politie zou ontdekken dat ze allemaal naar dezelfde stomerij gingen.' Sweetie tipte de as van haar sigaret.

Ik ontspande me een beetje. 'Ik snap wat je bedoelt,' zei ik. 'Maar ik geloof niet dat het echte leven net zoveel patronen heeft als een boek over seriemoordenaars. Ik denk dat ze allemaal willekeurig zijn uitgekozen.'

Sweetie haalde haar schouders op. 'Je hebt vast gelijk.' Ik zag dat ze een misdaadroman van Tami Hoag aan het lezen was, die nu zat opgeborgen in een zak van haar schort. Ze tikte op het boek met een korte nagel. 'Fictie maakt alles wat interessanter. De waarheid is zo saai.'

'Niet in mijn wereld,' zei ik.

11

BILL NAM DIE AVOND EEN DATE MEE NAAR MERlotte. Ik nam aan dat hij mij met gelijke munt wilde betalen omdat ik Sam had gezoend, of misschien was ik gewoon trots. Deze mogelijk gelijke munt had de vorm van een vrouw uit Clarice. Ik had haar al eerder af en toe in het café gezien. Ze was een slanke brunette met haar tot op de schouders, en Danielle stond te popelen om me te vertellen dat ze Selah Pumphrey heette, een makelaar in onroerend goed die vorig jaar de prijs voor beste makelaar had gewonnen.

Ik haatte haar direct, ten volle en hartstochtelijk.

Dus lachte ik zo stralend als een lamp van duizend watt en bracht hun in een oogwenk Bills warme TrueBlood en haar koude screwdriver. En ik spuugde ook niet in de screwdriver. Dat was beneden mij, zei ik tegen mezelf. Ik had bovendien niet genoeg privacy.

Niet alleen was het café vol, maar Charles hield me ook nauwlettend in het oog. De piraat was uitstekend in vorm vanavond; hij droeg een wit overhemd met bolle mouwen en een marineblauwe broek van Dockers, en een fleurige sjaal die door de broeklussen was gehaald voor een zweempje kleur. Zijn ooglapje paste goed bij de Dockers, en er zat een gouden ster op geborduurd. Exotischer kon Bon Temps niet worden.

Sam wenkte me naar zijn tafeltje, dat we in een hoek hadden gepropt. Zijn slechte been steunde op een andere stoel. 'Is alles goed met je, Sookie?' mompelde Sam, terwijl hij zich afwendde van de menigte in het café zodat niemand ook maar zijn lippen kon lezen.

'Tuurlijk, Sam!' Ik schonk hem een verbaasde uitdrukking. 'Hoezo niet?' Op dat moment haatte ik hem omdat hij me gekust had, en ik haatte mezelf omdat ik erop in was gegaan.

Hij rolde met zijn ogen en lachte een vluchtige seconde. 'Ik denk dat ik je woonprobleem heb opgelost,' zei hij om me af te leiden. 'Ik vertel het je straks wel.' Ik haastte me weg om een bestelling op te nemen. We werden overspoeld die avond. De combinatie van het warmere weer en de attractie van een nieuwe barman deed Merlotte vollopen met optimisten en nieuwsgierigen.

Ík had Bíll verlaten, herinnerde ik mezelf er trots aan. Hoewel hij me had bedrogen, had hij niet gewild dat we uit elkaar gingen. Ik moest mezelf dat steeds voorhouden, zodat ik niet iedere aanwezige die getuige was geweest van mijn vernedering zou haten. Natuurlijk was niemand van de omstandigheden op de hoogte, dus ze konden zich gemakkelijk inbeelden dat Bill me had laten vallen voor die brunettetrut. Wat helemáál niet het geval was.

Ik rechtte mijn rug, verbreedde mijn glimlach, en ging druk met drankjes in de weer. Na de eerste tien minuten begon ik me te ontspannen en zag ik in dat ik me als een dwaas gedroeg. Net als duizenden stellen, waren Bill en ik uit elkaar gegaan. Natúúrlijk was hij inmiddels met iemand anders aan het daten. Als ik de normale serie vriendjes had gehad, beginnend vanaf dat ik dertien of veertien was, zou mijn relatie met Bill er gewoon een zijn in een lange reeks van relaties die niet goed waren uitgepakt. Ik was wel in staat hieroverheen te stappen, of het tenminste in perspectief te zien.

Ik had geen perspectief. Bill was mijn eerste liefde, in ieder opzicht.

De tweede keer dat ik drankjes naar ze toe bracht, keek Selah Pumphrey me ongemakkelijk aan toen ik naar haar straalde. 'Dank je,' zei ze onzeker.

'Geen dank,' adviseerde ik haar, met opeengeklemde kaken, en ze verbleekte.

Bill wendde zich af. Ik hoopte dat hij geen glimlach verborgen hield. Ik liep terug naar de bar.

Charles zei: 'Zal ik haar eens flink laten schrikken, als ze de nacht met hem doorbrengt?'

Ik had bij hem achter de bar staan staren naar de koelkast met de glazen voorkant die we daar hadden staan. Er lagen frisdrank, flesjes bloed, en gesneden citroenen en limoenen in. Ik was een schijfje citroen en een kers komen halen om op een Tom Collins te doen en ik was simpelweg blijven staan. Hij was veel te scherpzinnig.

'Ja, graag,' zei ik dankbaar. De vampierpiraat begon een bondgenoot te worden. Hij had me behoed voor verbranding, hij had de man gedood die mijn huis in brand had gestoken, en nu bood hij aan om Bills date schrik aan te jagen. Dat moest je gewoon waarderen.

'Dan zal ze doodsbenauwd zijn,' zei hij hoffelijk, en hij boog met een sierlijke armzwaai, zijn andere hand op zijn hart.

'O, jij,' zei ik met een meer natuurlijke lach, en ik pakte het schaaltje met gesneden citroenen.

Het kostte elk beetje zelfbeheersing dat ik had om uit Selah Pumphreys hoofd te blijven. Ik was trots op mezelf omdat ik de moeite nam.

Tot mijn afschuw, toen de deur de volgende keer openging, stapte Eric binnen. Mijn hartslag versnelde onmiddellijk, en ik voelde me bijna flauwvallen. Ik moest eens ophouden met zo te reageren. Kon ik onze 'tijd samen' (zoals een van mijn lievelingsromannetjes het zou formuleren) maar zo volkomen vergeten als Eric. Misschien moest ik een heks opsporen, of een hypnotherapeut, en mezelf een dosis geheugenverlies toedienen. Ik beet onder aan de binnenkant van mijn wang, hard, en liep met twee pullen bier naar een tafel met jonge stelletjes die de promotie aan het vieren waren van een van de mannen tot chef – van iemand, ergens.

Eric stond met Charles te praten toen ik me omdraaide, en hoewel vampiers er vrij onbewogen kunnen uitzien als ze met elkaar omgaan, leek het me duidelijk dat Eric niet blij was met zijn uitgeleende barman. Charles was zowat dertig centimeter kleiner dan zijn baas, en zijn hoofd stond een beetje schuin omhoog terwijl ze stonden te praten. Maar zijn rug was stijf, zijn hoektanden staken wat uit, en zijn ogen gloeiden. Eric was ook behoorlijk angstaanjagend als hij kwaad was. Hij zag er nu zeker getand uit. De mensen rondom de bar zochten iets om te doen te hebben ergens anders in de ruimte, en elk moment zouden ze iets vinden om te doen te hebben in een ander café.

Ik zag Sam naar een stok grijpen – een verbetering ten opzichte van de krukken – zodat hij kon opstaan en op het stel af kon lopen, en ik repte me naar zijn tafeltje in de hoek. 'Blijf waar je bent,' beval ik hem op ferme, zachte toon. 'Waag het niet om tussenbeide te komen.'

Ik begaf me snelwandelend naar de bar. 'Hoi, Eric! Hoe gaat het met je? Kan ik je ergens mee helpen?' Ik keek lachend naar hem op.

'Ja. Jou moet ik ook nog spreken,' bromde hij.

'Waarom kom je dan niet met me mee? Ik zou net even de deur uitgaan achter om pauze te nemen,' bood ik aan.

Ik pakte zijn arm beet en trok hem mee de deur door en de gang op naar de personeelsingang. Als de gesmeerde bliksem stonden we buiten in de nachtkoude lucht.

'Je kunt maar beter niet van plan zijn mij te vertellen wat ik moet doen,' zei ik onmiddellijk. 'Daar heb ik voor vandaag al genoeg van gehad, en Bill is hierbinnen met een vrouw, en ik ben mijn keuken kwijt. Ik ben in een slecht humeur.' Ik onderstreepte dat door in Erics arm te knijpen, wat net zoiets was als een boomstammetje vastgrijpen.

'Jouw humeur laat me koud,' zei hij onmiddellijk, en hij toonde zijn hoektand. 'Ik betaal Charles Twining om jou in de gaten te houden voor je veiligheid, en wie haalt je uit de brand? Een elf. Terwijl Charles buiten in de tuin de brandstichter aan het doden is in plaats van het leven van zijn gastvrouw te redden. Stomme Engelsman!'

'Hij is hier eigenlijk vanwege een gunst aan Sam. Hij is hier eigenlijk om Sam bij te springen.' Ik tuurde bedenkelijk naar Eric.

'Alsof ik een moer geef om die veranderaar,' zei de vampier ongeduldig.

Ik staarde naar hem omhoog.

'Er is iets met je,' zei Eric. Zijn stem was koud, maar zijn ogen niet. 'Ik sta bijna op het punt om iets over je te weten te komen, het zit onder mijn huid, dat gevoel dat er iets is gebeurd terwijl ik was vervloekt, iets wat ik behoor te weten. Hebben we seks gehad, Sookie? Maar ik kan niet geloven dat dat het was, of alleen dat. Er is iets gebeurd. Je jas was geruïneerd door hersenweefsel. Heb ik iemand gedood, Sookie? Is dat het? Bescherm je me tegen dat wat ik heb gedaan toen ik was vervloekt?' Zijn ogen gloeiden als lampjes in het duister.

Ik had nooit gedacht dat hij zich zou afvragen wie hij gedood had. Maar als het wel bij me was opgekomen, had ik eerlijk gezegd niet gedacht dat Eric er iets om zou geven; wat voor verschil zou één mensenleven maken voor een vampier die zo oud was als deze? Maar hij scheen enorm van streek. Nu ik begreep waarover hij zich zorgen maakte, zei ik: 'Eric, je hebt die avond niemand gedood in mijn huis.' Ik zweeg plotseling.

'Je moet me vertellen wat er is gebeurd.' Hij boog een beetje voorover om me in de ogen te kunnen kijken. 'Ik haat het om niet te weten wat ik heb gedaan. Ik heb een leven gehad dat langer was dan jij je zelfs maar kunt voorstellen, en ik herinner me elke seconde ervan, behalve die dagen die ik met jou heb doorgebracht.'

'Ik kan je niet dwingen het je te herinneren,' zei ik zo kalm als ik kon. 'Ik kan je alleen vertellen dat je verschillende dagen bij mij hebt gelogeerd, en toen kwam Pam je halen.'

Eric staarde nog wat langer in mijn ogen. 'Kon ik maar in je hoofd om de waarheid uit je te krijgen,' zei hij, wat me meer verontrustte dan ik wilde laten merken. 'Je hebt mijn bloed gedronken. Ik weet dat je iets voor me verzwijgt.' Na een korte stilte zei hij: 'Wist ik maar wie jou probeert te doden. En ik hoor dat je bezoek hebt gehad van een paar privédetectives. Wat wilden ze van je?'

'Wie heeft jou dat verteld?' Nu had ik nóg iets om me zorgen over te maken. Iemand gaf inlichtingen over me door. Ik voelde mijn bloeddruk stijgen. Ik vroeg me af of Charles elke avond aan Eric verslag uitbracht.

'Heeft dat te maken met de vrouw die wordt vermist,

dat kreng op wie die Weer zo dol was? Neem je hem in bescherming? Als ik haar niet heb vermoord, heeft hij 't dan gedaan? Ging ze voor onze neus dood?'

Eric had mijn schouders vastgegrepen, en de pressie was ondraaglijk.

'Hé, je doet me pijn! Laat los.'

Erics greep ontspande, maar hij haalde zijn handen niet weg.

Mijn ademhaling werd sneller en zwakker, en de lucht zat vol knetterend gevaar. Ik werd er doodziek van om bedreigd te worden.

'Vertel het me nu meteen,' eiste hij.

Hij zou voor de rest van mijn leven macht over me hebben als ik hem vertelde dat hij me iemand had zien vermoorden. Eric wist al meer over me dan ik wilde dat hij wist, want ik had zijn bloed gehad, en hij had dat van mij gehad. Nu had ik meer spijt van onze bloeduitwisseling dan ooit. Eric was er zeker van dat ik iets belangrijks verzweeg.

'Je was zo lief toen je niet wist wie je was,' zei ik, en wat hij ook had verwacht dat ik zou zeggen, dat in elk geval niet. Verbazing en verontwaardiging speelden tikkertje op zijn knappe gezicht. Uiteindelijk was hij geamuseerd.

'Lief?' zei hij, en één mondhoek krulde omhoog tot een glimlach.

'Heel lief,' zei ik, en ik probeerde terug te lachen. 'We roddelden als ouwe maatjes.' Mijn schouders deden zeer. Iedereen in het café had vast een nieuw drankje nodig. Maar ik kon nog even niet terug naar binnen. 'Je was bang en alleen, en praatte graag met me. Het was leuk om je in huis te hebben.'

'Leuk,' zei hij nadenkend. 'En nu ben ik niet leuk?'

'Nee, Eric. Je hebt het te druk met je... eigen ik te zijn.' Vampierchef, politiek dier, magnaat in de dop.

Hij haalde zijn schouders op. 'Is mijn eigen ik zo slecht? Veel vrouwen schijnen te vinden van niet.'

'Dat zal best.' Ik was dood en doodmoe.

De achterdeur ging open. 'Sookie, is alles goed met je?' Sam was me te hulp gehobbeld. Zijn gezicht stond strak van de pijn.

'Ze heeft je assistentie niet nodig, veranderaar,' zei Eric.

Sam zei niets. Hij bleef slechts Erics aandacht vasthouden.

'Dat was onbeleefd,' zei Eric, niet zozeer verontschuldigend, maar beleefd genoeg. 'Ik bevind me op jouw terrein. Ik ga al. Sookie,' zei hij tegen me, 'we zijn nog niet klaar met dit gesprek, maar ik zie dat dit niet de tijd of plaats is.'

'Ik zie je nog wel,' zei ik, omdat ik geen keus had.

Eric smolt weg in het donker, een handig trucje dat ik graag ooit nog eens zou willen leren.

'Waarom is hij zo gespannen?' vroeg Sam. Hij hobbelde door de deuropening en leunde tegen de muur.

'Hij kan zich niet herinneren wat er is gebeurd toen hij vervloekt was,' zei ik, en ik sprak langzaam van pure vermoeidheid. 'Daardoor voelt hij zich alsof hij de macht heeft verloren. Vampiers hebben graag de macht in handen. Dat heb je vast wel gemerkt.'

Sam lachte – een klein lachje, maar oprecht. 'Ja, dat was me wel opgevallen,' gaf hij toe. 'Ook heb ik gemerkt dat ze nogal bezitterig zijn.'

'Doel je op Bills reactie toen hij ons per ongeluk zag?' Sam knikte. 'Nou, hij schijnt eroverheen te zijn.'

'Volgens mij zet hij het je gewoon op dezelfde manier betaald.'

Ik voelde me ongemakkelijk. Gisteravond had ik op het punt gestaan om met Sam naar bed te gaan. Maar ik voelde me allesbehalve hartstochtelijk op dit moment, en Sam had zijn been ernstig bezeerd bij zijn val. Hij zag er niet uit alsof hij een lappenpop kon opvrijen, laat staan een robuuste vrouw als ik. Ik wist dat het fout was om me in gedachten te bezondigen aan een of ander seksspelletje met mijn baas, hoewel Sam en ik al maanden op een scherp randje hadden gewankeld. Tot stilstand te komen aan de 'nee'-kant was het veiligst en verstandigst. Vanavond, vooral na de emotioneel veeleisende voorvallen van het afgelopen uur, wilde ik veilig zijn.

'Hij heeft ons op tijd tegengehouden,' zei ik.

Sam trok een fijne, roodgouden wenkbrauw op. 'Wilde je tegengehouden worden?'

'Niet op dat moment,' gaf ik toe. 'Maar volgens mij was dat het beste.'

Sam keek me alleen maar even aan. 'Wat ik je wilde zeggen, hoewel ik wilde wachten tot het café dicht was, is dat een van mijn huurhuisjes op dit moment leegstaat. Het is dat naast... nou, je weet nog wel, dat waar Dawn...'

'Stierf,' maakte ik af.

'Precies. Ik had het laten opknappen, en het is verhuurd nu. Dus je zou een buur hebben, en daar ben je niet aan gewend. Maar de lege kant is gemeubileerd. Je zou alleen wat beddengoed, je kleren, en een paar potten en pannen mee hoeven te nemen.' Sam glimlachte. 'Die kun je met de auto ophalen. Trouwens, waar heb je deze vandaan?' Hij knikte naar de Malibu.

Ik vertelde hem hoe genereus Tara was geweest, en ik vertelde hem ook dat ik me zorgen om haar maakte. Ik herhaalde de waarschuwing die Eric me over Mickey had gegeven.

Toen ik zag hoe bezorgd Sam keek, voelde ik me een egoïstisch kreng omdat ik hem met dit alles lastigviel. Sam had genoeg om zich zorgen over te maken. Ik zei: 'Het spijt me. Je hoeft niet nog meer problemen aan te horen. Kom, we gaan weer naar binnen.'

Sam staarde me aan. 'Ja, ik moet gaan zitten,' zei hij na een ogenblik.

'Bedankt voor het huurhuisje. Natuurlijk betaal ik je gewoon. Ik ben zo blij dat ik ergens kan wonen waar ik kan komen en gaan zonder iemand lastig te vallen! Hoeveel is het? Volgens mij vergoedt mijn verzekering het wel als ik iets huur terwijl mijn huis wordt opgeknapt.'

Sam wierp me een strenge blik toe, en noemde toen een prijs waarvan ik zeker wist dat die onder zijn normale tarief lag. Ik schoof mijn arm om hem heen omdat hij zo erg moest hinken. Hij aanvaardde de steun zonder tegen te stribbelen, waardoor hij nog meer in mijn achting steeg. Met mijn hulp hobbelde hij door de gang en liet zich met een zucht zakken op de stoel op wielen achter zijn bureau. Ik trok een van de stoelen voor bezoekers dichterbij zodat hij zijn been erop kon leggen als hij dat wilde, en hij maakte er meteen gebruik van. In het schelle tl-licht in zijn kantoor zag mijn baas er afgetobd uit.

'En nu weer aan 't werk,' zei hij quasidreigend. 'Ik durf te wedden dat ze Charles aan het overspoelen zijn.'

Het café was net zo chaotisch als ik had gevreesd, en ik begon onmiddellijk mijn tafels te bedienen. Danielle wierp me een vuile blik toe, en zelfs Charles keek niet bepaald blij. Maar geleidelijk aan, terwijl ik zo snel mogelijk werkte, serveerde ik verse drankjes, haalde lege glazen weg, maakte hier en daar een asbak leeg, veegde de plakkerige tafels schoon, en lachte ik naar en sprak met zoveel mensen als ik kon. Ik kon mijn fooien wel vergeten, maar de rust was tenminste hersteld.

Beetje bij beetje daalde de hartslag van het café en werd hij weer normaal. Bill en zijn date waren diep in gesprek, zag ik... hoewel ik grote moeite deed om niet telkens hun kant op te kijken. Tot mijn ontzetting voelde ik, elke keer als ik ze als een stel zag, een golf van woede die mijn naam niet ten goede kwam. Bovendien, hoewel mijn gevoelens bijna negentig procent van de cafégangers onverschillig lieten, keek de andere tien procent als haviken toe om te zien of Bills date me ellendig maakte. Sommigen van hen zouden dat graag zien, en anderen niet – maar niemand had er hoe dan ook wat mee te maken.

Terwijl ik bezig was een tafel schoon te maken die zojuist was vrijgekomen, voelde ik een tikje op mijn schouder. Ik pikte een voorbode op net toen ik me omdraaide, en daardoor was ik in staat om mijn glimlach in de plooi te houden. Selah Pumphrey stond op mijn aandacht te wachten, haar glimlach was stralend en gepantserd.

Ze was langer dan ik, en misschien vijf kilo lichter. Haar make-up was duur en deskundig aangebracht, en ze rook fantastisch. Ik reikte uit en raakte haar brein aan zonder er ook maar twee keer over na te denken.

Selah dacht dat ze in alles mijn meerdere was, tenzij ik geweldig in bed was. Selah dacht dat vrouwen van de lagere stand altijd beter in bed moesten zijn, omdat ze minder geremd waren. Ze wist dat ze dunner was, slimmer was, meer geld verdiende, en veel hoger opgeleid en beter belezen was dan de serveerster die voor haar stond. Maar Selah Pumphrey twijfelde aan haar eigen seksuele bekwaamheid en was als de dood om zich kwetsbaar op te stellen. Ik knipperde. Dit was meer dan ik wilde weten.

Het was interessant om te ontdekken dat aangezien ik (volgens Selah) arm en onopgeleid was, ik meer in contact stond met mijn aard als seksueel wezen. Dat moest ik alle andere arme mensen in Bon Temps vertellen. We hadden ons al die tijd geweldig vermaakt terwijl we met elkaar neukten, en hadden veel betere seks dan de slimme mensen van de hogere stand, en we waren ons er niet eens van bewust geweest.

'Ja?' vroeg ik.

'Waar is het damestoilet?' vroeg ze.

'Door die deur daar. Die met TOILET op het bordje erboven.' Ik moest dankbaar zijn dat ik slim genoeg was om bordjes te kunnen lezen.

'O! Sorry, dat had ik niet gezien.'

Ik wachtte alleen maar.

'Dus, eh, heb je nog tips voor me? Wat betreft vampiers daten?' Ze wachtte, en keek tegelijkertijd nerveus en tartend.

'Tuurlijk,' zei ik. 'Eet geen knoflook.' En ik wendde me van haar af om de tafel droog te wrijven.

Toen ik eenmaal zeker wist dat ze weg was, draaide ik me om en bracht twee lege bierglazen naar de bar, en toen ik me weer omkeerde, stond Bill daar. Mijn adem stokte van verbazing. Bill heeft donkerbruin haar en natuurlijk de witste huid die je je maar kunt indenken. Zijn ogen zijn net zo donker als zijn haar. Precies op dit moment waren die ogen gefixeerd op de mijne.

'Waarom sprak ze je aan?' vroeg hij.

'Wilde weten waar het toilet was.'

Hij trok een wenkbrauw op, en keek naar het bordje.

'Ze wilde me gewoon de maat nemen,' zei ik. 'Althans, dat vermoed ik.' Ik voelde me op dat moment vreemd genoeg op mijn gemak bij Bill, wat er ook tussen ons was gebeurd.

'Heb je haar afgeschrikt?'

'Ik heb 't niet geprobeerd.'

'Heb je haar afgeschrikt?' vroeg hij opnieuw op strengere toon. Maar hij lachte naar me.

'Nee,' zei ik. 'Wou je graag dat ik dat deed?'

Hij schudde zijn hoofd zogenaamd vol afschuw. 'Ben je jaloers?'

'Ja.' Eerlijkheid was altijd het veiligst. 'Ik haat haar dunne dijen en haar elitaire houding. Ik hoop dat het een vreselijk kreng is en dat ze je zo ellendig maakt dat je jammert als je aan me denkt.'

'Mooi,' zei Bill. 'Dat is goed om te horen.' Hij streek met zijn lippen langs mijn wangen. Bij de aanraking van zijn koele huid rilde ik, al terugdenkend. Hij ook. Ik zag het vuur in zijn ogen opflakkeren, de hoektanden die begonnen uit te steken. Toen riep Catfish Hunter me toe dat ik mijn pumps eens in beweging moest zetten en hem nog een whisky-cola moest komen brengen, en ik liep weg van mijn eerste minnaar.

Het was een lange, lange dag geweest, niet alleen vanuit een lichamelijk-verbruikte-energie-maat, maar ook vanuit een diepe-emotionele-dalen-oogpunt. Toen ik mezelf bij mijn broer in huis binnenliet, kwam er gegiechel en gegil uit zijn slaapkamer, en ik leidde eruit af dat Jason zichzelf op de gebruikelijke manier opbeurde. Jason was misschien van streek omdat zijn nieuwe gemeenschap hem van een verschrikkelijke misdaad verdacht, maar hij was niet zo van streek dat het zijn libido aantastte.

Ik bracht zo min mogelijk tijd door in de badkamer en ging de logeerkamer binnen. Ik deed de deur stevig achter me dicht. Vanavond zag de bank er veel aantrekkelijker uit dan hij er de avond ervoor had uitgezien. Toen ik me op mijn zij nestelde en de deken over me heen trok, realiseerde ik me dat de vrouw die de nacht met mijn broer doorbracht een veranderaar was; ik voelde het aan de flauw pulserende roodheid van haar brein.

Ik hoopte dat ze Crystal Norris was. Ik hoopte dat Jason het meisje er op de een of andere manier van had overtuigd dat hij niks te maken had met de schietpartijen. Als Jason zijn problemen wilde verergeren, kon hij dat het beste doen door Crystal, de vrouw die hij uit de weerpantergemeenschap had gekozen, te bedriegen. En ongetwijfeld was zelfs Jason niet zo stom. Ongetwijfeld.

Dat was hij ook niet. Ik kwam Crystal de volgende ochtend na tien uur in de keuken tegen. Jason was allang vertrokken, omdat hij voor kwart voor acht op zijn werk moest zijn. Ik was mijn eerste beker koffie aan het drinken toen Crystal kwam binnenvallen; ze droeg een van Jasons overhemden en haar gezicht stond wazig van de slaap.

Crystal was niet mijn favoriete persoon, en ik niet die van haar, maar ze zei vrij beleefd: 'Morgen'. Ik stemde ermee in dat het morgen was, en ik pakte een mok voor haar. Ze trok een lelijk gezicht en pakte een glas, dat ze met ijs en toen met Coca-Cola vulde. Ik huiverde.

'Hoe gaat het met je oom?' vroeg ik, toen ze bij bewustzijn leek.

'Het gaat beter met hem,' zei ze. 'Je moest eens bij hem langsgaan. Hij vond het leuk dat je op bezoek kwam.'

'Ik geloof dat je ervan overtuigd bent dat Jason hem niet heeft neergeschoten.'

'Ja,' zei ze kort. 'Ik wilde eerst niet met hem praten, maar toen hij me eenmaal aan de telefoon had, wist hij zich er gewoon uit te praten zodat ik hem niet meer verdacht.'

Ik wilde haar vragen of de andere inwoners van Hotshot bereid waren om Jason het voordeel van de twijfel te gunnen, maar ik had er een hekel aan om gevoelige onderwerpen ter sprake te brengen.

Ik dacht aan wat ik vandaag te doen had: ik moest voldoende kleren, wat dekens en lakens, en wat keukenapparaten uit het huis gaan halen, en die dingen installeren in Sams twee-onder-een-kapwoning.

Verhuizen naar een klein, gemeubileerd huis was een perfecte oplossing voor mijn woningprobleem. Ik was vergeten dat Sam verschillende huizen in Berry Street bezat, waaronder drie twee-onder-een-kapwoningen. Hij knapte ze zelf op, hoewel hij soms JB du Rone, een middelbareschoolvriend van mij, inhuurde om eenvoudige reparaties en onderhoudsklusjes te doen. Je kon het maar beter eenvoudig houden, met JB.

Nadat ik mijn spullen had opgehaald, had ik misschien tijd over om bij Calvin langs te gaan. Ik douchte en kleedde me aan, en Crystal zat in de huiskamer tv te kijken toen ik wegging. Ik ging ervan uit dat Jason dat goed vond.

Terry was hard aan het werk toen ik de open plek op reed. Ik liep achterom om zijn vorderingen te controleren, en ik was opgetogen over het feit dat hij meer had gedaan dan ik voor mogelijk had gehouden. Hij lachte toen ik dat zei, en hield even op met gebroken planken in zijn truck te laden. 'Slopen is altijd makkelijker dan opbouwen,' zei hij. Dit was geen grote filosofische uiteenzetting, maar de samenvatting van een bouwvakker. 'Ik ben over twee dagen wel klaar, als er niets gebeurt wat me vertraagt. Er wordt geen regen voorspeld.'

'Geweldig. Hoeveel ben ik je schuldig?'

'O,' murmelde hij, terwijl hij zijn schouders ophaalde en in verlegenheid leek gebracht. 'Honderd? Vijftig?'

'Nee, niet genoeg.' Ik maakte snel een schatting in mijn hoofd van zijn uren, vermenigvuldigde. 'Eerder drie.'

'Sookie, zoveel vraag ik je niet.' Terry zette zijn koppige gezicht op. 'Ik zou je helemaal niets vragen, maar ik moet een nieuwe hond kopen.'

Terry kocht ongeveer om de vier jaar een zeer dure catahoulajachthond. Hij ruilde zijn oude modellen niet in voor nieuwe. Terry's honden leek altijd iets te overkomen, hoewel hij er erg goed voor zorgde. Nadat hij de eerste jachthond ongeveer drie jaar had gehad, werd hij geraakt door een truck. Iemand had de tweede vergiftigd vlees gevoerd. De derde, die hij Molly had genoemd, was gebeten door een slang, en de beet was geïnfecteerd geraakt. Al maanden stond Terry nu op de lijst voor eentje die in het volgende nest geboren zou worden in de kennel in Clarice die catahoula's fokte.

'Kom jij maar langs met die puppy, zodat ik hem kan knuffelen,' stelde ik voor, en hij lachte. Terry was in de buitenlucht op zijn best, besefte ik voor de eerste keer. Hij leek altijd mentaal en fysiek meer op zijn gemak als hij zich niet onder een dak bevond, en als hij buiten was met een hond, leek hij vrij normaal.

Ik deed het huis van het slot en ging naar binnen om bij elkaar te rapen wat ik nodig zou kunnen hebben. Het was een zonnige dag, dus het gebrek aan elektrisch licht was geen probleem. Ik vulde een grote plastic wasmand met twee lakensets en een oude chenille sprei, nog wat kleren en een paar potten en pannen. Ik zou een nieuwe koffiepot moeten kopen. Mijn oude was gesmolten.

En toen, terwijl ik uit het raam naar het koffiezetapparaat stond te kijken, die ik boven op de vuilnishoop had geslingerd, begreep ik hoe nauw ik aan de dood was ontsnapt. Het besef raakte me met grof geschut.

Het ene moment stond ik bij mijn slaapkamerraam naar het vervormde stuk plastic te kijken, het volgende zat ik op de grond naar de geverfde planken te staren en probeerde ik adem te halen.

Waarom raakte het me nu pas, na drie dagen? Ik weet het niet. Misschien had het te maken met de manier waarop de Mr. Coffee eruitzag: de kabel verschroeid, het plastic kromgetrokken door de hitte. Het plastic had letterlijk geborreld. Ik keek naar de huid van mijn handen en huiverde. Ik bleef op de grond zitten, rillend en bevend, een onmetelijke tijdlang. De eerste paar minuten daarop had ik geen enkele gedachte. Mijn bijna-doodervaring overweldigde me gewoon.

Claudine had niet alleen hoogstwaarschijnlijk mijn leven gered; ze had me beslist gered van een pijn zo ondraaglijk dat ik gewild zou hebben dat ik dood was. Ik had bij haar een schuld die ik waarschijnlijk nooit zou kunnen aflossen.

Misschien was ze echt mijn toverpetemoei.

Ik stond op, schudde mezelf wakker. Ik pakte de plastic mand op en vertrok om in mijn nieuwe woning in te trekken.

12

IK LIET MEZELF BINNEN MET DE SLEUTEL DIE IK VAN Sam had gekregen. Ik zat aan de rechterkant van een twee-onder-een-kapwoning, het evenbeeld van die ernaast die op dit moment werd bewoond door Halleigh Robinson, de jonge lerares die wat met Andy Bellefleur had. Ik bedacht dat ik waarschijnlijk tenminste een gedeelte van de tijd politiebescherming had, en Halleigh zou bijna de hele dag weg zijn, wat fijn was gezien mijn late werktijden.

De huiskamer was klein en er stonden een gebloemde bank, een lage koffietafel en een leunstoel in. De ruimte ernaast was de keuken, die uiteraard piepklein was. Maar er waren een fornuis, een koelkast en een magnetron. Geen afwasmachine, maar die had ik nog nooit gehad. Twee plastic stoelen waren onder een klein tafeltje getrokken.

Nadat ik een vluchtige blik op de keuken had geworpen, ging ik door naar de kleine gang die de grotere (maar nog steeds kleine) slaapkamer aan de rechterkant afscheidde van de kleinere (minuscule) slaapkamer en de badkamer aan de linkerkant. Aan het eind van de gang bevond zich een deur naar de smalle achterveranda.

Het was een erg eenvoudige woning, maar hij was vrij schoon. Er was centrale verwarming en een airco, en de vloeren waren gelijk. Ik ging met mijn hand over de ramen. Ze pasten goed. Mooi. Ik bedacht dat ik de luxaflex omlaag zou moeten laten, aangezien ik buren had.

Ik maakte het tweepersoonsbed in de grotere slaapkamer op. Ik legde mijn kleren weg in het pas geverfde ladekastje. Ik begon een lijstje te maken van andere dingen die ik nodig had: een dweil, een bezem, een emmer, wat schoonmaakproducten... die hadden op de achterveranda gestaan. Ik zou mijn stofzuiger uit het huis moeten halen. Die had in de kast in de huiskamer gestaan, dus hij zou wel in orde zijn. Ik had een van mijn telefoons meegenomen om die hier aan te sluiten, dus ik moest met het telefoonbedrijf regelen dat ze de telefoontjes naar dit adres leidden. Ik had mijn televisie in de auto geladen, maar ik moest regelen dat mijn kabel hier aangesloten zou worden. Ik zou vanuit Merlotte moeten bellen. Sinds de brand ging al mijn tijd op aan de dagelijkse beslomeringen.

Ik zat op de harde bank de ruimte in te staren. Ik probeerde aan iets leuks te denken, iets waarnaar ik kon uitkijken. Nou, over twee maanden zou het tijd zijn om te zonnen. Daar werd ik blij van. Ik vond het heerlijk om in een bikinietje in de zon te liggen, en goed te timen zodat ik niet zou verbranden. Ik was dol op de geur van kokosolie. Ik genoot ervan om mijn benen te scheren en het grootste gedeelte van mijn andere lichaamshaar te verwijderen zodat ik zo glad was als een baby. En ik wil geen preken horen over hoe slecht het is om te zonnebaden. Dat is mijn slechte gewoonte. Iedereen mag er een hebben.

Maar op dit moment was het tijd om naar de bibliotheek te gaan om nog een stapel boeken te halen; ik had de laatste bulk in veiligheid gebracht toen ik in het huis was, en ik had ze hier uitgespreid op mijn minuscule veranda zodat ze konden luchten. Dus naar de bibliotheek gaan – dat zou leuk zijn.

Voor ik naar mijn werk ging, besloot ik iets voor mezelf te koken in mijn nieuwe keuken. Dat noopte tot een bezoekje aan de supermarkt, wat langer duurde dan ik had gepland omdat ik steeds basisproducten zag die ik zeker dacht nodig te hebben. De boodschappen in de kastjes wegleggen gaf me het gevoel dat ik er echt woonde. Ik bruinde een paar varkenskoteletten en legde ze in de oven, kookte een aardappel in de magnetron, en maakte wat erwten warm. Als ik 's avonds moest werken, ging ik meestal rond vijf uur naar Merlotte, dus mijn thuismaal op die dagen was een combinatie van lunch en avondeten.

Nadat ik gegeten en afgewassen had, meende ik net tijd genoeg te hebben om Calvin te bezoeken in het ziekenhuis in Grainger.

De tweeling was nog niet gearriveerd om hun post in de hal weer in te nemen, als ze nog steeds op wacht stonden. Dawson was nog steeds buiten Calvins kamer gestationeerd. Hij knikte me toe, gebaarde dat ik moest stoppen toen ik op een paar meter afstand was, en stak zijn hoofd in Calvins kamer. Tot mijn opluchting zwaaide Dawson de deur wijd open om me binnen te laten en hij gaf me zelfs een klopje op mijn schouder toen ik naar binnen liep.

Calvin zat rechtop in de gecapitonneerde stoel. Hij klikte de televisie uit toen ik binnenkwam. Zijn kleur was beter, zijn baard en haren waren schoon en goed verzorgd, en hij zag er over het algemeen meer uit als zichzelf. Hij droeg een pyjama van blauwe popeline. Hij zat nog steeds aan een paar slangetjes, zag ik. Hij probeerde zich zelfs uit de stoel overeind te duwen.

'Nee, waag het niet om op te staan!' Ik trok er een rechte stoel bij en ging voor hem zitten. 'Vertel me hoe het met je gaat.'

'Fijn je te zien,' zei hij. Zelfs zijn stem klonk krachtiger. 'Dawson zei dat je geen hulp wilde aannemen. Vertel me eens wie die brand heeft gesticht.'

'Dat is het gekke, Calvin. Ik weet niet waarom die man de brand heeft gesticht. Zijn familie kwam bij me langs...' Ik aarzelde, want Calvin was aan het herstellen van zijn eigen ontsnapping aan de dood, en hij zou zich niet druk moeten hoeven maken over andere dingen.

Maar hij zei: 'Vertel me wat je denkt', en hij klonk zo belangstellend dat ik de gewonde veranderaar uiteindelijk alles vertelde: mijn twijfels over de motieven van de brandstichter, mijn opluchting over het feit dat de schade hersteld kon worden, mijn ongerustheid over de problemen tussen Eric en Charles Twining. En ik zei tegen Calvin dat de politie hier bericht had gekregen over nog meer sluipschuttersacties.

'Dat zou Jason vrijpleiten,' merkte ik op, en hij knikte. Ik dreef de zaak niet door.

'Er is tenminste niemand anders neergeschoten,' zei ik, in een poging iets positiefs te verzinnen om aan de ellendige warboel toe te voegen.

'Voor zover we weten,' zei Calvin.

'Wat?'

'Voor zover we weten. Misschien is er iemand anders neergeschoten en heeft niemand hem nog gevonden.'

Ik was verbijsterd bij het idee, en toch was het logisch. 'Hoe kwam je daarop?'

'Ik heb niks anders te doen,' zei hij met een flauw lachje. 'Ik lees niet, zoals jij. Ik ben niet echt een tv-kijker, behalve wat betreft sport.' Inderdaad, de zender die hij op had staan toen ik was binnengekomen, was ESPN geweest.

'Wat doe je in je vrije tijd?' vroeg ik uit pure nieuwsgierigheid.

Calvin was blij dat ik hem een persoonlijke vraag had gesteld. 'Ik maak behoorlijk lange uren bij Norcross,' zei hij. 'Ik jaag graag, hoewel ik liever bij vollemaan jaag.' In zijn panterlichaam. Nou, dat kon ik wel begrijpen. 'Ik vis graag. Ik ben dol op ochtenden waarop ik gewoon in mijn boot op het water kan zitten en me nergens druk over hoef te maken.'

'Hm-mm,' zei ik bemoedigend. 'Wat nog meer?'

'Ik kook graag. Soms hebben we gekookte garnalen, of we draaien een hele ratjetoe van meervallen in elkaar en eten buiten – meerval en maiskoekjes en koolsla en watermeloen. In de zomer, natuurlijk.'

De gedachte alleen al deed me watertanden.

'In de winter werk ik aan de binnenkant van mijn huis. Ik ga eropuit om hout te hakken voor de mensen in onze gemeenschap die zelf niet kunnen hakken. Ik heb altijd wat te doen, lijkt wel.'

Nu wist ik twee keer zoveel over Calvin Norris als daarvoor.

'Vertel eens hoe het met je herstel gaat,' zei ik.

'Ik lig nog steeds aan dat verdomde infuus,' zei hij, met zijn arm gebarend. 'Maar voor de rest voel ik me stukken beter. We genezen vrij goed, weet je.'

'Hoe leg je Dawson uit aan de mensen van je werk die op bezoek komen?' De beschikbare oppervlakken in de kamer stonden overvol met bloemstukjes en schalen fruit en zelfs een opgezette kat.

'Ik zeg ze gewoon dat hij mijn neef is die ervoor zorgt

dat ik niet te moe word van al die bezoekers.'

Ik was er vrij zeker van dat niemand Dawson rechtstreeks vragen zou stellen.

'Ik moet naar mijn werk,' zei ik, terwijl ik een glimp opving van de klok aan de muur. Vreemd genoeg had ik niet veel zin om te gaan. Ik had het fijn gevonden om een gewoon gesprek met iemand te hebben. Momentjes als deze waren zeldzaam in mijn leven.

'Maak je je nog steeds zorgen om je broer?' vroeg hij.

'Ja.' Maar ik had besloten dat ik niet nog een keer zou smeken. Calvin had me de eerste keer laten uitpraten. Een herhaling was niet nodig.

'We houden hem in de gaten.'

Ik vroeg me af of de wachter Calvin had bericht dat Crystal de nacht doorbracht met Jason. Of was Crystal misschien zelf de wachter? In dat geval nam ze haar taak beslist serieus. Ze hield Jason ongeveer zo nauw in de gaten als maar mogelijk was.

'Mooi zo,' zei ik. 'Dat is de beste manier om erachter te komen dat hij het niet heeft gedaan.' Ik was opgelucht bij het horen van Calvins nieuws, en hoe langer ik erover nadacht, hoe meer ik besefte dat ik dat zelf had kunnen uitvogelen.

'Calvin, hou je taai.' Ik stond op om te vertrekken, en hij hield zijn wang omhoog. Enigszins schoorvoetend raakte ik hem met mijn lippen aan.

Hij vond dat mijn lippen zacht waren en dat ik lekker rook. Toen ik wegging moest ik wel glimlachen, of ik wilde of niet. Te weten dat iemand je gewoon aantrekkelijk vindt, is altijd een opkikker.

Ik reed terug naar Bon Temps en stopte bij de bibliotheek voor ik naar mijn werk ging. De bibliotheek van 'Renard Parish' is een oud, lelijk gebouw van bruine baksteen dat in de jaren dertig is gebouwd. Hij ziet er precies zo oud uit als hij is. De bibliothecaressen hadden vele gegronde klachten geuit over de verwarming en het koelingssysteem, en de elektrische bedrading liet veel te wensen over. Het parkeerterrein van de bibliotheek was in slechte staat, en de oude kliniek ernaast, die haar deuren had geopend in 1918, had nu dichtgetimmerde ramen – altijd een deprimerend gezicht. Het allang gesloten, overwoekerde perceel van de kliniek leek eerder op een jungle dan op een deel van het centrum.

Ik had mezelf tien minuten gegeven om mijn boeken te ruilen. Ik was erin en eruit binnen acht minuten. Het parkeerterrein van de bibliotheek stond bijna leeg, aangezien het net voor vijven was. De mensen waren boodschappen aan het doen bij de Wal-Mart of al thuis eten aan het koken.

Het winterlicht nam langzaam af. Ik dacht nergens in het bijzonder aan, en dat redde mijn leven. Op het nippertje identificeerde ik een intense opwinding die uit een ander brein kwam trillen, en in een reflex dook ik weg, terwijl ik een scherpe stoot tegen mijn schouder voelde, en vervolgens een hete lans van verblindende pijn, en toen natheid en een hoop lawaai. Dit alles gebeurde zo snel, dat ik het niet op volgorde kon plaatsen toen ik achteraf het moment probeerde te reconstrueren.

Achter me klonk een gil, en toen nog een. Hoewel ik niet wist hoe het was gebeurd, ontdekte ik dat ik op mijn knieën naast mijn auto zat, en de voorkant van mijn witte T-shirt was bespat met bloed.

Vreemd genoeg was mijn eerste gedachte: goddank had ik mijn nieuwe jas niet aan.

De persoon die had gegild was Portia Bellefleur. Portia was niet haar gebruikelijke beheerste zelf toen ze over het parkeerterrein gleed om naast me neer te hurken. Haar ogen gingen eerst de ene en toen de andere kant op, terwijl ze van overal gevaar probeerde te ontdekken.

'Verroer je niet,' zei ze scherp, alsof ik voorgesteld had om een marathon te lopen. Ik zat nog steeds op mijn knieën, maar voorovervallen leek een aangename optie. Bloed druppelde langs mijn arm omlaag. 'Iemand heeft je neergeschoten, Sookie. O mijn god, o mijn god.'

'Pak de boeken aan,' zei ik. 'Ik wil geen bloed op de boeken. Anders moet ik ervoor betalen.'

Portia negeerde me. Ze praatte in haar gsm. De mensen zaten op de meest vervloekte momenten te bellen! In de bibliotheek, in godsnaam, of bij de opticien. Of in het café. Kwebbel, kwebbel, kwebbel. Alsof alles zo belangrijk was dat het niet kon wachten. Dus ik legde de boeken helemaal zelf naast me neer op de grond.

In plaats van te hurken, merkte ik dat ik zat, met mijn rug tegen mijn auto. En toen, alsof iemand een stuk uit mijn leven had gesneden, ontdekte ik dat ik op de stoep van het bibliotheekparkeerterrein lag en naar een grote oude olievlek staarde. De mensen zouden beter voor hun auto moeten zorgen...

Buiten westen.

'Wakker worden,' zei een stem. Ik was niet op het parkeerterrein, maar in een bed. Ik dacht dat mijn huis weer in brand stond, en dat Claudine me eruit probeerde te halen. Mensen probeerden me altijd uit bed te halen. Maar dit klonk niet als Claudine, dit klonk eerder als...

'Jason?' Ik probeerde mijn ogen open te doen. Het lukte me om door mijn amper van elkaar gescheiden oogleden te turen en mijn broer te identificeren. Ik lag in een flauw verlichte, blauwe kamer, en ik had zoveel pijn dat ik wel wilde huilen.

'Je bent neergeschoten,' zei hij. 'Je bent neergeschoten, en ik zat in Merlotte te wachten tot je kwam.'

'Je klinkt... blij,' zei ik tussen lippen door die merkwaardig dik en stijf aanvoelden. Ziekenhuis.

'Ik kan het niet gedaan hebben! Ik was de hele tijd met mensen! Hoyt zat bij mij in de truck van mijn werk naar Merlotte, want zijn truck staat in de garage. Ik heb een álibi.'

'O, mooi. Ik ben blij dat ik ben neergeschoten dan. Zolang het met jou maar goed gaat.' Het vergde zoveel inspanning om het te zeggen, dat ik blij was toen Jason het sarcasme oppikte.

'Ja, hé, dat spijt me. Het is tenminste niet ernstig.'

'Niet?'

'Ik vergat het je te vertellen. Je schouder is geraakt door een schampschot, en het zal nog wel een tijdje pijn doen. Druk op deze knop als het pijn doet. Je kunt jezelf pijnmedicatie geven. Gaaf, hè? Luister, Andy staat buiten.'

Ik dacht erover na, en concludeerde uiteindelijk dat Andy Bellefleur daar stond in zijn officiële rol. 'Oké, zei ik. Hij kan binnenkomen.' Ik strekte een vinger uit en drukte voorzichtig op de knop.

Op dat moment knipperde ik, en het moet een lange knipoog zijn geweest, want toen ik mijn ogen weer open wrikte, was Jason weg en stond Andy op zijn plaats, een schrijfboekje en een pen in zijn handen. Er was iets wat ik hem moest zeggen, en na even nadenken, wist ik wat het was.

'Bedank Portia maar van mij,' zei ik tegen hem.

'Zal ik doen,' zei hij ernstig. 'Ze is nogal overstuur. Ze is nog nooit van zo dichtbij met geweld in aanraking gekomen. Ze dacht dat je dood zou gaan.'

Daarop wist ik niets te zeggen. Ik wachtte tot hij me vroeg wat hij wilde weten. Zijn mond bewoog, en volgens mij gaf ik hem antwoord.

'... zei dat je op het laatste moment wegdook?'

'Ik hoorde iets, geloof ik,' fluisterde ik. Dat was tevens de waarheid. Ik had alleen niet iets met mijn oren gehoord... Maar Andy wist wat ik bedoelde, en hij was een gelovige. Hij ving mijn blik op en zijn ogen werden groter.

En nogmaals buiten westen. De eerstehulparts had me beslist uitstekende pijnstillers gegeven. Ik vroeg me af in welk ziekenhuis ik lag. Dat in Clarice was iets dichter bij de bibliotheek; dat in Grainger had een hoger gewaardeerde eerste hulp. Als ik in Grainger was, had ik me net zo goed de tijd kunnen besparen om terug naar Bon Temps te rijden en naar de bibliotheek te gaan. Ik had direct op het ziekenhuisparkeerterrein neergeschoten kunnen worden toen ik na mijn bezoek aan Calvin vertrok, en dat zou me de reis bespaard hebben.

'Sookie,' zei een zachtere, vertrouwde stem. Hij was koel en donker, als stromend water in een beekje bij een maanloze nacht.

'Bill,' zei ik, en ik voelde me blij en veilig. 'Ga niet weg.'

'Ik ben vlak bij je.'

En daar zat hij, te lezen in een stoel toen ik om drie uur 's ochtends wakker werd. Ik voelde alle gedachten in de kamers om me heen stilliggen in slaap. Maar het brein in het hoofd van de man naast me was blanco. Op dat moment besefte ik dat de persoon die me had neergeschoten geen vampier was geweest, hoewel alle schietpartijen plaats hadden gevonden in de schemering of volledige duisternis. Ik had het brein van de schutter gehoord in de seconde voor het schot, en dat had mijn leven gered.

Bill keek op zodra ik me bewoog. 'Hoe voel je je?' vroeg hij.

Ik drukte op de knop om het hoofdeinde van het bed omhoog te laten komen. 'Als een opgewarmd lijk,' zei ik eerlijk, na mijn schouder te hebben gecontroleerd. 'Mijn pijnspul is teruggelopen, en mijn schouder doet zo'n zeer dat het lijkt alsof hij eraf zal vallen. Mijn mond voelt alsof er een leger doorheen is gemarcheerd, en ik moet op de ergste manier naar de wc.'

'Daar kan ik je wel bij helpen,' zei hij, en voordat ik in verlegenheid kon raken, had hij de infuuspaal om het bed gereden en me overeind geholpen. Ik stond voorzichtig op, peilend hoe stabiel mijn benen waren. Hij zei: 'Ik zal je niet laten vallen.'

'Dat weet ik,' zei ik, en we begonnen over de vloer naar de badkamer te lopen. Toen hij me op het toilet had gezet, stapte hij discreet naar buiten, maar hij liet de deur op een kier terwijl hij net buiten de deur bleef wachten. Ik slaagde erin alles onbeholpen te doen, maar ik werd me er diep van bewust dat ik bofte in mijn linkerschouder geschoten te zijn in plaats van mijn rechter. De schutter had natuurlijk vast op mijn hart gericht.

Bill kreeg me zo behendig het bed weer in dat het leek alsof hij zijn hele leven al mensen had verzorgd. Hij had het bed al gladgestreken en de kussens geschud, en ik voelde me veel comfortabeler. Maar de schouder bleef me plagen, en ik drukte op de pijnknop. Mijn mond was droog, en ik vroeg Bill of er water in de plastic kan zat. Bill drukte op de zusterknop. Toen haar schrille stem door de intercom klonk, zei Bill: 'Wat water voor mevrouw Stackhouse', en de stem snerpte terug dat ze er zo aan kwam. Dat was ook zo. Bills aanwezigheid zou iets te maken gehad kunnen hebben met haar snelheid. De mensen mochten de realiteit van vampiers dan geaccepteerd hebben, dat betekende niet dat ze van ondode Amerikanen hielden. Veel bourgeois Amerikanen konden zich gewoon niet ontspannen in de buurt van vamps. Wat verstandig van ze was, vond ik.

'Waar zijn we?' vroeg ik.

'Grainger,' zei hij. 'Ik mag in een ander ziekenhuis naast je zitten deze keer.' De laatste keer had ik in Renard Parish' Hospital in Clarice gelegen.

'Je kunt de gang door lopen en bij Calvin op bezoek gaan.'

'Als ik daar interesse in had.'

Hij zat op het bed. Het stille uur, het vreemde van de nacht, gaven me op de een of andere manier de behoefte om eerlijk te zijn. Misschien waren het gewoon de medicijnen.

'Ik had nog nooit in een ziekenhuis gelegen tot ik jou kende,' zei ik.

'Geef je mij de schuld?'

'Soms.' Ik zag zijn gezicht gloeien. Andere mensen herkenden een vamp niet altijd als ze er een zagen; dat was voor mij maar moeilijk te begrijpen.

'Toen ik je ontmoette, die eerste avond waarop ik Merlotte binnenstapte, wist ik niet wat ik van je moest denken,' zei hij. 'Je was zo mooi, zo vol energie. En ik wist dat je iets aparts had. Je was interessant.'

'Mijn vloek,' zei ik.

'Of je zegen.' Hij legde een van zijn koele handen tegen mijn wang. 'Geen koorts,' zei hij in zichzelf. 'Je wordt wel beter.' Toen ging hij wat meer rechtop zitten. 'Je bent met Eric naar bed geweest toen hij bij jou logeerde?'

'Waarom vraag je dat, als je het al weet?' Er bestond zoiets als te veel eerlijkheid.

'Ik vraag het niet. Ik wist het toen ik jullie samen zag. Ik rook hem over je hele lijf; ik wist wat je voor hem voelde. We hebben elkaars bloed gedronken. Het is moeilijk om Eric te weerstaan,' ging Bill op een emotieloze manier door. 'Hij is net zo vitaal als jij, en jullie delen een levenslust. Maar je weet vast wel dat...' Hij zweeg, leek te proberen te bedenken hoe hij moest formuleren wat hij wilde zeggen.

'Ik weet dat je blij zou zijn als ik nooit van mijn leven met iemand anders naar bed ging,' zei ik, terwijl ik zijn gedachten voor hem in woorden vatte.

'En hoe denk je over mij?'

'Hetzelfde. O, maar wacht, jij bént al met iemand anders naar bed geweest. Voor we zelfs maar uit elkaar gingen.' Bill keek weg, de lijn van zijn kaak als graniet. 'Oké, dat is verleden tijd. Nee, ik wil niet nadenken over jou samen met Selah, of met wie dan ook. Maar mijn hoofd weet dat dat onredelijk is.'

'Is het onredelijk om te hopen dat we weer samen zullen zijn?'

Ik overwoog de omstandigheden die me tegen Bill hadden gekeerd. Ik dacht aan zijn ontrouw met Lorna; maar zij was zijn maker geweest, en hij had haar moeten gehoorzamen. Alles wat ik van andere vamps had gehoord, had bevestigd wat hij me over die relatie had verteld. Ik dacht aan zijn bijna-verkrachting in de kofferbak van een auto; maar hij was toen uitgehongerd en gemarteld, en hij had niet geweten wat hij deed. Zodra hij bij zijn positieven was gekomen, was hij opgehouden.

Ik weet nog hoe gelukkig ik was geweest toen ik had gedacht dat hij liefde voor me voelde. Ik had me nog nooit van mijn leven zo veilig gevoeld. Hoe bedrieglijk was dat gevoel wel niet geweest: hij werd destijds zo opgeslorpt door zijn werk voor de koningin van Louisiana dat ik een verre tweede begon te worden. Van alle vampiers die Café Merlotte binnen hadden kunnen lopen, had ik de workaholic gekregen.

'Ik weet niet of we ooit nog dezelfde relatie kunnen hebben,' zei ik. 'Misschien kan het, als ik me wat minder rauw voel van de pijn ervan. Maar ik ben blij dat je hier bent vanavond, en ik zou willen dat je een poosje naast me kwam liggen... als je wilt.' Ik maakte plaats op het smalle bed en draaide me op mijn rechterzij, zodat mijn gewonde schouder omhoog lag. Bill ging achter me liggen en legde zijn arm over me heen. Niemand kon bij me in de buurt komen zonder dat hij het wist. Ik voelde me volledig beschermd, volmaakt veilig, en gekoesterd. 'Ik ben zo blij dat je er bent,' mompelde ik toen de medicijnen begonnen te werken. Terwijl ik weer in slaap dommelde, herinnerde ik me mijn voornemen van oudejaarsavond: ik wilde niet tot moes geslagen worden. Aantekening voor mezelf: ik had eraan moeten toevoegen: 'neergeschoten'.

De volgende dag werd ik ontslagen. Toen ik naar het administratiekantoor liep, zei de receptioniste die een naamplaatje droeg met MEVR. BEESON erop: 'Het is al geregeld.'

'Door wie?' vroeg ik.

'De persoon wenst anoniem te blijven,' zei de receptioniste, de uitdrukking op haar ronde bruine gezicht suggereerde dat ik een gegeven paard niet in de bek moest kijken.

Ik werd hier ongemakkelijk van, heel ongemakkelijk. Ik had nota bene het geld op de bank om de hele rekening te betalen, in plaats van elke maand een cheque te sturen. Sommige mensen wilde ik gewoon niets verplicht zijn. Toen ik het totaal onder aan de rekening in me opnam, ontdekte ik met een schok hoezeer ik verplicht zou zijn.

Misschien had ik langer in het kantoor moeten blijven en mevrouw Beeson krachtiger moeten tegenspreken, maar ik had er gewoon de puf niet voor. Ik wilde douchen, of op z'n minst baden – iets grondigers dan het boenen van de belangrijkste plekjes zoals ik (heel langzaam en voorzichtig) die ochtend had gedaan. Ik wilde mijn eigen eten eten. Ik wilde wat afzondering en rust. Dus ik ging weer in de rolstoel zitten en liet de assistente me de hoofdingang uit rollen. Ik voelde me een grote idioot toen het bij me opkwam dat ik niet naar huis kon. Mijn auto stond nog steeds op de parkeerplaats van de bibliotheek in Bon Temps – niet dat ik er de komende dagen in mocht rijden.

Net toen ik de assistente wilde vragen om me weer naar binnen te rollen zodat ik naar Calvins kamer kon rijden (misschien kon Dawson me een lift geven), kwam er een mooi gestroomlijnde Impala voor me tot stilstand. Claudines broer, Claude, leunde voorover om de passagiersdeur te openen. Ik zat hem aan te gapen. Hij zei geïrriteerd: 'Nou, stap je nog in?'

'Wauw,' mompelde de assistente. 'Wauw.' Ik dacht dat de knoopjes van haar bloes open zouden springen, zo zwaar ademde ze.

Ik had Claudines broer slechts één keer eerder ontmoet. Ik was vergeten wat een impact hij had. Claude was absoluut adembenemend, zo aantrekkelijk dat zijn nabijheid me zo stijf maakte als een hoogspanningsdraad. Je ontspannen met Claude in de buurt was net zoiets als nonchalant proberen te doen bij Brad Pitt.

Claude was een stripper geweest op de damesavond in Hooligans, een club in Monroe, maar de laatste tijd was hij niet alleen de club gaan managen, hij had zijn zaken ook uitgebreid door in de bladen en op de catwalk te staan als model. De mogelijkheden voor dat soort werk deden zich zelden voor in Noord-Louisiana, dus had Claude (volgens Claudine) besloten om mee te dingen naar de titel van Mr. Romance op een conventie voor lezers van romantische literatuur. Hij had zelfs zijn oren operatief laten veranderen zodat ze niet langer spits waren. De grote beloning was de kans om op de cover van een romannetje te staan. Ik wist niet al te veel over de competitie, maar ik wist wat ik zag als ik naar Claude keek. Ik had er tamelijk veel vertrouwen in dat Claude bij acclamatie zou winnen.

Claudine had gezegd dat het net uit was met Claude en zijn vriend, dus hij was ook nog eens single: helemaal de volle een meter tachtig, versierd met golvend zwart haar en golvende spieren en een sixpack dat in de *Abs Weekly* had kunnen staan. Voeg er in gedachten een paar fluweelzachte bruine ogen aan toe, een scherpe kaak, en een sensuele mond met vooruitstekende onderlip, en je hebt Claude. Niet dat het me opviel.

Zonder hulp van de assistente, die nog steeds zachtjes: 'Wauw, wauw, wauw', zei, stond ik op uit de rolstoel en liet ik me langzaam in de auto zakken. 'Bedankt,' zei ik tegen Claude, en ik probeerde niet zo stomverbaasd te klinken als ik me voelde.

'Claudine kon niet weg van haar werk, dus ze belde mij om me wakker te maken zodat ik hier zou staan om je rond te rijden,' zei Claude, en hij klonk volledig uit zijn humeur.

'Ik ben dankbaar voor de lift,' zei ik, nadat ik verschillende antwoorden had overwogen.

Het viel me op dat Claude me niet de weg naar Bon Temps hoefde te vragen, hoewel ik hem nooit in de buurt had gezien – en ik geloof dat ik duidelijk heb gemaakt dat je hem moeilijk over het hoofd kunt zien.

'Hoe gaat het met je schouder?' vroeg hij plotseling, alsof hij eraan dacht dat je die beleefde vraag hoorde te stellen.

'Aan de beterende hand,' zei ik. 'En ik heb een doktersrecept voor pijnstillers die bij de apotheek moeten worden klaargemaakt.'

'Dus dat moet je nog doen?'

'Eh, nou, dat zou fijn zijn, aangezien ik een paar dagen niet mag autorijden.'

Toen we bij Bon Temps aankwamen, wees ik Claude de weg naar de apotheek, waar hij helemaal vooraan een parkeerplek vond. Het lukte me om de auto uit te komen en het recept mee naar binnen te nemen, aangezien Claude het niet aanbood. De apotheker had natuurlijk al gehoord wat er was gebeurd en wilde weten waar het met deze wereld heen moest. Ik kon het hem niet vertellen.

Terwijl hij mijn recept klaarmaakte, bracht ik de tijd door met speculaties over de mogelijkheid dat Claude biseksueel was – zelfs ook maar een beetje? Elke vrouw die de apotheek binnenkwam had een glazige uitdrukking op haar gezicht. Natuurlijk hadden ze niet het voorrecht gehad om een echt gesprek met Claude te hebben, zodat ze niet het genot van zijn sprankelende persoonlijkheid hadden gehad.

'Duurde lang genoeg,' zei Claude toen ik weer in de auto stapte.

'Ja, Meneer Sociale Vaardigheden,' zei ik bits. 'Ik zal vanaf nu proberen op te schieten. Waarom zou ik kalm aan moeten doen omdat ik ben neergeschoten? Neem me niet kwalijk.'

Vanuit mijn ooghoek zag ik Claudes wangen rood worden.

'Het spijt me,' zei hij stijf. 'Ik was kortaf. De mensen zeggen dat ik onbeleefd ben.'

'Nee! Echt waar?'

'Ja,' gaf hij toe, en toen besefte hij dat ik ietwat sarcastisch was geweest. Hij wierp me een blik toe die ik bij een minder mooi schepsel dreigend genoemd zou hebben. 'Luister, ik wil je om een gunst vragen.'

'Je hebt beslist al een goed begin gemaakt. Je hebt me nu mild gestemd.'

'Wil je daarmee ophouden? Ik weet het, ik ben niet... niet...'

'Beleefd? Minimaal welgemanierd? Galant? Bezig dit goed aan te pakken?'

'Sookie!' bulderde hij. 'Wees stil!'

Ik wilde een pijnstiller. 'Ja, Claude?' zei ik op kalme, redelijke toon.

'De mensen die de schoonheidswedstrijd organiseren willen een portfolio. Ik ga naar de studio in Ruston voor een paar glamourfoto's, maar volgens mij is het een goed idee om ook een paar geposeerde foto's te maken. Zoals de covers van de boeken die Claudine altijd leest. Claudine zegt dat ik een blondine naast me moet laten poseren, omdat ik donker ben. Toen dacht ik aan jou.'

Alleen als Claude me had verteld dat hij wilde dat ik zijn baby kreeg, had ik volgens mij nog verbaasder kunnen zijn, een tikkeltje maar. Hoewel Claude de meest barse man was die ik ooit had ontmoet, had Claudine er een handje van mijn leven te redden. Omwille van haar wilde ik hem wel een dienst bewijzen.

'Heb ik een kostuum nodig of zo?'

'Ja. Maar de fotograaf doet ook amateurdrama en hij verhuurt Halloweenkostuums, dus hij dacht dat hij misschien wel wat spullen had die geschikt zouden zijn. Welke maat heb je?'

'Maatje zesendertig.' Soms eerder maatje achtendertig. Maar ook heb ik een doodenkele keer maatje vierendertig, oké?

'Dus wanneer kun je dit doen?'

'Mijn schouder moet eerst genezen,' zei ik zacht. 'Het verband zou niet zo mooi staan op de foto's.'

'O, ja. Dus je belt me?'

'Ja.'

'Zul je het niet vergeten?'

'Nee. Ik kijk er heel erg naar uit.' Wat ik op dit moment eigenlijk wilde, was mijn eigen ruimte, met niemand anders erin, en een cola light, en een van de pillen die ik krampachtig in mijn hand vasthield. Misschien zou ik een dutje doen voor ik de douche nam die ook op mijn lijstje stond.

'Ik heb de kokkin bij Merlotte al eerder ontmoet,' zei Claude, de sluizen stonden nu klaarblijkelijk wijd open.

'Hm-mm. Sweetie.'

'Noemt ze zichzelf zo? Ze werkte vroeger bij de Foxy Femmes.'

'Was ze een stripper?'

'Ja, tot aan het ongeluk.'

'Heeft Sweetie een ongeluk gehad?' Ik raakte met de seconde meer afgemat.

'Ja, dus ze kreeg littekens en wilde niet meer strippen. Het zou te veel make-up vergen, zei ze. Trouwens, tegen die tijd raakte ze een beetje, eh, aan de oude kant om nog te strippen.'

'Arm ding,' zei ik. Ik probeerde me Sweetie op een podium voor te stellen, paraderend op hoge hakken en met veren. Verontrustend.

'Ik zou haar dat maar nooit laten horen,' adviseerde hij.

We parkeerden voor de twee-onder-een-kap. Iemand had mijn auto teruggebracht van het parkeerterrein van de bibliotheek. De deur naar de andere kant van de twee-onder-een-kap ging open, en Halleigh Robinson kwam naar buiten, mijn sleutels in haar hand. Ik droeg de zwarte broek die ik had aangehad sinds ik op weg was geweest naar mijn werk, maar mijn T-shirt van Merlotte was geruïneerd, dus het ziekenhuis had me een witte sweater gegeven die iemand daar lang geleden had achtergelaten. Hij was mij veel te groot, maar dat was niet de reden waarom Halleigh stokstil vliegen stond te vangen met haar mond. Claude was nota bene uitgestapt om me naar binnen te helpen, en zijn aanblik had de jonge schooljuffrouw als aan de grond genageld doen staan.

Claude legde voorzichtig en zachtjes zijn arm om mijn schouders, boog zijn hoofd om me liefdevol in de ogen te kijken, en knipoogde.

Dit was de eerste hint waaruit bleek dat Claude gevoel voor humor bezat. Het deed me genoegen om te ontdekken dat hij niet totaal humeurig was.

'Bedankt dat je me mijn sleutels komt brengen,' riep ik, en Halleigh wist opeens weer dat ze kon lopen.

'Eh,' zei ze. 'Eh, tuurlijk.' Ze legde de sleutels ergens in de buurt van mijn hand, en ik graaide ze weg.

'Halleigh, dit is mijn vriend Claude,' zei ik, met een veelbetekenende glimlach, hoopte ik.

Claude bewoog zijn arm omlaag en legde hem om mijn taille, waarbij hij haar zelf ook een afwezige glimlach toewierp, terwijl hij nauwelijks zijn ogen van de mijne losmaakte. O jee! 'Hallo, Halleigh,' zei hij met zijn volste bariton.

'Je boft dat iemand je thuisbrengt van het ziekenhuis,' zei Halleigh. 'Dat is erg aardig van je, eh, Claude.'

'Ik zou alles voor Sookie overhebben,' zei Claude zacht.

'Echt?' Halleigh schudde zichzelf wakker. 'Nou, wat aardig. Andy heeft je auto hierheen gereden, Sookie, en hij vroeg of ik je je sleutels wilde geven. Het is een geluk dat je me tegenkwam. Ik vloog net even naar huis om mijn lunch te eten. Ik, eh, moet terug naar de...' Ze staarde Claude voor de laatste keer langdurig aan voordat ze in haar eigen kleine Mazda stapte om terug te rijden naar de basisschool.

Ik deed mijn deur onhandig van het slot en stapte in mijn huiskamertje. 'Hier woon ik tot mijn huis opgeknapt wordt,' zei ik tegen Claude. Ik schaamde me ergens voor de kleine, steriele kamer. 'Ik was er net ingetrokken de dag dat ik werd neergeschoten. Gisteren,' zei ik enigszins verwonderd.

Claude, die zijn valse bewondering had laten vallen zodra Halleigh was vertrokken, nam me geringschattend op. 'Je hebt reusachtig veel pech,' merkte hij op.

'In sommige opzichten,' zei ik. Maar ik dacht aan alle hulp die ik al had gekregen, en aan mijn vrienden. Ik dacht aan het eenvoudige genot van naast Bill slapen de avond ervoor. 'Ik zou zeker veel ergere pech kunnen hebben,' voegde ik eraan toe, min of meer in mezelf.

Claude was reusachtig ongeïnteresseerd in mijn filosofie.

Nadat ik hem nogmaals had bedankt en hem had gevraagd om Claudine een knuffel van me te geven, herhaalde ik mijn belofte hem te bellen als mijn wond goed genoeg genezen was voor de poseersessie.

Mijn schouder begon nu pijn te doen. Toen ik de deur achter hem op slot deed, nam ik een pil in. Ik had het telefoonbedrijf vanuit de bibliotheek gebeld de middag ervoor, en tot mijn verrassing en plezier kreeg ik een beltoon toen ik mijn hoorn oppikte. Ik belde Jasons gsm om hem te zeggen dat ik weg was uit het ziekenhuis, maar hij nam niet op, dus ik liet een bericht achter op zijn voicemail. Toen belde ik het café om Sam te zeggen dat ik de volgende dag weer op het werk zou zijn. Ik had twee dagen loon en fooien gemist en meer kon ik me niet veroorloven.

Ik ging languit op bed liggen en deed een lange dut.

Toen ik wakker werd, was de lucht zo erg aan het betrekken dat het duidelijk was dat het zou gaan regenen. In de voortuin van het huis aan de overkant zwiepte een kleine esdoorn op een alarmerende manier in het rond. Ik dacht aan het zinken dak waar mijn oma dol op was geweest en aan het gekletter van de regen op het harde oppervlak. De regen hier in het dorp was ongetwijfeld stiller.

Ik stond uit mijn slaapkamerraam te kijken naar de identieke twee-onder-een-kap ernaast, me afvragend wie mijn buur was, toen ik een harde klop op de deur hoorde. Arlene was buiten adem van het rennen door de eerste druppels regen. Ze had een tas van Wendy's in haar hand, en de geur van het eten zorgde ervoor dat mijn maag met een gerommel wakker werd.

'Ik had geen tijd om iets voor je te koken,' zei ze verontschuldigend toen ik opzij ging om haar binnen te laten. 'Maar ik wist nog dat je graag de dubbele hamburger met bacon had als je je down voelde, en ik bedacht dat je je vrij down moest voelen.'

'Dat heb je goed gedacht,' zei ik, hoewel ik merkte dat ik me veel beter voelde dan ik me die ochtend had gevoeld. Ik ging naar de keuken om een bord te pakken, en Arlene liep me achterna, terwijl haar ogen alle kanten op schoten.

'Hé, dit is mooi!' zei ze. Hoewel ik zelf vond dat het er kaal uitzag, moest mijn tijdelijke huis er heerlijk overzichtelijk hebben uitgezien voor haar.

'Hoe voelde het?' vroeg Arlene. Ik probeerde niet te luisteren toen ze dacht dat ik vaker in de problemen kwam dan wie ze ook kende. 'Je moet zo bang geweest zijn!'

'Ja.' Ik was ernstig, en dat was duidelijk te horen aan mijn stem. 'Ik was heel bang.'

'Het hele dorp praat erover,' zei Arlene ongekunsteld. Dat was nou net wat ik wilde horen: dat ik het onderwerp was van vele gesprekken. 'Hé, ken je Dennis Pettibone nog?'

'De brandstichtingexpert?' zei ik. 'Tuurlijk.'

'We hebben morgenavond een date.'

'Goed zo, Arlene. Wat gaan jullie allemaal doen?'

'We nemen de kinderen mee naar de rolschaatsbaan in Grainger. Hij heeft een dochter, Katy. Ze is dertien.'

'Nou, dat klinkt leuk.'

'Hij moet vanavond surveilleren,' zei Arlene gewichtig.

Ik knipperde. 'Wat surveilleert hij?'

'Ze hadden alle agenten nodig die ze konden oproepen. Ze bewaken verschillende parkeerplaatsen verspreid over het dorp om te zien of ze die sluipschutter op heterdaad kunnen betrappen.'

Ik kon een zwakke plek in hun plan zien. 'Wat als de sluipschutter hen eerst ziet?'

'Het zijn professioneel opgeleide mannen, Sookie. Ik denk dat ze wel weten hoe ze dit aan moeten pakken.' Arlene keek, en klonk, vrij hooghartig. Ineens was ze Mevrouw Ordehandhaving.

'Relax,' zei ik. 'Ik ben alleen maar bezorgd.' Trouwens, tenzij de politiemannen Weers waren, liepen ze geen gevaar. Natuurlijk was de grote zwakke plek in die theorie dat ik was neergeschoten. En ik was geen Weer, geen veranderaar. Ik had nog steeds niet uitgevogeld hoe ik dat in mijn scenario kon passen.

'Waar is de spiegel?' vroeg Arlene, en ik keek om me heen.

'Volgens mij hangt de enige grote in de badkamer,' zei ik, en het voelde raar om te moeten nadenken over de locatie van een voorwerp in mijn eigen huis. Terwijl Arlene haar haar zat te doen, legde ik mijn eten op een bord, hopend dat ik het kon opeten nu het nog warm was. Ik betrapte mezelf erop als een dwaas met de lege zak in mijn hand te staan, mezelf afvragend waar de vuilnisbak stond. Natuurlijk stond er geen vuilnisbak tot ik er een ging kopen. Ik had de afgelopen negentien jaar nog nooit ergens anders dan in mijn oma's huis gewoond. Ik had nog nooit een compleet begin hoeven te maken met de huishouding.

'Sam rijdt nog steeds geen auto, dus hij kan je niet komen opzoeken, maar hij denkt aan je,' riep Arlene. 'Kun je morgenavond wel werken?'

'Ik ben het wel van plan.'

'Mooi zo. Ik sta niet ingeroosterd, Charlsies kleindochter ligt met een longontsteking in het ziekenhuis, dus zij is er niet, en Holly komt niet altijd opdagen als ze staat ingeroosterd. Danielle gaat het dorp uit. Dat nieuwe meisje, Jada – ze is trouwens beter dan Danielle.'

'Vind je?'

'Ja.' Arlene snoof. 'Ik weet niet of je 't hebt gemerkt,

maar het lijkt wel of het Danielle niets meer kan schelen. De mensen kunnen drankjes nodig hebben en haar roepen, en het maakt haar geen bal uit. Ze staat daar maar met haar vriendje te praten terwijl de mensen naar haar lopen te blèren.'

Het klopte dat Danielle het niet helemaal nauw had genomen met haar werkgewoontes sinds ze vaste verkering had gekregen met een kerel uit Arcadia. 'Denk je dat ze ontslag zal nemen?' vroeg ik, en dat opende nog een gespreksmijn waar we zowat vijf minuten in delfden, hoewel Arlene zei dat ze haast had. Ze beval me te eten zolang de maaltijd nog vers was, dus ik kauwde en slikte terwijl zij praatte. We zeiden niets verrassend nieuws of origineels, maar we vermaakten ons prima. Ik kon merken dat Arlene (voor deze éne keer) ervan genoot om gewoon samen met mij te zitten nietsdoen.

Een van de vele nadelen van telepathie is het feit dat je het verschil kunt zien tussen wanneer iemand echt naar je luistert, en wanneer je alleen maar tegen een gezicht zit te praten in plaats van een persoon.

Andy Bellefleur arriveerde op het moment dat Arlene in haar auto stapte. Ik was blij dat ik de zak van Wendy's in een kastje had gestopt, alleen maar om hem uit de weg te hebben.

'Je zit vlak naast Halleigh,' zei Andy – een voor de hand liggende openingszet.

'Bedankt dat je mijn sleutels bij haar hebt achtergelaten en dat je mijn auto hierheen hebt gebracht,' zei ik. Andy had zijn goede momenten.

'Ze zei dat de kerel die jou thuisbracht van het ziekenhuis erg, eh, interessant was.' Andy was duidelijk aan het vissen. Ik glimlachte naar hem. Wat Halleigh ook had gezegd, het had hem nieuwsgierig gemaakt en misschien een beetje jaloers.

'Dat kun je wel zeggen,' stemde ik in.

Hij wachtte om te zien of ik een toelichting zou geven. Toen ik dat niet deed, werd hij heel zakelijk.

'De reden dat ik hier ben: ik wilde weten of je je nog meer herinnert van gisteren.'

'Andy, ik wist toen al niets, laat staan nu.'

'Maar je dook weg.'

'O, Andy,' zei ik geërgerd, want hij kende mijn afwijking maar al te goed, 'je hoeft niet te vragen waarom ik wegdook.'

Hij werd geleidelijk en onooglijk rood. Andy is een potige kerel en een intelligente politierechercheur, maar hij stond zo dubbelzinnig tegenover dingen waarvan hij wist dat ze waar waren, zelfs als die dingen geen volmaakt conventionele bestanddelen van algemene kennis waren.

'We zijn hier helemaal alleen,' merkte ik op. 'En de muren zijn dik genoeg om te voorkomen dat ik Halleigh rond hoor lopen.'

'Is er meer?' vroeg hij ineens, zijn ogen schitterend van nieuwsgierigheid. 'Sookie, is er meer?'

Ik wist precies wat hij bedoelde. Hij zou het nooit letterlijk zeggen, maar hij wilde weten of er nog meer was op deze wereld dan mensen, en vampiers, en telepaten. 'Zoveel meer,' zei ik, terwijl ik mijn stem kalm en effen liet klinken. 'Een heel andere wereld.'

Andy keek me recht aan. Zijn vermoedens waren bevestigd, en hij was geïntrigeerd. Hij stond net op het punt me te vragen over de mensen die waren neergeschoten – precies op het randje om de sprong te wagen – maar op het laatste moment trok hij zich terug. 'Heb je niets gezien of gehoord wat ons kan helpen? Was er iets anders aan de avond waarop Sam neergeschoten werd?'

'Nee,' zei ik. 'Niets. Waarom?'

Hij antwoordde niet, maar ik kon zijn gedachten lezen

als een open boek. De kogel uit Sams been kwam niet overeen met de andere geborgen kogels.

Nadat hij was vertrokken, probeerde ik de snelle impressie die ik had gehad te ontleden, de impressie die me had doen wegduiken. Als het parkeerterrein niet leeg was geweest, had ik hem misschien helemaal niet opgemerkt, want het brein dat hem had gemaakt, was vrij ver weg geweest. En wat ik had gevoeld, was een wirwar van vastberadenheid, boosheid, en bovenal: afkeer. De persoon die had geschoten was ervan overtuigd geweest dat ik weerzinwekkend en onmenselijk was. Stom genoeg was mijn eerste reactie gekrenktheid – niemand houdt er immers van om veracht te worden. Toen overwoog ik het vreemde gegeven dat Sams kogel niet overeenkwam met alle eerdere Weerschietpartijen. Dat kon ik totaal niet begrijpen. Ik kon vele verklaringen bedenken, maar ze leken allemaal vergezocht.

De regen kwam buiten met bakken naar beneden, en sloeg met een gesis tegen de ramen op het noorden. Ik had geen reden om iemand te bellen, maar ik had zin om er een te verzinnen. Het was geen goede avond om met niemand contact te hebben. Toen het gebeuk tegen de ramen versterkte, raakte ik steeds nerveuzer. De hemel was loodgrijs; al gauw zou het helemaal donker zijn.

Ik vroeg me af waarom ik zo zenuwachtig was. Ik was eraan gewend om alleen te zijn, en daar had ik zelden last van. Nu was ik fysiek dichter bij mensen dan ik ooit in mijn huis aan Hummingbird Road was geweest, maar voelde ik me meer alleen.

Hoewel ik eigenlijk niet mocht autorijden, had ik spullen nodig voor de twee-onder-een-kap. Ik zou van de boodschap een noodzaak hebben gemaakt en naar Wal-Mart zijn gegaan ondanks de regen – of vanwege de regen – als de verpleegster er niet zo op had gehamerd dat mijn schouder moest rusten. Ik liep rusteloos van kamer naar kamer tot het geknars van grind me zei dat ik nog meer bezoek kreeg. Dit was het dorpsleven, zonder twijfel.

Toen ik opendeed, stond Tara daar in een regenjas met panterprint en capuchon. Natuurlijk vroeg ik haar binnen te komen, en ze deed haar best om de jas uit te schudden op de kleine voorveranda. Ik nam hem mee naar de keuken om hem te laten uitdruipen op het linoleum.

Ze omhelsde me heel voorzichtig en zei: 'Vertel me hoe het met je gaat.'

Nadat ik het verhaal nog een keer had verteld, zei ze: 'Ik heb me zorgen gemaakt over je. Ik kon niet weg uit de winkel tot nu toe, maar ik moest je gewoon zien. Ik zag het pakje in mijn kast hangen. Was je naar mijn huis gegaan?'

'Ja,' zei ik. 'Eergisteren. Heeft Mickey je dat niet verteld?'

'Was hij in het huis toen jij er was? Ik had je nog gewaarschuwd,' zei ze, bijna paniekerig. 'Hij heeft je toch geen pijn gedaan, hè? Hij had toch niets te maken met dat je werd neergeschoten?'

'Niet dat ik weet. Maar ik ging wel een beetje laat je huis binnen, en ik weet dat je zei dat ik dat niet moest doen. Dat was gewoon stom. Hij probeerde me wel, eh, bang te maken. Ik zou hem maar niet laten weten dat je bij me langs bent geweest, als ik jou was. Hoe was je in staat hiernaartoe te komen vanavond?'

Tara's gezicht verstrakte. Haar grote donkere ogen werden harder, en ze trok zich van me terug. 'Hij is ergens heen,' zei ze.

'Tara, kun je me zeggen hoe je bij hem betrokken bent geraakt? Wat is er met Franklin gebeurd?' Ik probeerde deze vragen zo voorzichtig te stellen als ik kon, want ik wist dat ik me op delicaat terrein begaf.

Tranen welden op in Tara's ogen. Ze deed haar best om

me te antwoorden, maar ze schaamde zich. 'Sookie,' begon ze ten slotte, bijna fluisterend, 'ik dacht dat Franklin echt iets om me gaf, weet je? Ik bedoel, ik dacht dat hij me respecteerde. Als persoon.'

Ik knikte gespannen naar haar gezicht. Ik was bang de continuïteit van haar verhaal te verbreken nu ze eindelijk tegen me was begonnen te praten.

'Maar hij... hij gaf me gewoon door toen hij klaar met me was.'

'O, nee, Tara! Hij... hij heeft je toch zeker wel uitgelegd waarom jullie uit elkaar gingen. Of hadden jullie erge ruzie?' Ik wilde niet geloven dat Tara van de ene vamp aan de andere vamp was doorgegeven als een of andere bijtslet op een bloedzuigersfeestje.

'Hij zei: "Tara, je bent een mooi meisje en je was goed gezelschap, maar ik sta bij Mickeys meester in het krijt, en Mickey wil je nu."'

Ik wist dat mijn mond openhing, en het kon me niet schelen. Ik kon amper geloven wat Tara me vertelde. Ik kon de vernedering in golven van zelfhaat van haar horen afrollen. 'Kon je er niks tegen doen?' vroeg ik. Ik probeerde het ongeloof uit mijn stem te houden.

'Geloof me, ik heb het geprobeerd,' zei Tara bitter. Ze nam me mijn vraag niet kwalijk, wat een opluchting was. 'Ik zei hem dat ik het niet zou doen. Ik zei hem dat ik geen hoer was, dat ik met hem uitging omdat ik hem graag mocht.' Haar schouders krompen ineen. 'Maar weet je, Sookie, ik vertelde niet de hele waarheid, en dat wist hij. Ik nam alle cadeaus aan die hij me had gegeven. Het waren dure dingen. Maar ze waren spontaan gegeven, en hij had me niet gezegd dat er voorwaarden aan verbonden waren! Ik heb nooit ergens om gevraagd!'

'Dus hij zei dat, omdat jij zijn geschenken had aangenomen, jij verplicht was te doen wat hij zei?'

'Hij zei...' Tara begon te huilen, en door haar snikken kwam alles er in kleine stootjes uit. 'Hij zei dat ik me als een minnares gedroeg, en dat hij voor alles had betaald wat ik had, en dat ik net zo goed wat nuttiger voor hem kon zijn. Ik zei dat ik het niet zou doen, dat ik hem alles terug zou geven, en hij zei dat hij het niet wilde hebben. Hij zei tegen me dat die vamp genaamd Mickey mij met hem had gezien, dat Franklin enorm bij Mickey in het krijt stond.'

'Maar dit is Amerika,' wierp ik tegen. 'Hoe kunnen ze dat doen?'

'Vampiers zijn afschuwelijk,' zei Tara troosteloos. 'Ik snap niet hoe je het kunt verdragen om met ze om te gaan. Ik vond mezelf zo stoer, om een vampvriendje te hebben. Oké, hij was eerder een mainteneur, geloof ik.' Tara zuchtte bij de bekentenis. 'Het was gewoon fijn om zo, je weet wel, goed behandeld te worden. Dat ben ik niet gewend. Ik dacht echt dat hij mij ook mocht. Ik was niet alleen maar gulzig.'

'Heeft hij bloed van je genomen?' vroeg ik.

'Doen ze dat niet altijd?' vroeg ze, verbaasd. 'Tijdens seks?'

'Voor zover ik weet,' zei ik. 'Ja. Maar weet je, nadat hij jouw bloed had gedronken, kon hij weten wat je voor hem voelde.'

'Echt waar?'

'Nadat ze je bloed hebben gedronken, zijn ze afgestemd op je gevoelens.' Ik was er vrij zeker van dat Tara niet zo dol op Franklin Mott was geweest als ze had beweerd, dat ze veel geïnteresseerder was in zijn buitensporige geschenken en hoffelijke behandeling dan in hem. Natuurlijk had hij dat geweten. Hij had er misschien niets om gegeven of Tara hem mocht om hemzelf of niet, maar dat had hem beslist meer aanleiding gegeven om haar in te ruilen. 'Dus hoe is het zo gekomen?'

'Nou, het was niet zo abrupt als ik het heb laten klinken,' zei ze. Ze staarde omlaag naar haar handen. 'Eerst zei Franklin dat hij niet met me ergens naartoe kon gaan, dus of het goed was als die andere kerel me in zijn plaats meenam? Ik dacht dat hij aan mij dacht, aan hoe teleurgesteld ik zou zijn als ik niet kon gaan – het was een concert – dus ik zat er verder niet echt over in. Mickey zette zijn beste beentje voor, en het was geen slechte avond. Hij zette me af bij de deur, als een gentleman.'

Ik probeerde mijn wenkbrauwen niet op te trekken van ongeloof. De slangachtige Mickey, bij wie uit elke porie 'slecht tot op het bot' ademde, had Tara wijsgemaakt dat hij een gentleman was? 'Oké, en toen?'

'Toen moest Franklin de stad uit, dus Mickey kwam langs om te zien of ik alles had wat ik nodig had, en hij bracht een cadeautje voor me mee, waarvan ik dacht dat het van Franklin was.'

Tara loog tegen me, en gedeeltelijk tegen zichzelf. Ze had heus wel geweten dat het cadeautje, een armband, van Mickey was. Ze had zichzelf wijsgemaakt dat het een soort eerbetoon was van een vazal aan de echtgenote van zijn vorst, maar ze had geweten dat het niet van Franklin af kwam.

'Dus ik nam het aan, en we gingen uit, en toen we die avond terugkwamen, begon hij avances te maken. En die brak ik af.' Haar gezicht stond kalm en koninklijk toen ze me aankeek.

Ze had zijn avances die avond misschien wel afgewezen, maar ze had het niet onmiddellijk en ondubbelzinnig gedaan.

Zelfs Tara vergat dat ik haar gedachten kon lezen.

'Dus die keer vertrok hij,' zei ze. Ze haalde diep adem. 'De keer daarop niet.'

Hij had van tevoren meer dan genoeg waarschuwingstekens gegeven van zijn intenties.

Ik keek haar aan. Ze kromp ineen. 'Ik weet het,' jammerde ze. 'Ik weet het, ik zat fout!'

'Dus, woont hij nu bij jou?'

'Hij heeft een dagplaats ergens vlakbij,' zei ze, slap van ellende. 'Hij komt bij duisternis opdagen, en we zijn de hele nacht samen. Hij neemt me mee naar bijeenkomsten, hij neemt me mee uit, en hij...'

'Rustig maar, rustig maar.' Ik klopte op haar hand. Dat leek niet genoeg, en ik omhelsde haar wat steviger. Tara was langer dan ik, dus het was geen erg moederlijke omhelzing, maar ik wilde mijn vriendin gewoon laten weten dat ik aan haar kant stond.

'Hij is echt ruw,' zei Tara zacht. 'Hij gaat me nog eens vermoorden.'

'Niet als we hem eerst vermoorden.'

'O, dat kunnen we niet.'

'Geloof je dat hij te sterk is?'

'Ik geloof niet dat ik iemand kan vermoorden, zelfs hem niet.'

'O.' Ik had gedacht dat Tara meer lef had, na wat haar ouders haar hadden aangedaan. 'Dan moeten we een manier bedenken om hem van je weg te rukken.'

'Je vriend misschien?'

'Welke?'

'Eric. Iedereen zegt dat Eric een oogje op je heeft.'

'Iedereen?'

'De vampiers hier in de buurt. Heeft Bill je doorgegeven aan Eric?'

Hij had een keer tegen me gezegd dat ik naar Eric moest gaan als er iets met hem gebeurde, maar ik had dat niet opgevat als de bedoeling dat Eric de rol op zich zou moeten nemen die Bill in mijn leven had. Ik had uiteindelijk wel een korte affaire met Eric gehad, maar onder geheel andere omstandigheden.

'Nee, dat heeft hij niet gedaan,' zei ik scherp. 'Eens even denken.' Ik overpeinsde het grondig, terwijl ik de verschrikkelijke druk van Tara's ogen voelde. 'Wie is Mickeys baas?' vroeg ik. 'Of zijn heer?'

'Volgens mij is het een vrouw,' zei Tara. 'Mickey heeft me tenminste een paar keer meegenomen naar een plaats in Baton Rouge, een casino, waar hij afsprak met een vrouwelijke vamp. Haar naam is Salome.'

'Als in de bijbel?'

'Ja. Stel je voor dat je je kind zo noemt.'

'Dus, is die Salome een sheriff?'

'Wat?'

'Is ze een regionale baas?'

'Dat weet ik niet. Mickey en Franklin spraken nooit over dat soort dingen.'

Ik probeerde niet zo geïrriteerd te kijken als ik me voelde. 'Hoe heet dat casino?'

'Seven Veils.'

Hmmm. 'Oké, behandelde hij haar met deferentie?' Dat was een goed 'Woord van de dag'-trefwoord van mijn kalender, die ik sinds de brand niet meer had gezien.

'Nou, hij boog min of meer naar haar.'

'Alleen zijn hoofd, of met zijn bovenlijf?'

'Met zijn bovenlijf. Nou, meer dan alleen het hoofd. Ik bedoel, hij boog voorover.'

'Oké. Hoe noemde hij haar?'

'Meesteres.'

'Oké.' Ik aarzelde, en vroeg toen weer: 'Weet je zeker dat we hem niet kunnen vermoorden?'

'Misschien jij wel,' zei ze somber. 'Ik stond op een avond een kwartier lang met een ijspriem over hem heen toen hij in slaap was gevallen na, je weet wel, seks. Maar ik was te bang. Als hij erachter komt dat ik bij jou ben geweest, wordt hij woest. Hij mag jou helemaal niet. Hij vindt dat je een slechte invloed hebt.'

'Daar heeft-ie gelijk in,' zei ik met een zelfvertrouwen dat ik bij lange na niet voelde. 'Ik kijk wel wat ik kan verzinnen.'

Na nog een omhelzing vertrok Tara. Ze wist zelfs een glimlachje op te brengen, maar ik wist niet hoe gerechtvaardigd haar sprankje optimisme zou zijn.

Er stond me maar één ding te doen.

De volgende avond zou ik moeten werken. Het was nu volledig donker, en hij zou op zijn.

Ik moest Eric bellen.

13

'Fangtasia,' zei een verveelde, vrouwelijke stem. 'Waar al je bloederige dromen uitkomen.'

'Pam, met Sookie.'

'O, hallo,' zei ze wat opgewekter. 'Ik hoor dat je nog dieper in de problemen zit. Je huis verbrand. Je zal niet veel langer leven als je zo doorgaat.'

'Nee, misschien niet,' stemde ik in. 'Luister, is Eric er?'

'Ja, hij zit op zijn kantoor.'

'Kun je me naar hem doorschakelen?'

'Ik weet niet hoe,' zei ze laatdunkend.

'Kun je de telefoon naar hem brengen, alsjeblieft, mevrouw?'

'Natuurlijk. Er gebeurt hier altijd iets als jij hebt gebeld. Het doorbreekt echt de sleur.' Pam liep met de telefoon door de bar; dat hoorde ik aan de verandering in het ambiancelawaai. Er klonk muziek op de achtergrond. KDED weer: 'The Night Has a Thousand Eyes' deze keer. 'Hoe staat het leven in Bon Temps, Sookie?' vroeg Pam, terwijl ze een duidelijk terzijde uitte naar een of andere bargast: 'Aan de kant jij, zoon van een bastaardhoer!'

'Ze houden van dat soort praat,' zei ze babbelend. 'Nu, hoe gaat-ie?'

'Ik ben neergeschoten.'

'O, wat een pech,' zei ze. 'Eric, weet je wat Sookie me vertelt? Iemand heeft haar neergeschoten.'

'Doe niet zo emotioneel, Pam,' zei ik. 'Iemand zou nog eens kunnen denken dat je er wat om geeft.'

Ze lachte. 'Hier is de man,' zei ze.

Eric klonk net zo nuchter als Pam toen hij zei: 'Het kan niet kritiek zijn anders zou je niet met me praten.'

Dat was waar, hoewel ik een iets meer geschokte reactie wel fijn gevonden zou hebben. Maar dit was niet het moment om na te denken over onbenulligheden. Ik haalde diep adem. Ik wist, zo zeker als wat, wat eraan zat te komen, maar ik moest Tara helpen. 'Eric,' zei ik met een onheilspellend gevoel, 'ik heb een gunst nodig.'

'Echt waar?' zei hij. Toen, na een tastbare stilte: 'Echt waar?'

Hij begon te lachen.

'Hebbes,' zei hij.

Hij arriveerde een uur later bij de twee-onder-een-kapwoning en hield stil op de drempel nadat ik zijn klop had beantwoord. 'Nieuw pand,' deed hij me eraan herinneren.

'Kom gerust binnen,' zei ik hypocriet, en hij stapte naar binnen, zijn witte gezicht gloeide zowat van... triomf? Opwinding? Erics haar was nat van de regen en viel in rattenstaarten uiteen over zijn schouders. Hij droeg een goudbruin zijden T-shirt en een bruine plooibroek met een indrukwekkende riem die gewoon barbaars was: veel leer, en goud, en bungelende kwastjes. Je kunt de man uit de Vikingtijd halen, maar je haalt de Vikingtijd niet uit de man.

'Wil je wat te drinken?' zei ik. 'Sorry, ik heb geen TrueBlood, en ik mag niet rijden, dus ik kon het niet gaan halen.' Ik wist dat dat een enorme gastvrijheidsschending was, maar ik kon er niets tegen doen. Ik had geen kans gehad iemand te vragen om me bloed voor Eric te brengen.

'Niet belangrijk,' zei hij kalm, terwijl hij de kleine kamer rondkeek.

'Ga alsjeblieft zitten.'

Eric zonk neer in de bank, zijn rechterenkel op de knie van zijn linkerbeen. Zijn grote handen waren rusteloos. 'Wat voor gunst heb je nodig, Sookie?' Hij was openlijk vrolijk.

Ik zuchtte. Ik was er in elk geval vrij zeker van dat hij zou helpen, want hij kon zowat de macht proeven die hij over me zou hebben.

Ik ging op het puntje van de bobbelige stoel zitten. Ik legde uit over Tara, over Franklin, over Mickey. Eric werd snel serieus. 'Ze zou overdag kunnen vertrekken en dat doet ze niet,' merkte hij op.

'Waarom zou ze haar bedrijf en haar huis moeten achterlaten? Hij is degene die hoort te vertrekken,' wierp ik tegen. (Hoewel ik moet bekennen dat ik mezelf had afgevraagd waarom Tara niet gewoon vakantie nam. Mickey zou toch zeker niet al te lang blijven hangen als zijn gratis ritje was verdwenen?) 'Tara zou de rest van haar leven over haar schouder moeten kijken als ze hem van zich probeerde af te schudden door te vluchten,' zei ik ferm.

'Ik ben meer te weten gekomen over Franklin sinds ik hem heb ontmoet in Mississippi,' zei Eric. Ik vroeg me af of Eric dit te weten was gekomen uit Bills database. 'Franklin heeft een nogal ouderwetse manier van denken.'

Dat was een goeie, voor een Vikingkrijger die zijn gelukkigste tijd had doorgebracht met plunderen en verkrachten en verwoesten.

'Vampiers gaven vroeger gewillige mensen aan elkaar door,' verklaarde Eric. 'Toen ons bestaan geheim was, was het handig om een menselijk liefje te hebben... dat wil zeggen, niet te veel bloed nemen... en dan, als er niemand meer was die haar – of hem,' voegde Eric er haastig aan toe, zodat mijn feministische kant niet beledigd zou worden, 'wilde hebben, werd die persoon, eh, volledig opgebruikt.'

Ik walgde ervan en dat was duidelijk zichtbaar. 'Je bedoelt uitgezogen,' zei ik.

'Sookie, je moet begrijpen dat we onszelf honderden, duizenden jaren hoger hebben geacht dan mensen, gescheiden van mensen.' Hij dacht even na. 'We stonden eigenlijk in precies dezelfde relatie tot mensen als mensen tot, zeg, koeien staan. Eetbaar als koeien, maar ook schattig.'

Ik stond sprakeloos. Ik had dit natuurlijk al aangevoeld, maar om het letterlijk te horen zeggen, was gewoon... misselijkmakend. Eten dat kon lopen en praten, dat waren wij. McMensen.

'Ik ga wel naar Bill. Hij kent Tara, en zij huurt haar winkelpand van hem, dus ik weet zeker dat hij haar graag zou helpen,' zei ik furieus.

'Ja. Hij zou Salome's ondergeschikte graag proberen te vermoorden. Bill staat niet boven Mickey, dus hij kan hem niet bevelen te vertrekken. Wie denk je dat het gevecht zou overleven?'

Het idee verlamde me even. Ik huiverde. Wat als Mickey won?

'Nee, ik vrees dat ik je beste hoop ben, Sookie.' Eric wierp me een stralende lach toe. 'Ik praat wel met Salome en vraag haar om haar hond terug te roepen. Niet Franklin is haar kind, maar Mickey. Aangezien hij illegaal in mijn gebied aan het jagen is, zal ze verplicht zijn hem terug te roepen.'

Hij trok een blonde wenkbrauw op. 'En aangezien je me vraagt om dit voor je te doen, sta je natuurlijk bij mij in het krijt.'

'Goh, ik vraag me af wat je in ruil wilt?' vroeg ik, misschien een beetje aan de droge en sarcastische kant.

Hij grijnsde breed naar me, en toonde een stukje hoektand. 'Vertel me wat er is gebeurd toen ik bij je in huis zat. Vertel me alles, laat niets weg. Daarna zal ik doen wat je wilt.' Hij zette beide voeten op de grond en leunde voorover, op mij geconcentreerd.

'Goed.' Hoezo met je rug tegen de muur staan? Ik keek omlaag naar mijn handen die in elkaar geklemd waren in mijn schoot.

'Hebben we seks gehad?' vroeg hij onomwonden.

Ongeveer twee minuten lang leek het erop dat dit zelfs nog leuk kon worden. 'Eric,' zei ik, 'we hadden seks in elke positie die ik me kon indenken, en sommige die ik me niet kon indenken. We hadden seks in elke kamer in mijn huis, en we hadden seks in de openlucht. Je zei tegen me dat het de beste seks was die je ooit had gehad.' (Destijds kon hij zich niet alle seks herinneren die hij ooit had gehad. Maar hij had me een compliment gegeven.) 'Jammer dat je het je niet meer kunt herinneren,' besloot ik met een bescheiden glimlach.

Eric keek alsof ik hem met een hamer op het voorhoofd had geslagen. Dertig seconden lang was zijn reactie volkomen bevredigend. Toen begon ik me ongemakkelijk te voelen.

'Is er nog iets anders wat ik moet weten?' zei hij op een toon die zo kalm en neutraal was dat het gewoon eng was.

'Eh, ja.'

'Dan kun je me wellicht op de hoogte brengen.'

'Je bood aan je positie als sheriff op te geven en bij mij te komen wonen. En een baan te zoeken.'

Oké, misschien ging dit níét zo goed. Eric kon niet witter of stiller worden. 'Ah,' zei hij. 'Nog iets anders?'

'Ja.' Ik boog mijn hoofd, want ik was bij het absoluut níét leuke gedeelte aangekomen. 'Toen we die laatste avond waren thuisgekomen, de avond waarop we het gevecht met de heksen in Shreveport hadden gehad, kwamen we binnen via de achterdeur, zoals ik altijd doe. En Debbie Pelt – je kent haar nog wel. Alcides... o, wat ze ook van hem was... Debbie zat aan mijn keukentafel. En ze had een geweer en wilde me neerschieten.' Ik waagde een vluchtige blik en ontdekte dat Erics wenkbrauwen zich hadden samengetrokken tot een onheilspellende frons. 'Maar jij wierp jezelf voor mij.' Ik leunde heel snel voorover en klopte hem op de knie. Vervolgens trok ik me terug op mijn eigen plek. 'En je incasseerde de kogel, wat erg, erg lief van je was. Maar ze wilde nogmaals schieten, en ik haalde mijn broers jachtgeweer tevoorschijn, en ik vermoordde haar.' Ik had die nacht helemaal niet gehuild, maar nu voelde ik een traan langs mijn wang lopen. 'Ik heb haar vermoord,' zei ik, en ik snakte naar adem.

Erics mond ging open alsof hij een vraag wilde stellen, maar ik stak een hand op in een 'wacht'-gebaar. Ik moest het afmaken. 'We pakten het lichaam op en deden het in een vuilniszak, en jij nam het mee en begroef haar ergens terwijl ik de keuken schoonmaakte. En je vond haar auto en verborg hem. Ik weet niet waar. Ik deed er uren over om het bloed uit de keuken te krijgen. Het zat overal op.' Ik zocht wanhopig naar mijn zelfbeheersing. Ik wreef in mijn ogen met de buitenkant van mijn pols. Mijn schouder deed zeer, en ik ging verzitten om hem te verlichten.

'En nu heeft iemand anders op je geschoten en ik was er niet om de kogel te incasseren,' zei Eric. 'Je leeft vast verkeerd. Denk je dat de familie Pelt uit is op wraak?'

'Nee,' zei ik. Ik was blij dat Eric dit allemaal zo kalm opnam. Ik weet niet wat ik had verwacht, maar dit niet. Hij leek, boven alles, ingetogen. 'Ze hebben privédetectives ingehuurd, en voor zover ik weet, vonden de privédetectives geen enkele reden om mij meer te verdenken dan iemand anders. De enige reden waarom ik trouwens werd verdacht, was omdat toen Alcide en ik dat lichaam in Shreveport in Verena Rose ontdekten, we de politie vertelden dat we verloofd waren. We moesten uitleggen waarom we samen naar een bruidswinkel gingen. Omdat hij zo'n knipperlichtrelatie met Debbie had, ging er bij de detectives nadat ze onderzoek hadden gedaan automatisch een rood lampje branden toen Alcide zei dat we gingen trouwen. Hij had achteraf een goed alibi voor het tijdstip waarop ze stierf. Maar als ze me ooit serieus verdenken, zit ik in de problemen. Ik kan jou niet als alibi opgeven, want jij was er natuurlijk niet eens, voor zover iedereen weet. Jij kunt me geen alibi geven omdat je je die nacht niet herinnert; en natuurlijk ben ik doodgewoon schuldig. Ik heb haar vermoord. Ik moest wel.' Ik weet zeker dat Kain dat had gezegd toen hij Abel doodde.

'Je praat te veel,' zei Eric.

Ik perste mijn lippen op elkaar. Het ene moment wilde hij dat ik hem alles vertelde; het volgende moment wilde hij dat ik ophield met praten.

Ongeveer vijf minuten lang staarde Eric me alleen maar aan. Ik was er niet altijd zeker van dat hij me zag. Hij was in diepe gedachten verzonken.

'Zei ik tegen je dat ik alles voor jou zou achterlaten?' zei hij aan het eind van al dat gepeins.

Ik snoof. Je kunt erop rekenen dat Eric dat als de relevante gedachte uitkoos.

'En hoe reageerde je?'

Oké, dat verraste me. 'Je kon niet zomaar bij mij blijven, zonder je iets te herinneren. Dat zou niet juist zijn.'

Hij kneep zijn ogen samen. Ik werd er moe van om te worden aangekeken door spleten blauw. 'Dus,' zei ik, en ik voelde me merkwaardig genoeg ontmoedigd. Misschien had ik een meer emotionele scène verwacht. Misschien had ik verwacht dat Eric me zou beetpakken en me zou doodkussen en me vertellen dat hij nog steeds hetzelfde voelde. Misschien was ik te dol op dagdromen. 'Ik heb je een dienst bewezen. Nu bewijs jij mij er een.'

Zonder zijn ogen van me af te wenden, griste Eric een gsm uit zijn zak en belde een nummer uit het geheugen. 'Rose-Anne,' zei hij. 'Gaat het goed met je? Ja, graag, als ze tijd heeft. Zeg haar dat ik informatie heb die haar zal interesseren.' Ik kon het antwoord aan de andere kant niet horen, maar Eric knikte, zoals hij zou doen als de spreker aanwezig was geweest. 'Natuurlijk wacht ik wel. Even.' Vlak daarna zei hij: 'En jij ook hallo, allermooiste prinses. Ja, het houdt me bezig. Hoe gaan de zaken in het casino? Juist, juist. Elke minuut wordt er een geboren. Ik bel je om je iets over je gunsteling te vertellen, die ene genaamd Mickey. Heeft hij een of andere zakelijke connectie met Franklin Mott?'

Toen gingen Erics wenkbrauwen omhoog, en lachte hij enigszins. 'Is dat zo? Ik kan het je niet kwalijk nemen. Mott probeert vast te houden aan de oude gebruiken, en dit is Amerika.' Hij luisterde weer. 'Ja, ik geef je deze informatie gratis. Als je ervoor kiest om me geen kleine wederdienst te bewijzen, is dat natuurlijk niet van belang. Je weet hoe hoog ik je acht.' Eric lachte charmant naar de telefoon. 'Wel vond ik dat je moest weten dat Mott een menselijke vrouw aan Mickey heeft doorgegeven. Mickey houdt haar onder de duim door haar leven en eigendom te bedreigen. Ze is absoluut onwillig.'

Na nog een stilte, waarin zijn lach breder werd, zei Eric: 'De kleine wederdienst is om Mickey weg te halen. Ja, dat is alles. Zorg er gewoon voor dat hij weet dat hij deze vrouw, Tara Thornton, nooit meer mag benaderen. Hij mag niets meer met haar te maken hebben, of met haar eigendom en vriendinnen. De relatie moet volledig afgekapt worden. Of anders moet ik ervoor zorgen dat er een deel van Mickey wordt afgekapt. Hij heeft dit in mijn gebied gedaan zonder het fatsoen om mij te komen bezoeken. Ik had echt betere manieren verwacht van een kind van jou. *Have I covered all the bases*?'

Dat amerikanisme klonk vreemd, uit de mond van Eric Northman. Ik vroeg me af of hij ooit basketbal had gespeeld.

'Nee, je hoeft me niet te bedanken, Salome. Ik ben blij dat ik van dienst kon zijn. En als je me zou kunnen laten weten wanneer de zaak rond is? Dank je. Nou goed, ik moet weer aan de slag.' Eric klapte de telefoon dicht en begon hem in de lucht te gooien en op te vangen, telkens weer.

'Je wist al van meet af aan dat Mickey en Franklin iets verkeerds deden,' zei ik, geschokt, maar gek genoeg niet verbaasd. 'Je weet dat hun baas graag zou willen weten dat ze de regels breken, aangezien haar vamp inbreuk maakte op jouw territorium. Dus dit heeft helemaal geen invloed op je.'

'Dat besefte ik pas toen je me vertelde wat je wilde,' wees Eric erop, de redelijkheid zelve. Hij grijnsde naar me. 'Hoe kon ik weten dat het je hartenwens was dat ik iemand anders zou helpen?'

'Wat dacht je dan dat ik wou?'

'Ik dacht dat je misschien wou dat ik betaalde voor het opknappen van je huis, of dat je me zou vragen om helpen uit te zoeken wie er op de Weers schiet. Iemand die jou voor een Weer had kunnen aanzien,' zei Eric tegen me, alsof ik dat had moeten weten. 'Bij wie was je geweest voordat je werd neergeschoten?'

'Ik was op bezoek geweest bij Calvin Norris,' zei ik, en Eric keek misnoegd.

'Dus je had zijn geur om je heen.'

'Nou, ik had hem omhelsd ten afscheid, dus ja.'

Eric keek me sceptisch aan. 'Was Alcide Herveaux er ook?'

'Hij kwam bij het huis langs,' zei ik.

'Had hij je ook omhelsd?'

'Dat weet ik niet meer,' zei ik. 'Dat doet er niet zoveel toe.'

'Wel voor iemand die veranderaars en Weers zoekt om op te schieten. En je omhelst te veel mensen.'

'Misschien was het Claudes geur,' zei ik peinzend. 'Goh, daar heb ik niet aan gedacht. Nee, wacht, Claude omhelsde me na het schieten. Dus ik geloof dat de elfengeur niet veel uitmaakte.'

'Een elf,' zei Eric, en de pupillen van zijn ogen werden zelfs groter. 'Kom eens hier, Sookie.'

O, o. Ik had misschien uit pure ergernis wat overdreven gedaan.

'Nee,' zei ik. 'Ik heb je verteld wat je wilde, je deed wat ik vroeg, en nu kun je terug naar Shreveport en mij even laten slapen. Weet je nog?' Ik wees naar mijn verbonden schouder.

'Dan kom ik wel naar jou,' zei Eric, en hij knielde voor me neer. Hij drukte zich tegen mijn benen aan en leunde voorover zodat zijn hoofd tegen mijn hals lag. Hij haalde adem, hield hem in, ademde uit. Ik moest een nerveus lachje smoren vanwege de overeenkomst die deze handeling vertoonde met het roken van drugs. 'Je stinkt,' zei

Eric, en ik verstijfde. 'Je ruikt naar veranderaar en Weer en elf. Een cocktail van verschillende rassen.'

Ik bleef volkomen roerloos staan. Zijn lippen waren ongeveer twee millimeter van mijn oor vandaan. 'Moet ik je gewoon bijten, en overal een eind aan maken?' fluisterde hij. 'Ik zou nooit meer aan je hoeven denken. Aan jou denken is een irritante gewoonte, en één waar ik vanaf wil. Of moet ik je opwinden, en uitvinden of seks met jou werkelijk de beste seks was die ik ooit heb gehad?'

Ik geloofde niet dat ik hierin een stem zou hebben. Ik schraapte mijn keel. 'Eric,' zei ik wat schor, 'we moeten ergens over praten.'

'Nee. Nee. Nee,' zei hij. Bij elke 'nee' streken zijn lippen over mijn huid.

Ik keek over zijn schouder naar het raam. 'Eric,' fluisterde ik, 'iemand staat ons in de gaten te houden.'

'Waar?' Zijn houding veranderde niet, maar Erics stemming was veranderd van een stemming die beslist gevaarlijk was voor mij in een stemming die gevaarlijk was voor iemand anders.

Omdat het ogen-bij-het-raamscenario een griezelige echo was van de situatie in de nacht dat mijn huis was verbrand, en de rondsluiper Bill was gebleken, hoopte ik dat de toeschouwer opnieuw Bill was. Misschien was hij jaloers, of nieuwsgierig, of kwam hij gewoon controleren hoe het met me was. Als de indringer een mens was, had ik zijn brein kunnen lezen en kunnen ontdekken wie hij was, of althans wat hij van plan was; maar dit was een vampier, zoals het blanke gat waar het hersenpatroon had moeten zijn me had verteld.

'Het is een vampier,' zei ik tegen Eric op de allerzachtste fluistertoon die ik kon opbrengen, en hij sloeg zijn armen om me heen en trok me naar zich toe.

'Je bent zo'n lastpak,' zei Eric, maar toch klonk hij niet

geïrriteerd. Hij klonk opgewonden. Eric was dol op actiemomenten.

Ondertussen wist ik zeker dat de loerder niet Bill was, die zichzelf bekendgemaakt zou hebben. En Charles was vermoedelijk druk bezig in Merlotte, daiquiri's aan het mixen. Dan bleef er nog één vampier in de buurt over. 'Mickey,' fluisterde ik, en mijn vingers grepen Erics overhemd vast.

'Salome heeft er sneller werk van gemaakt dan ik dacht,' zei Eric op gelijkmoedige toon. 'Hij is te kwaad om haar te gehoorzamen, vermoed ik. Hij is nog nooit hierbinnen geweest, klopt dat?'

'Klopt.' Godzijdank.

'Dan kan hij niet binnenkomen.'

'Maar hij kan het raam breken,' zei ik, terwijl links van ons glas aan diggelen werd geslagen. Mickey had een grote steen gegooid, zo groot als mijn vuist, en tot mijn schrik raakte de steen Eric vol op het hoofd. Hij ging neer als een... nou, als een steen. Hij lag bewegingloos. Donker bloed stroomde uit een diepe snee in zijn slaap. Ik sprong overeind, volledig verward bij het zien van de machtige Eric die kennelijk bewusteloos was.

'Nodig me uit om binnen te komen,' zei Mickey, vlak buiten het raam. Zijn gezicht, wit en boos, glansde in de kletterende regen. Zijn zwarte haar lag op zijn hoofd geplakt.

'Natuurlijk niet,' zei ik, naast Eric knielend, die tot mijn opluchting knipperde. Niet dat hij dood kon zijn, uiteraard, maar dan nog, als je iemand zo'n dreun ziet incasseren, vampier of niet, is dat ronduit angstaanjagend. Eric was voor de leunstoel gevallen, die met de rug naar het raam stond, dus Mickey kon hem niet zien.

Maar nu kon ik zien wat Mickey met één hand vasthield: Tara. Ze was bijna net zo bleek als hij, en ze was tot moes geslagen. Bloed stroomde uit haar mondhoek. De magere vampier had haar arm genadeloos in zijn greep. 'Ik vermoord haar als je me niet binnenlaat,' zei hij, en om zijn woorden kracht bij te zetten, legde hij beide handen om haar nek en begon te knijpen. Een donderslag en een bliksemstraal lichtten Tara's wanhopige gezicht op terwijl ze zwakjes naar zijn armen graaide. Hij lachte, de hoektanden geheel ontbloot.

Als ik hem binnenliet, zou hij ons allemaal vermoorden. Als ik hem buiten liet staan, zou ik moeten toekijken hoe hij Tara vermoordde. Ik voelde Erics handen mijn arm beetpakken. 'Ga je gang,' zei ik, terwijl ik mijn blik niet van Mickey afwendde. Eric beet, en het deed verduiveld pijn. Hij ging totaal niet met finesse te werk. Hij wilde uit alle macht zo gauw mogelijk genezen.

Ik moest de pijn maar gewoon verbijten. Ik deed mijn best om mijn gezicht onbeweeglijk te houden, maar toen besefte ik dat ik nogal wat reden had om van streek te kijken. 'Laat haar los!' gilde ik Mickey toe, in een poging een paar seconden te rekken. Ik vroeg me af of de buren op waren, of ze het tumult konden horen, en ik bad dat ze niet op onderzoek uit zouden gaan om te ontdekken wat er aan de hand was. Ik was zelfs bang voor de politie, als ze zouden komen. We hadden geen vampieragenten om vampierdelinquenten aan te pakken, zoals de steden wel hadden.

'Ik laat haar gaan als je me binnenlaat,' gilde Mickey. Hij leek net een bezetene daarbuiten in de regen. 'Hoe is 't met je tamme vamp?'

'Hij ligt nog steeds buiten westen,' loog ik. 'Je hebt hem erg verwond.' Het kostte helemaal geen moeite om mijn stem te laten overslaan alsof ik op het punt stond in tranen uit te barsten. 'Ik kan zijn schedel zien,' jammerde ik, naar Eric omlaagkijkend om te zien dat hij nog steeds zo gulzig dronk als een hongerige baby. Zijn hoofd genas terwijl ik toekeek. Ik had vamps al eerder zien genezen, maar het was nog steeds verbazingwekkend. 'Hij kan zijn ogen niet eens opendoen,' voegde ik er op een diepbedroefde manier aan toe, en net op dat moment flitsten Erics blauwe ogen naar me op. Ik wist niet of hij al gereed was om te vechten, maar ik kon niet toezien hoe Tara werd gewurgd. 'Nog niet,' zei Eric dringend, maar ik had Mickey al gezegd binnen te komen.

'Oeps,' zei ik, en toen gleed Mickey door het raam in een merkwaardig botloze beweging. Hij sloeg het gebroken glas nonchalant uit de weg, alsof het hem geen pijn deed als hij werd verwond. Hij sleepte Tara achter zich aan, maar hij had tenminste zijn greep verplaatst van haar nek naar haar arm. Toen liet hij haar op de grond vallen, en de regen die door het raam kwam, kletterde op haar neer, hoewel ze niet natter kon worden dan ze al was. Ik wist niet eens zeker of ze wel bij bewustzijn was. Haar ogen waren gesloten in haar bloederige gezicht, en haar blauwe plekken werden zwart. Ik stond op, wankelend van het bloedverlies, maar hield mijn pols verborgen door hem op de rug van de leunstoel te laten steunen. Ik had gevoeld dat Eric hem likte, maar het zou even duren voor hij genezen zou zijn.

'Wat wil je?' vroeg ik Mickey. Alsof ik dat niet wist.

'Je kop, teef,' zei hij, zijn smalle gelaatstrekken verwrongen van haat, zijn hoektanden stonden helemaal uit. Ze waren wit en glanzend en scherp in het schelle plafondlicht. 'Op je knieën voor je meerdere!' Voor ik hoe dan ook kon reageren – zelfs voor ik kon knipperen – sloeg de vampier me met de rug van zijn hand, en ik struikelde door de kleine kamer, waarna ik half op de bank landde voor ik op de vloer gleed. De lucht stroomde met één groot sis uit me, en ik kon me domweg niet bewegen, ik kon niet eens naar adem snakken, gedurende een martelend lange minuut. Ondertussen zat Mickey boven op me, zijn bedoelingen waren volkomen helder toen hij omlaag reikte om zijn broek open te ritsen. 'Dit is alles waar je goed voor bent!' zei hij, en zijn verachting maakte hem zelfs nog lelijker. Hij probeerde bovendien mijn hoofd in te dringen, en forceerde met geweld de angst voor hem mijn brein in om me te intimideren.

En mijn longen vulden zich. De opluchting te kunnen ademhalen was enorm. Met de lucht kwam de woede, alsof ik die tegelijk met de zuurstof had geïnhaleerd. Dit was de troef die mannelijke bullebakken speelden, altijd. Ik was het zat – zat om bang te zijn voor de pik van de boeman.

'Nee!' schreeuwde ik naar hem. 'Nee!' En eindelijk kon ik weer nadenken; eindelijk liet de angst me los. 'Je uitnodiging is ingetrokken!' Ik gilde, en het was zijn beurt om in paniek te raken. Hij steigerde van me af, hij zag er belachelijk uit met zijn broek open, en hij ging achterwaarts het raam uit, waarbij hij op de arme Tara stapte toen hij ging. Hij probeerde te bukken, om haar beet te pakken zodat hij haar met zich mee kon trekken, maar ik stormde door het kamertje om haar enkels vast te grijpen, en haar armen waren te glad van de regen om hem houvast te geven, en de magie die hem in bedwang had, was te sterk. Binnen een seconde stond hij buiten naar binnen te kijken, schreeuwend van woede. Toen keek hij naar het oosten, alsof hij iemand hoorde roepen, en hij verdween in het donker.

Eric trok zichzelf overeind, hij zag er bijna net zo geschrokken uit als Mickey. 'Zo helder kunnen de meeste mensen niet denken,' zei hij zacht in de plotselinge stilte. 'Hoe gaat 't met je, Sookie?' Hij stak een hand omlaag en trok me overeind. 'Ik voel me persoonlijk een stuk beter. Ik heb je bloed gedronken zonder je te hoeven overhalen, en ik hoefde niet met Mickey te vechten. Jij hebt al het werk gedaan.'

'Jij werd met een steen tegen je hoofd geraakt,' merkte ik op, blij om gewoon even te kunnen blijven staan, hoewel ik wist dat ik een ambulance voor Tara moest bellen. Ik voelde me persoonlijk een beetje aan de slappe kant.

'Een kleine prijs,' zei Eric tegen me. Hij haalde zijn gsm tevoorschijn, klapte hem open, en drukte op de REDIAL-knop. 'Salome,' zei Eric, 'ben blij dat je opneemt. Hij probeert te vluchten...'

Ik hoorde het vrolijke gelach aan de andere kant van de telefoon. Het was angstaanjagend. Ik kon geen greintje medelijden hebben met Mickey, maar ik was blij dat ik zijn afstraffing niet zou hoeven meemaken.

'Pakt Salome hem wel?' vroeg ik.

Eric knikte opgewekt terwijl hij zijn telefoon weer in zijn zak stopte. 'En ze kan pijnlijkere dingen met hem doen dan ik me ooit kan voorstellen,' zei hij. 'Hoewel ik me er nu genoeg kan voorstellen.'

'Is ze zo, eh, creatief?'

'Hij is van haar. Ze kan met hem doen wat ze wil. Hij kan haar niet ongehoorzamen en ongestraft wegkomen. Hij moet naar haar toe als ze hem roept, en ze roept.'

'Niet per telefoon, neem ik aan,' waagde ik.

Zijn ogen glinsterden naar me. 'Nee, een telefoon heeft ze niet nodig. Hij probeert te vluchten, maar hij zal uiteindelijk naar haar toe gaan. Hoe langer hij weigert toe te geven, hoe erger zijn marteling zal zijn. Uiteraard,' voegde hij eraan toe, voor het geval ik de strekking niet begreep, 'hoort dat ook zo.'

'Pam is van jou, hè?' vroeg ik, terwijl ik op mijn knieën viel en mijn vingers tegen Tara's koude nek legde. Ik wilde haar niet aankijken.

'Ja,' zei Eric. 'Ze mag gaan wanneer ze wil, maar ze komt terug als ik haar laat weten dat ik haar hulp nodig heb.'

Ik wist niet wat ik daarvan moest denken, maar dat maakte niet echt een hoop verschil. Tara snikte en kreunde. 'Wakker worden, meisje,' zei ik. 'Tara! Ik bel een ambulance voor je.'

'Nee,' zei ze scherp. 'Nee.' Dat woord werd vanavond wel vaker gezegd.

'Maar je bent heel erg gewond.'

'Ik kan niet naar het ziekenhuis. Iedereen zal het weten.'

'Iedereen zal weten dat iemand je verrot heeft geslagen als je een paar weken niet naar je werk kunt, jij idioot.'

'Je mag wel wat van mijn bloed,' bood Eric aan. Hij keek omlaag naar Tara zonder enige merkbare emotie.

'Nee,' zei ze. 'Ik ga nog liever dood.'

'Misschien ga je dat ook,' zei ik, terwijl ik haar inspecteerde. 'O, maar je hebt bloed gedronken van Franklin of Mickey.' Ik vermoedde enige vergelding in hun vrijpartijen.

'Natuurlijk niet,' zei ze, geschokt. Het afgrijzen in haar stem verraste me. Ik had vampierbloed gedronken toen ik het nodig had. Zonder, zou ik de eerste keer zijn gestorven.

'Dan moet je naar het ziekenhuis.' Ik was erg bang dat Tara misschien interne verwondingen had. 'Ik heb liever niet dat je je beweegt,' wierp ik tegen, toen ze zich omhoog probeerde te duwen in een zithouding. Mr. Superkracht hielp niet, wat me ergerde, omdat hij haar makkelijk kon hebben verschoven.

Maar ten slotte slaagde Tara erin met haar rug tegen de muur te zitten; het lege venster liet de kille wind naar binnen waaien waardoor de gordijnen begonnen te wapperen. De regen was bedaard tot er nog maar enkele druppels naar binnen vielen. Het linoleum voor het raam was nat van het water en het bloed, en het glas lag in glinsterende, scherpe scherven, waarvan enkele aan Tara's vochtige kleren en huid kleefden.

'Tara, luister naar me,' zei Eric. Ze keek naar hem op. Omdat ze dicht bij het tl-licht zat, moest ze haar ogen half dichtknijpen. Ik vond dat ze er meelijwekkend uitzag, maar Eric leek niet dezelfde persoon te zien als de persoon die ik zag. 'Jouw hebzucht en egoïsme brachten mijn... mijn vriendin Sookie in gevaar. Je zegt dat je haar vriendin bent, maar zo gedraag je je niet.'

Had Tara me geen pakje geleend toen ik het nodig had? Had ze me niet haar auto geleend toen de mijne was verbrand? Had ze me niet in andere situaties geholpen toen ik dat nodig had? 'Eric, dat is jouw zaak niet,' zei ik.

'Jij belde me en vroeg om mijn hulp. Dat maakt het mijn zaak. Ik belde Salome en vertelde haar waar haar kind mee bezig was, en ze heeft hem weggehaald om hem ervoor te straffen. Is dat niet wat je wilde?'

'Ja,' zei ik, en ik schaam me ervoor te zeggen dat ik stuurs klonk.

'Dan geef ik Tara mijn mening.' Hij keek weer naar haar omlaag. 'Begrijp je me?'

Tara knikte pijnlijk. De blauwe plekken op haar gezicht en keel leken met de minuut donkerder te worden.

'Ik haal wat ijs voor je keel,' zei ik tegen haar, en ik rende de keuken in om ijs uit de plastic bakjes in een herafsluitbare zak te kwakken. Ik wilde Eric niet horen tekeergaan tegen haar; ze zag er zo zielig uit.

Toen ik minder dan een minuut later terugkwam, was Eric klaar met wat hij ook tegen Tara wilde zeggen. Ze betastte heel voorzichtig haar nek, en ze nam de zak van me aan en hield hem tegen haar keel. Terwijl ik over haar heen leunde, bezorgd en bang, hing Eric weer aan zijn gsm.

Ik trilde van ongerustheid. 'Je hebt een dokter nodig,' zei ik smekend.

'Nee,' zei ze.

Ik keek op naar Eric, die net zijn telefoontje beëindigde. Hij was de verwondingsdeskundige.

'Ze geneest wel zonder naar het ziekenhuis te gaan,' zei hij kort. Zijn onverschilligheid deed een rilling langs mijn rug lopen. Net toen ik dacht dat ik aan ze gewend was, lieten vampiers me hun ware gezicht zien, en moest ik mezelf opnieuw voorhouden dat ze van een ander ras waren. Of misschien waren het eeuwen van conditionering die het verschil maakten; decennialang ruimden ze mensen naar willekeur uit de weg, namen ze wat ze wilden, verdroegen ze de tweedeling die inhield dat ze de machtigste wezens op aarde waren in de duisternis, en toch volledig hulpeloos en kwetsbaar tijdens de uren van het licht.

'Maar kan ze permanent letsel hebben? Iets wat de dokters zouden kunnen verhelpen als ze er snel heen ging?'

'Ik ben er vrij zeker van dat haar keel alleen maar zwaar gekneusd is. Ze heeft een paar gebroken ribben van de klappen, mogelijk enkele losse tanden. Mickey had haar kaak en haar nek heel makkelijk kunnen breken, weet je. Hij wilde vermoedelijk dat ze tegen jou kon praten toen hij haar hier mee naartoe nam, dus hij hield zich een beetje in. Hij rekende erop dat jij in paniek zou raken en hem binnenliet. Hij had niet gedacht dat jij je gedachten zo snel bij elkaar kon rapen. Als ik hem was geweest, had ik als eerste je mond of nek beschadigd zodat je mijn toegang niet kon intrekken.'

Die mogelijkheid was niet bij me opgekomen, en ik verbleekte.

'Toen hij je sloeg met de rug van zijn hand, was dat volgens mij wat hij probeerde te doen,' vervolgde Eric emotieloos.

Ik had genoeg gehoord. Ik stopte een bezem en blik in zijn handen. Hij keek ernaar alsof het antieke kunstvoorwerpen waren en hij het nut ervan niet kon bevatten.

'Veeg op,' zei ik, terwijl ik een nat washandje gebruikte om het bloed en het vuil van mijn vriendin te vegen. Ik wist niet hoeveel Tara van dit gesprek in zich opnam, maar haar ogen waren open en haar mond was gesloten, dus misschien was ze aan het luisteren. Misschien was ze zich alleen maar door de pijn heen aan het werken.

Eric bewoog experimenteel met de bezem en deed een poging om het glas op het blik te vegen terwijl het midden op de vloer lag. Natuurlijk gleed het blik weg. Eric fronste het voorhoofd.

Ik had eindelijk iets gevonden waar Eric slecht in was.

'Kun je staan?' vroeg ik aan Tara. Ze concentreerde zich op mijn gezicht en knikte heel lichtjes. Ik ging op mijn hurken zitten en pakte haar handen vast. Langzaam en pijnlijk trok ze haar knieën op, en toen duwde ze zich weg terwijl ik trok. Hoewel het raam voor het merendeel in grote stukken was gebroken, vielen er een paar glasscherven van haar af toen ze opstond, en ik wierp Eric een snelle blik toe om ervoor te zorgen dat hij begreep dat hij ze moest opruimen. Hij had een vernietigende uitdrukking op zijn gezicht.

Ik probeerde mijn arm om Tara te slaan om haar mijn slaapkamer in te helpen, maar mijn gewonde schouder gaf zo onverwacht een steek van pijn dat ik ineenkromp. Eric gooide het blik neer. Hij pakte Tara in één vloeiende beweging op en legde haar op de bank in plaats van op mijn bed. Ik deed mijn mond open om te protesteren en hij keek me aan. Ik deed mijn mond dicht. Ik liep naar de keuken om een van mijn pijnstillers te halen, en kreeg Tara zover dat ze er één innam, wat enige overreding kostte. Het medicijn leek haar knock-out te slaan, of misschien wilde ze gewoon niet met Eric geconfronteerd worden. Hoe dan ook, ze hield haar ogen dicht en haar lichaam slap, en langzaamaan begon ze gelijkmatig en diep te ademen.

Eric overhandigde me de bezem met een triomfantelijke lach. Omdat hij Tara had opgetild, zat ik nu blijkbaar met zijn taak opgescheept. Ik was onhandig vanwege mijn slechte schouder, maar ik veegde het glas op en gooide het weg in een vuilniszak. Eric draaide zich om naar de deur. Ik had niemand horen aankomen, maar Eric deed de deur voor Bill open voor deze zelfs maar had geklopt. Erics eerdere telefoongesprek moest met Bill zijn geweest. Ergens was dat logisch; Bill leefde onder zijn leenheerschap, of hoe ze het ook noemden. Eric had hulp nodig, dus Bill was verplicht die te verschaffen. Mijn ex was beladen met een groot stuk triplex, een hamer en een doosje spijkers.

'Kom erin,' zei ik toen Bill stilhield in de deuropening, en zonder een woord tegen elkaar te zeggen, spijkerden de twee vampiers het hout voor het raam. Om te zeggen dat ik me ongemakkelijk voelde, was een understatement, maar dankzij de gebeurtenissen van die avond was ik niet zo gevoelig als ik op een ander moment zou zijn geweest. Ik werd vooral in beslag genomen door de pijn in mijn schouder, en Tara's herstel, en de huidige verblijfplaats van Mickey. In de extra ruimte die ik overhad na me over die items druk te maken, propte ik nog wat ongerustheid over het vervangen van Sams raam, en of de buren genoeg van deze herrie hadden gehoord om de politie te bellen. Alles bij elkaar dacht ik van niet; anders zou iemand hier inmiddels wel zijn.

Toen Bill en Eric klaar waren met hun tijdelijke reparatie, keken ze toe terwijl ik het water en bloed op het linoleum opdweilde. De stilte begon zwaar te drukken op ons alle drie: althans, op mijn derde van ons drieën. Bills tederheid toen hij me de avond ervoor had verzorgd, had me geroerd. Maar Erics pas verworven kennis van onze intimiteit bracht mijn zelfbewustzijn op een heel ander niveau. Ik was in dezelfde kamer met twee kerels die allebei wisten dat ik met de ander naar bed was geweest.

Ik wilde een gat graven en erin gaan liggen en de opening met me naar binnen trekken, als een figuurtje in een tekenfilm. Ik kon ze geen van beiden recht aankijken.

Als ik allebei hun uitnodigingen introk, zouden ze zonder een woord naar buiten moeten lopen; maar gezien het feit dat ze me net allebei hadden geholpen, zou zo'n handeling onbeleefd zijn. Ik had al eerder mijn problemen met hen op precies die manier opgelost. Hoewel ik in de verleiding stond om het te herhalen en zo mijn persoonlijke gêne te verzachten, kon ik het simpelweg niet maken. Dus wat moesten we nu doen?

Moest ik een ruzie uitlokken? Tegen elkaar schreeuwen zou misschien de lucht klaren. Of misschien een openhartige erkenning van de situatie... nee. Ik kreeg opeens een beeld voor me van ons alle drie klimmend in het tweepersoonsbed op de kleine slaapkamer. In plaats van onze conflicten uit te véchten, of onze problemen uit te práten, konden we... nee. Ik voelde mijn gezicht vuurrood worden, terwijl ik in tweestrijd was tussen semihysterische pret en een flinke scheut schaamte bij alleen de gedachte al. Jason en zijn maatje Hoyt hadden het er vaak over gehad (terwijl ik ze kon horen) dat het de fantasie van elke man was om met twee vrouwen in bed te liggen. En de mannen die het café binnenkwamen echoden dat idee, zoals ik wist na Jasons theorie getoetst te hebben door een willekeurig specimen van mannelijke gedachten te lezen. Ik mocht toch zeker wel dezelfde fantasie koesteren? Ik kreeg een hysterische soort giechelbui, die beide vampiers beslist deed opschrikken.

'Is dit vermakelijk?' vroeg Bill. Hij gebaarde van de triplex naar de liggende Tara, naar het verband om mijn schouder. Hij verzuimde om van Eric naar zichzelf te wijzen. Ik lachte hardop.

Eric trok een blonde wenkbrauw op. 'Zijn *wij* vermakelijk?'

Ik knikte stilzwijgend. Ik dacht: in plaats van een kookwedstrijd, konden we een pookwedstrijd houden. In plaats van een visderby, konden we een...

Tenminste voor een deel omdat ik moe was, en gespannen, en beroofd van bloed, ging ik behoorlijk raar doen. Ik lachte nog harder toen ik naar de gezichten van Eric en Bill keek. Ze vertoonden bijna identieke uitdrukkingen van ergernis.

Eric zei: 'Sookie, we zijn nog niet klaar met onze discussie.'

'O jawel,' zei ik, hoewel ik nog steeds lachte. 'Ik vroeg je om een dienst: Tara verlossen van haar onderworpenheid aan Mickey. Jij vroeg me om een beloning voor die dienst: jou vertellen wat er is gebeurd toen je je geheugen verloor. Jij kwam jouw deel van de afspraak na, en ik het mijne. De koop is klaar. Einde.'

Bill keek van Eric naar mij. Nu wist hij dat Eric wist wat ik wist... Ik giechelde weer. Toen werd alle zotheid gewoon uit me gezogen. Ik was een leeggelopen ballon, zeker weten. 'Welterusten, allebei,' zei ik. 'Bedankt, Eric, dat je die steen tegen je hoofd hebt geïncasseerd, en dat je de hele avond je telefoon bij de hand had. Bedankt, Bill, dat je nog zo laat kwam opdraven met reparatiemateriaal voor het raam. Dat stel ik op prijs, ook al bood Eric je aan.' Onder normale omstandigheden – als er zoiets bestond als normale omstandigheden met vampiers in de buurt – zou ik ze elk een omhelzing hebben gegeven, maar dat leek gewoon al te vreemd. 'Weg, jullie,' zei ik. 'Ik moet naar bed. Ik ben bekaf.'

'Moet er niet een van ons hier bij je blijven vanavond?' vroeg Bill.

Als ik daarop ja had moeten zeggen, een van hen had

moeten uitkiezen om die nacht bij me te blijven, zou het Bill geweest zijn – als ik op hem had kunnen rekenen om net zo inschikkelijk en teder te zijn als hij de nacht ervoor was geweest. Het allerheerlijkst ter wereld als je je down voelt en pijn hebt, is om je gekoesterd te voelen. Maar dat was een teveel aan onzekere factoren voor vanavond.

'Ik denk dat het wel goed met hem zal gaan,' zei ik. 'Eric heeft me ervan verzekerd dat Salome Mickey in een mum van tijd zal binnenhalen, en ik heb boven alles behoefte aan slaap. Ik ben jullie allebei dankbaar dat jullie vanavond kwamen opdagen.'

Een moment lang dacht ik dat ze misschien gewoon 'Nee' zouden zeggen en zouden kijken wie het langste kon wachten. Maar Eric kuste me op het voorhoofd en vertrok, en Bill, die niet voor hem wilde onderdoen, streek langs mijn lippen met de zijne en ging weg. Toen de twee vampiers waren opgestapt, was ik dolblij om alleen te zijn.

Natuurlijk was ik niet echt alleen. Tara lag bewusteloos op de bank. Ik zorgde ervoor dat ze gemakkelijk lag – deed haar schoenen uit, haalde de deken van mijn bed om haar te bedekken – en viel toen in mijn eigen bed.

14

IK SLIEP URENLANG.
Toen ik wakker werd, was Tara vertrokken.

Ik voelde een steek van paniek, tot ik me realiseerde dat ze de deken had opgevouwen, haar gezicht had gewassen in de badkamer (nat washandje), en haar schoenen had aangedaan. Ze had bovendien een berichtje voor me achtergelaten, op een oude envelop die al het begin van mijn boodschappenlijstje bevatte. Er stond op: 'Ik bel je nog wel. T' – een bondig briefje, dat niet echt deed denken aan zusterliefde.

Ik voelde me een beetje verdrietig. Ik dacht niet dat ik Tara's favoriete persoon zou zijn de komende tijd. Ze had zichzelf van dichterbij moeten bekijken dan ze had gewild.

Er is een tijd van nadenken, en er is een tijd van braak

liggen. Vandaag was een braakliggende dag. Mijn schouder voelde veel beter, en ik besloot naar het Wal-Mart Supercenter in Clarice te rijden en al mijn boodschappen in één rit achter de rug te hebben. Bovendien zou ik daar niet zoveel mensen tegenkomen die ik kende, en zou ik het er niet over hoeven te hebben dat ik was neergeschoten.

Het was erg vredig om anoniem te zijn in de grote winkel. Ik bewoog me langzaam voort en las etiketten, en ik koos zelfs een douchegordijn uit voor de badkamer in de twee-onder-een-kapwoning. Ik nam de tijd om mijn lijstje af te werken. Toen ik de tassen van het karretje in de auto legde, probeerde ik al het tillen met mijn rechterarm te doen. Ik droop bijna van deugdzaamheid toen ik weer aankwam bij het huis in Berry Street.

Het busje van de Bon Temps Bloemist stond op de oprijlaan. Het hart van iedere vrouw maakt een sprongetje als het busje van de bloemist stopt, en ik was daarop geen uitzondering.

'Ik heb hier een meervoudige bestelling,' zei de vrouw van Bud Dearborn, Greta. Greta had een plat gezicht net als de sheriff en was plomp net als de sheriff, maar ze had een vrolijk en argeloos karakter. 'Je bent een bofkont, Sookie.'

'Ja, mevrouw, inderdaad,' stemde ik in, met slechts een zweempje ironie. Nadat Greta had geholpen mijn tassen mee naar binnen te dragen, begon ze de bloemen naar binnen te dragen.

Tara had me een vaasje met margrieten en anjers gestuurd. Ik ben erg dol op margrieten, en het geel en wit zag er mooi uit in mijn keukentje. Op de kaart stond alleen 'Van Tara'.

Calvin had een klein gardeniastruikje gestuurd, ingepakt in zijdepapier en met een grote strik eromheen. Hij stond klaar om uit de plastic pot te schieten en geplant te worden zodra het gevaar van vorst geweken was. Ik was onder de indruk van de attentheid van het geschenk, aangezien de gardeniastruik mijn tuin jarenlang met een aangename geur zou vullen. Omdat hij de bestelling telefonisch had moeten doen, stond er op de kaart de gebruikelijke gelukwens: 'Ik denk aan je, Calvin'.

Pam had een gemengd boeket gestuurd, en op de kaart stond: 'Laat je niet meer neerschieten. Van de bende van Fangtasia'. Dat maakte me een beetje aan het lachen. Automatisch dacht ik eraan om bedankbriefjes te schrijven, maar natuurlijk had ik mijn briefpapier en enveloppen niet bij me. Ik zou wel bij de drogisterij langsgaan om wat te halen. De dorpsdrogisterij had een hoekje met een kaartenwinkel die ook pakjes aannam voor de ophaaldienst van UPS. Je moest wel van meerdere markten thuis zijn in Bon Temps.

Ik legde mijn aankopen weg, hing onhandig het douchegordijn op en friste me op voor mijn werk.

Sweetie Des Arts was de eerste persoon die ik zag toen ik door de personeelsingang liep. Ze had een armvol theedoeken vast, en ze had haar schort omgeknoopt. 'Jij bent maar moeilijk om te brengen,' merkte ze op. 'Hoe voel je je?'

'Ik ben in orde,' zei ik. Ik had de indruk dat Sweetie me had staan opwachten, en ik was dankbaar voor het gebaar.

'Ik hoor dat je net op tijd wegdook,' zei ze. 'Hoe kwam dat? Hoorde je iets?'

'Niet precies,' zei ik. Sam hinkte op dat moment zijn kantoor uit, met behulp van zijn stok. Hij keek chagrijnig. Ik had helemaal geen zin om mijn eigenaardige trekje uit te leggen aan Sweetie in Sams tijd. Ik zei: 'Ik had gewoon zo'n gevoel', en haalde mijn schouders op, wat onverwacht pijnlijk was.

Sweetie schudde haar hoofd omdat ik op het nippertje was ontsnapt aan de dood, ze draaide zich om en liep door het café terug naar de keuken.

Sam gebaarde met zijn hoofd naar zijn kantoor, en met lood in de schoenen volgde ik hem naar binnen. Hij deed de deur achter ons dicht. 'Wat was je aan het doen toen je werd neergeschoten?' vroeg hij. Zijn ogen stonden fel van boosheid.

Ik ging niet de schuld op me nemen voor wat mij was overkomen. Ik zag Sam onder ogen, kwam voor mezelf op. 'Ik leende alleen maar wat bibliotheekboeken,' zei ik met opeengeklemde kaken.

'Waarom zou hij denken dat je een veranderaar bent?'

'Ik heb geen idee.'

'Bij wie was je geweest?'

'Ik was Calvin wezen opzoeken, en ik was...' Mijn stem stierf weg toen ik bleef haken aan het staartje van een gedachte.

'Wie kan weten of je naar een veranderaar ruikt?' vroeg ik langzaam. 'Niemand behalve een andere veranderaar, toch? Of iemand met veranderaarsbloed. Of een vampier. Iets bovennatuurlijks.'

'Maar we hebben de laatste tijd geen onbekende veranderaars hier in de buurt gehad.'

'Ben je bij de plek geweest waar de schutter moet zijn geweest, om te ruiken?'

'Nee, de enige keer dat ik bij een schietpartij ter plekke was, had ik het te druk met op de grond liggen schreeuwen terwijl er bloed uit mijn been liep.'

'Maar misschien kun je nu iets oppikken.'

Sam keek twijfelachtig omlaag naar zijn been. 'Het heeft geregend, maar het is het proberen waard,' gaf hij toe. 'Daar had ik zelf aan moeten denken. Oké, vanavond, na het werk.'

'Afgesproken,' zei ik luchthartig terwijl Sam neerzonk in zijn kraakstoel. Ik legde mijn tas in de la die Sam leeg hield en ging mijn tafels bedienen.

Charles was hard aan het werk. Hij knikte en lachte even naar me en concentreerde zich toen op het peil van het bier in de kan die hij tegen de tap hield. Een van onze onveranderlijke dronkaards, Jane Bodehouse, zat aan de bar met de ogen strak op Charles gericht. Het scheen de vampier geen ongemakkelijk gevoel te geven. Ik zag dat het ritme van het café weer normaal was; de nieuwe barman was opgegaan in de achtergrond.

Nadat ik ongeveer een uur had gewerkt, kwam Jason binnen. Crystal had zich in de kromming van zijn arm genesteld. Ik had hem nog nooit zo gelukkig gezien. Hij was opgewonden over zijn nieuwe leven en erg blij met Crystals gezelschap. Ik vroeg me af hoe lang dat zou duren. Maar Crystal zelf leek vrijwel dezelfde mening toegedaan.

Ze zei tegen me dat Calvin de volgende dag uit het ziekenhuis zou komen en terug naar Hotshot zou gaan. Ik zorgde ervoor dat ik de bloemen noemde die hij had gestuurd en zei tegen haar dat ik een gerecht voor Calvin zou klaarmaken ter ere van zijn thuiskomst.

Crystal was er vrij zeker van dat ze zwanger was. Zelfs door de wirwar van een veranderaarsbrein heen kon ik die gedachte glashelder lezen. Het was niet de eerste keer dat ik had gehoord dat een of ander meisje met wie Jason 'uitging' ervan overtuigd was dat hij vader zou worden, en ik hoopte dat deze keer net zo onjuist was als de laatste keer. Het was niet zo dat ik iets tegen Crystal had... Nou, dat was een leugen die ik mezelf vertelde. Ik had wél iets tegen Crystal. Crystal maakte deel uit van Hotshot, en ze zou er nooit weggaan. Ik wilde niet dat een nichtje of neefje van mij opgroeide in die kleine rare gemeenschap, binnen de pulserende, magische invloed van het kruispunt dat het centrum ervan vormde.

Crystal hield haar verlate menstruatie op dit moment geheim voor Jason, vastbesloten te zwijgen tot ze er zeker van was wat het betekende. Dat stelde ik op prijs. Ze dronk met kleine teugjes van één biertje, terwijl Jason er twee achteroversloeg, en daarna vertrokken ze naar de film in Clarice. Jason omhelsde me op weg naar buiten terwijl ik drankjes uitdeelde aan een groepje ordehandhavers. Alcee Beck, Bud Dearborn, Andy Bellefleur, Kevin Pryor en Kenya Jones, plus Arlenes nieuwe vlam, technisch rechercheur Dennis Pettibone, zaten allemaal bijeengekropen rondom twee tafels die in een hoek tegen elkaar waren geduwd. Er zaten twee onbekenden bij hen, maar ik pikte moeiteloos op dat die twee mannen ook agenten waren, onderdeel van een of andere speciale eenheid.

Arlene had ze misschien graag willen bedienen, maar ze zaten duidelijk in mijn gebied, en ze zaten duidelijk te praten over iets razend belangrijks. Als ik de drankjes opnam, vielen ze allemaal stil, en als ik wegliep, pakten ze hun gesprek weer op. Wat ze hardop zeiden, maakte natuurlijk geen enkel verschil voor mij, aangezien ik wist wat ieder van hen dacht.

En dat wisten ze allemaal maar al te goed; en dat waren ze allemaal vergeten. Alcee Beck vooral was als de dood voor mij, maar zelfs hij dacht niet aan mijn gave, hoewel ik die hem al eerder had gedemonstreerd. Hetzelfde gold voor Andy Bellefleur.

'Wat is de ordehandhavingsconventie in de hoek aan het bekokstoven?' vroeg Charles. Jane was naar het damestoilet gewaggeld, en hij stond tijdelijk alleen bij de bar.

'Eens even zien,' zei ik, terwijl ik mijn ogen dichtdeed zodat ik me beter kon concentreren. 'Nou, ze denken erover om de surveillancepost voor de schutter naar een ander parkeerterrein te verhuizen vanavond, en ze zijn ervan overtuigd dat de brandstichting te maken heeft met de schietpartijen en dat Jeff Marriots dood op een of andere manier met alles verband houdt. Ze vragen zich zelfs af of de verdwijning van Debbie Pelt in deze reeks misdaden is inbegrepen, omdat ze voor het laatst is gezien toen ze aan de snelweg benzine tankte bij het tankstation het dichtste bij Bon Temps. En mijn broer, Jason, was een tijdje geleden een paar weken verdwenen; misschien past dat ook bij het geheel.' Ik schudde mijn hoofd en deed mijn ogen open om te ontdekken dat Charles verontrustend dichtbij stond. Zijn ene goede oog, zijn rechter, staarde strak in mijn linker.

'Je hebt erg ongewone gaven, jongedame,' zei hij na een ogenblik. 'Mijn vorige werkgever verzamelde het ongewone.'

'Voor wie werkte je voor je in Erics gebied kwam?' vroeg ik. Hij wendde zich af om de Jack Daniel's te pakken.

'De koning van Mississippi,' zei hij.

Het voelde alsof iemand het kleed onder mijn voeten vandaan had getrokken. 'Waarom ben je uit Mississippi weggegaan en hierheen gekomen?' vroeg ik, het geloei negerend van de tafel anderhalve meter verderop.

De koning van Mississippi, Russell Edgington, kende me als Alcides vriendin, maar hij kende me niet als een telepaat die af en toe werd ingehuurd door vampiers. Het was best mogelijk dat Edgington misschien een wrok tegen me koesterde. Bill had vastgezeten in de voormalige stallen achter Edgingtons villa en was gemarteld door Lorena, het schepsel dat Bill in een vampier had veranderd ruim honderdveertig jaar geleden. Bill was ontsnapt. Lorena was gestorven. Russell Edgington hoefde niet noodzakelijkerwijs te weten dat ik achter deze gebeurtenissen zat. Maar anderzijds wist hij het misschien wel.

'Ik was Russells gewoonten zat,' zei sir Charles. 'Ik behoor niet tot zijn seksuele slag, en omringd te worden door perversiteit begon vervelend te worden.'

Edgington genoot van het gezelschap van mannen, dat

was waar. Hij had er een huis vol van, evenals een vaste menselijke metgezel, Talbot.

Het was mogelijk dat Charles aanwezig was toen ik er op bezoek was, hoewel ik hem niet had opgemerkt. Ik was ernstig gewond de avond dat ik naar de villa werd gebracht. Ik had niet alle bewoners gezien, en degenen die ik wel had gezien, herinnerde ik me niet allemaal.

Ik werd me ervan bewust dat de piraat en ik oogcontact hielden. Als ze enige tijd hebben overleefd, kunnen vampiers menselijke emoties erg goed lezen, en ik vroeg me af wat Charles Twining opmaakte uit mijn gezicht en houding. Dit was een van de weinige keren dat ik zou willen dat ik de gedachten van een vampier kon lezen. Ik was heel benieuwd of Eric op de hoogte was van Charles' achtergrond. Eric zou hem toch niet hebben aangenomen zonder zijn achtergrond na te trekken? Hij was een behoedzame vampier. Hij was getuige geweest van een historie die ik me niet kon voorstellen, en hij had die overleefd omdat hij voorzichtig was.

Ten slotte wendde ik me af om te reageren op de aanmaning van de ongeduldige dakdekkers die al minutenlang hadden geprobeerd om me hun bierpullen opnieuw te laten vullen.

Ik vermeed het om tegen onze nieuwe barman te praten de rest van de avond. Ik vroeg me af waarom hij me zoveel had verteld. Of Charles wilde me laten weten dat hij me in de gaten hield, of hij had er echt geen idee van dat ik onlangs in Mississippi was geweest.

Ik had veel om over na te denken.

Het werk zat er die avond eindelijk bijna op. We moesten Janes zoon bellen om zijn bezopen familielid op te komen halen, maar dat was niets nieuws. De piratenbarman had in een behoorlijk tempo gewerkt, en hij maakte nooit fouten en zorgde ervoor voor elke klant een vriendelijk woordje te hebben terwijl hij de bestellingen klaarmaakte. Zijn fooienpot zag er gezond uit.

Bill kwam zijn kostganger ophalen toen we de tent voor de avond sloten. Ik wilde hem even alleen spreken, maar Charles stond in een flits naast hem, dus ik kreeg de kans niet. Bill wierp me een merkwaardige blik toe, maar ze waren weg zonder dat ik zelf een gelegenheid had kunnen scheppen om met hem te praten. Ik wist trouwens toch niet zeker wat ik moest zeggen. Ik was gerustgesteld toen ik besefte dat Bill natuurlijk de ergste werknemers van Russell Edgington had gezien, want die werknemers hadden hem gemarteld. Als Charles Twining Bill onbekend was, dan was hij misschien wel oké.

Sam stond klaar om op onze snuffelmissie te gaan. Het was buiten koud en fonkelend, de sterren schitterden aan de avondhemel. Sam was stevig ingepakt, en ik trok mijn mooie rode jas aan. Ik had een bijpassend paar handschoenen en een bijpassende hoed, en ik zou ze nu nodig hebben. Hoewel de lente elke dag dichterbij kwam, was de winter nog niet klaar met ons.

Niemand was bij het café behalve wij. De hele parkeerplaats stond leeg, op Janes auto na. Het helle licht van de veiligheidslampen maakte de schaduwen dieper. Ik hoorde in de verte een hond blaffen. Sam bewoog zich voorzichtig op zijn krukken voort, terwijl hij over het ongelijke parkeerterrein probeerde te komen.

Sam zei: 'Ik ga veranderen.' Hij bedoelde niet van kleren.

'Wat zal er met je been gebeuren als je dat doet?'

'Daar komen we wel achter.'

Sam was een volbloed veranderaar. Hij kon veranderen wanneer het geen vollemaan was, hoewel de ervaringen heel anders waren, had hij gezegd. Sam kon in meer dan één dier veranderen, maar honden hadden zijn voorkeur, en een collie was zijn voorkeur onder honden.

Sam trok zich terug achter de heg voor zijn woonwagen om zich te ontdoen van zijn kleding. Zelfs in de nacht zag ik de luchtstoring, die te kennen gaf dat er overal om hem heen magie aan het werk was. Hij viel op zijn knieën en hijgde, en daarna kon ik hem niet meer zien door de dikke struiken. Na een minuut kwam er een bloedhond uit trippelen, een rode, met zijn oren heen en weer zwaaiend. Ik was het niet gewend om Sam zo te zien, en het duurde even voor ik zeker wist dat hij het was. Toen de hond naar me opkeek, wist ik dat mijn baas erin zat.

'Kom op, Dean,' zei ik. Ik had Sam zo genoemd in zijn dierlijke vermomming voor ik had beseft dat de man en de hond een en hetzelfde wezen waren. De bloedhond tippelde voor me uit over het parkeerterrein en de bossen in waar de schutter had gewacht tot Sam uit de club zou komen. Ik keek hoe de hond zich bewoog. Hij ontzag zijn rechterachterpoot, maar niet drastisch.

In de koude avondbossen was de hemel gedeeltelijk bewolkt. Ik had een zaklamp, en ik deed hem aan, maar dat maakte de bomen op de een of andere manier griezeliger. De bloedhond – Sam – had de plek al bereikt waarvan de politie had besloten dat het het uitkijkpunt was geweest van de schutter. De hond boog zijn kop naar de grond en liep met hortende kaken rond, waarbij hij de geurinformatie rangschikte die hij opving. Ik bleef aan de kant staan, met een nutteloos gevoel. Toen keek Dean naar me op en zei: 'Wroef'. Hij begon terug te lopen naar de parkeerplaats. Hij had waarschijnlijk alles verzameld wat hij kon verzamelen.

Zoals we hadden afgesproken, laadde ik Dean in de Malibu om hem naar een andere locatie te brengen, de plek achter een paar oude gebouwen tegenover de Sonic waar de schutter zich had verscholen op de avond dat de arme Heather Kinman was vermoord. Ik draaide een steeg in achter de oude winkels en parkeerde achter Patsy's Cleaners, die vijftien jaar geleden naar een nieuwe en beter bereikbare locatie was verhuisd. Tussen de stomerij en de vervallen en lang leegstaande Louisiana Feed and Seed verschafte een nauwe opening een fantastisch uitzicht op de Sonic. Het drive-inrestaurant was vanavond gesloten maar nog steeds fel verlicht. Omdat de Sonic aan de hoofdstraat lag, stonden er door de hele straat straatlantaarns, en kon ik zelfs vrij goed zien op de plekken waar de bouwwerken licht binnenlieten; helaas maakte dat de schaduwen ondoordringbaar.

De bloedhond ging weer het gebied rond, met speciale aandacht voor de strook grond vol onkruid tussen de twee oude winkels, een strook die zo smal was dat hij niet meer was dan een opening breed genoeg voor één persoon. Hij leek nogal opgewonden bij een bepaalde geur die hij had gevonden. Ik was ook opgewonden, ik hoopte dat hij iets had ontdekt waarmee we bewijs konden verzamelen voor de politie.

Opeens liet Dean een 'Woef!' horen en tilde hij zijn kop op om langs me heen te kijken. Hij concentreerde zich stellig op iets, of iemand. Bijna met tegenzin draaide ik me om om te kijken. Andy Bellefleur stond op het punt waar het leveranciersstraatje de opening tussen de twee gebouwen kruiste. Alleen zijn gezicht en het bovenste gedeelte van zijn romp waren zichtbaar in het licht.

'Jezus christus, herder van Judea! Andy, je joeg me de stuipen op het lijf!' Als ik niet zo gespannen naar de hond had staan kijken, zou ik hem hebben voelen aankomen. De surveillance, verdorie. Ik had het moeten weten.

'Wat doe jij hier, Sookie? Waar heb je die hond vandaan?'

Ik kon geen enkel antwoord bedenken dat geloofwaardig zou zijn. 'Het leek de moeite waard te zijn om te kijken of een getrainde hond één enkele geur kon oppikken van de plekken waar de schutter stond,' zei ik. Dean leunde hijgend en kwijlend tegen mijn benen aan.

'Sinds wanneer sta jij op de loonlijst van de gemeente?' vroeg Andy op conversatietoon. 'Ik wist niet dat je als detective was ingehuurd.'

Oké, dit ging niet best.

'Andy, als je aan de kant gaat, dan stap ik met de hond gewoon weer in mijn auto, en rijden we weg, en hoef je niet meer kwaad op me te zijn.' Hij was enorm kwaad, en hij was vastbesloten de waarheid uit me te krijgen, wat dat ook inhield. Andy wilde de wereld weer op orde hebben, met feiten die hij kende en die de paden vormden waarop hij moest lopen. Ik paste niet in die wereld. Ik zou niet op die paden lopen. Ik kon zijn gedachten lezen en wat ik hoorde beviel me niet.

Ik besefte, te laat, dat Andy iets te veel had gedronken tijdens de vergadering in het café. Hij had genoeg gedronken om zijn gebruikelijke remmingen op te heffen.

'Jij hoort niet in ons dorp, Sookie,' zei hij.

'Ik heb net zoveel recht om hier te zijn als jij, Andy Bellefleur.'

'Je bent een genetische mislukking of zoiets. Je oma was echt een aardige vrouw, en de mensen zeggen tegen me dat je moeder en vader goeie mensen waren. Wat is er met jou en Jason gebeurd?'

'Ik geloof niet dat er veel mis is met mij en Jason, Andy,' zei ik kalm, maar zijn woorden staken als rode mieren. 'Ik geloof dat we gewone mensen zijn, niet beter en niet slechter dan jij en Portia.'

Andy snoof nota bene.

Plotseling begon de flank van de bloedhond tegen mijn

benen aangedrukt te trillen. Dean gromde bijna onhoorbaar. Maar hij keek niet naar Andy. De zware kop van de hond was een andere kant op gedraaid, naar de donkere schaduwen aan de andere kant van het steegje. Nog een levend brein: een mens. Maar geen gewoon mens.

'Andy,' zei ik. Mijn fluistering drong tot hem door. 'Ben je gewapend?'

Ik weet niet waarom ik me zoveel beter voelde toen hij zijn pistool trok.

'Laat vallen, Bellefleur,' zei een no-nonsensestem, één die bekend klonk.

'Bullshit,' hoonde Andy. 'Waarom zou ik?'

'Omdat ik een groter wapen heb,' zei de stem, kil en sarcastisch. Sweetie Des Arts stapte uit de schaduwen tevoorschijn, met een jachtgeweer. Het was op Andy gericht, en ik was er zeker van dat ze klaarstond om te schieten. Het voelde alsof mijn ingewanden gelatine waren geworden.

'Waarom ga je er niet gewoon vandoor, Andy Bellefleur?' vroeg Sweetie. Ze droeg een monteursoverall en een jasje, en haar handen waren in handschoenen gestoken. Ze leek allesbehalve een snelbuffetkok. 'Ik heb niets tegen jou. Jij bent gewoon een mens.'

Andy schudde zijn hoofd, in een poging het helder te krijgen. Ik zag dat hij zijn pistool nog niet had laten vallen. 'Jij bent toch de kok in het café? Waarom doe je dit?'

'Dat zou jij moeten weten, Bellefleur. Ik hoorde je gesprekje met deze veranderaar hier. Misschien is deze hond wel een mens, iemand die je kent.' Ze wachtte Andy's antwoord niet af. 'En Heather Kinman was net zo slecht. Ze veranderde in een vos. En die kerel die bij Norcross werkt, Calvin Norris? Hij is een vervloekte panter.'

'En jij hebt ze allemaal neergeschoten? Heb je mij ook neergeschoten?' Ik wilde er zeker van zijn dat Andy dit in zich opnam. 'Er is maar één ding mis met je kleine vendetta, Sweetie. Ik ben geen veranderaar.'

'Je ruikt er wel naar,' zei Sweetie, er duidelijk van overtuigd dat ze gelijk had.

'Sommigen van mijn vrienden zijn veranderaars, en die dag had ik er een paar omhelsd. Maar ikzelf – ik ben geen enkele soort veranderaar.'

'Schuldig door associatie,' zei Sweetie. 'Ik durf te wedden dat je ergens een kloddertje veranderaar vandaan hebt.'

'En jij dan?' vroeg ik. Ik wilde niet nog een keer neergeschoten worden. De feiten wezen erop dat Sweetie geen scherpschutter was: Sam, Calvin en ik hadden het overleefd. Ik wist dat 's nachts richten moeilijk moest zijn, maar dan nog zou je denken dat ze beter had gekund. 'Waarom ben je op deze vendetta uit?'

'Ik ben slechts een fractie van een veranderaar,' zei ze, terwijl ze net zoveel gromde als Dean. 'Ik werd gebeten toen ik een auto-ongeluk had. Dit halfmens-halfwolf... ding... rende de bossen uit vlakbij waar ik lag te bloeden, en het vervloekte ding beet me... en toen kwam er een andere auto de bocht door en hij rende weg. Maar de eerste vollemaan daarna veranderden mijn handen! Mijn ouders gingen over hun nek.'

'En je vriend? Had je er een?' Ik bleef maar praten om haar af te leiden. Andy bewoog zich zo ver mogelijk van me vandaan, zodat ze ons niet allebei snel kon neerschieten. Ze was van plan mij eerst neer te schieten, wist ik. Ik wilde dat de bloedhond van me wegging, maar hij bleef trouw tegen mijn benen aangedrukt staan. Ze wist niet zeker of de hond een veranderaar was. En ze had, vreemd genoeg, niet gezegd dat ze Sam had neergeschoten.

'Ik was destijds een stripper, en ik woonde samen met een fantastische kerel,' zei ze, woede bruiste door haar stem. 'Hij zag mijn handen en de extra haren en hij walgde van me. Hij vertrok als de maan vol was. Hij ging op zakenreisjes. Hij ging golfen met zijn maatjes. Hij zat vast in een late vergadering.'

'Hoe lang schiet je al op veranderaars?'

'Drie jaar,' zei ze trots. 'Ik heb er tweeëntwintig vermoord en eenenveertig verwond.'

'Dat is afschuwelijk,' zei ik.

'Ik ben er trots op,' zei ze. 'Het ongedierte van de aardbodem zuiveren.'

'Zoek je altijd baantjes in cafés?'

'Geeft me een gelegenheid om te zien wie er tot de broeders behoort,' zei ze, lachend. 'Ik trek ook de kerken en restaurants na. De crèches.'

'O nee.' Ik dacht dat ik moest overgeven.

Mijn zintuigen waren hyperalert, zoals je je kunt voorstellen, dus ik wist dat er iemand uit het steegje kwam achter Sweetie. Ik kon de woede in een tweesoortig hoofd voelen kolken. Ik keek niet, in een poging om Sweeties aandacht zo lang mogelijk vast te houden. Maar er klonk wat lawaai, misschien het geluid van een stukje afvalpapier dat op de grond ritselde, en dat was voldoende voor Sweetie. Ze draaide zich vliegensvlug om met het geweer aan haar schouder, en ze vuurde. Er klonk een kreet uit het donker aan de zuidkant van het steegje, en toen een intens gejank.

Andy greep zijn kans en schoot op Sweetie Des Arts terwijl ze met haar rug naar hem toe stond. Ik drukte mezelf tegen de ongelijke bakstenen van de oude Feed and Seed aan, en terwijl het geweer uit haar hand viel, zag ik het bloed uit haar mond komen, zwart in het licht van de sterren. Toen klapte ze dubbel op de grond.

Terwijl Andy over haar heen stond, zijn pistool aan zijn hand bungelend, liep ik hem voorbij om te kijken wie ons te hulp was geschoten. Ik knipte mijn zaklamp aan en ontdekte een weerwolf, verschrikkelijk gewond. Sweeties kogel had hem midden in de borst geraakt, voor zover ik kon zien door de dikke vacht, en ik riep naar Andy: 'Gebruik je gsm! Bel om hulp!' Ik drukte zo hard ik kon op de borrelende wond, in de hoop dat ik het juiste deed. De wond bleef zich op een erg verontrustende manier verplaatsen, omdat de Weer bezig was terug te veranderen in een mens. Ik keek even achterom en zag dat Andy nog steeds was verzonken in zijn eigen kleine horrordal om wat hij had gedaan. 'Bijt hem,' zei ik tegen Dean, en Dean trippelde naar de politieman en beet in zijn hand.

Andy schreeuwde natuurlijk, en hief zijn pistool op alsof hij de bloedhond neer ging schieten. 'Nee!' gilde ik, en ik sprong op van de stervende Weer. 'Gebruik je telefoon, jij idioot. Bel een ambulance.'

Toen zwaaide het pistool de andere kant op en werd het op mij gericht.

Een gespannen ogenblik lang dacht ik beslist dat het nu afgelopen was met mijn leven. We willen allemaal datgene doden wat we niet kunnen vatten, wat ons bang maakt, en ik maakte Andy Bellefleur ontzettend bang.

Maar toen aarzelde hij en het wapen viel weer langs Andy's zij. Zijn brede gezicht staarde me aan en het begrip begon te dagen. Hij rommelde in zijn zak, haalde er een gsm uit. Tot mijn immense opluchting stopte hij het wapen in zijn holster nadat hij een nummer had ingetoetst.

Ik liep terug naar de Weer, nu volledig mens en bloot, terwijl Andy zei: 'Er heeft een meervoudige schietpartij plaatsgevonden in het steegje achter de oude Feed and Seed en Patsy's Cleaners, aan de overkant van Magnolia Street tegenover Sonic. Goed. Twee ambulances, twee schotwonden. Nee, ik ben in orde.'

De gewonde Weer was Dawson. Zijn ogen trilden open,

en hij probeerde naar adem te snakken. Ik kon me de pijn die hij moest lijden niet eens indenken. 'Calvin,' probeerde hij te zeggen.

'Maak je er nu niet druk om. Hulp is onderweg,' zei ik tegen de grote man. Mijn zaklamp lag naast me op de grond, en in het vreemd hellende licht kon ik zijn gigantische spieren en harige blote borst zien. Hij zag er koud uit, natuurlijk, en ik vroeg me af waar zijn kleren waren. Ik had graag zijn overhemd willen hebben om tegen de wond te proppen, waaruit gestaag bloed lekte. Mijn handen zaten eronder.

'Zei tegen me mijn laatste dag af te ronden door over jou te waken,' zei Dawson. Hij rilde over zijn hele lijf. Hij probeerde te glimlachen. 'Ik zei: "Makkie."' En toen zei hij niets meer, maar verloor zijn bewustzijn.

Andy's zware zwarte schoenen kwamen mijn gezichtsveld binnen. Ik dacht dat Dawson dood zou gaan. Ik kende zijn voornaam niet eens. Ik had geen idee hoe we een blote kerel gingen uitleggen aan de politie. Wacht eens... was dat aan mij? Andy was toch zeker degene die al de lastige uitleg moest doen?

Alsof hij mijn gedachten had gelezen – voor de verandering – zei Andy: 'Jij kent die kerel, hè?'

'Enigszins.'

'Nou, je zult moeten zeggen dat je hem beter kent dan dat, om zijn gebrek aan kleren te verklaren.'

Ik slikte. 'Oké,' zei ik, na een korte, grimmige stilte.

'Jullie twee waren hier naar deze hond aan het zoeken. Jij,' zei Andy tegen Dean. 'Ik weet niet wie je bent, maar je blijft een hond, hoor je me?' Andy stapte nerveus opzij. 'En ik kwam hierheen omdat ik de vrouw had gevolgd – ze gedroeg zich verdacht.'

Ik knikte, terwijl ik de lucht in Dawsons keel hoorde ratelen. Kon ik hem maar bloed geven om hem te genezen, zoals een vampier. Wist ik maar een medische handeling... Maar ik kon de politieauto's en ambulances dichterbij horen komen. Niets in Bon Temps was erg ver van wat dan ook, en aan deze kant van het dorp, de zuidzijde, zou het ziekenhuis in Grainger het dichtstbij zijn.

'Ik hoorde haar bekennen,' zei ik. 'Ik hoorde haar zeggen dat ze de anderen neer had geschoten.'

'Zeg eens, Sookie,' zei Andy haastig. 'Voor ze hier zijn. Er is toch niks vreemds aan Halleigh, hè?'

Ik staarde naar hem omhoog, verwonderd dat hij aan zoiets kon denken op dit moment. 'Niets behalve de stomme manier waarop ze haar naam spelt.' Toen dacht ik er weer aan wie het kreng had neergeschoten dat anderhalve meter verderop op de grond lag. 'Nee, helemaal niks,' zei ik. 'Halleigh is doodnormaal.'

'Godzijdank,' zei hij. 'Godzijdank.'

Alcee Beck stormde het steegje door en bleef abrupt staan, terwijl hij het tafereel vóór zich probeerde te doorgronden. Vlak achter hem was Kevin Pryor, en Kevins partner Kenya stond dicht tegen de muur aan met haar pistool in haar handen. De ambulanceteams hielden zich afzijdig tot ze zeker wisten dat de locatie veilig was. Ik stond tegen de muur en werd gefouilleerd voor ik wist wat er gebeurde. Kenya bleef zeggen: 'Sorry, Sookie' en 'Ik moet dit doen', tot ik zei: 'Doe het nou maar gewoon. Waar is mijn hond?'

'Hij ging ervandoor,' zei ze. 'Volgens mij is hij van de lichten geschrokken. Het is een bloedhond, hè? Hij komt wel naar huis.' Toen ze klaar was met haar gebruikelijke, grondige klus vroeg ze: 'Sookie? Waarom is die kerel bloot?'

Dit was pas het begin. Mijn verhaal was extreem mager. Ik las ongeloof in grote letters op bijna ieders gezicht. Het was er de temperatuur niet naar om in de openlucht te vrijen, en ik was geheel gekleed. Maar Andy bevestigde mijn verhaal van a tot z, en niemand kon zeggen dat het niet was gebeurd zoals ik had verteld.

Ongeveer twee uur later lieten ze me naar mijn auto gaan om terug te keren naar de twee-onder-een-kap. Het eerste wat ik deed toen ik binnenkwam, was het ziekenhuis bellen om uit te vinden hoe het met Dawson was. Op de een of andere manier kreeg Calvin de telefoon te pakken. 'Hij leeft nog,' zei hij kortaf.

'Godzijdank dat je hem achter me aan stuurde,' zei ik. Mijn stem was zo slap als een gordijn op een stille zomerdag. 'Zonder hem zou ik dood zijn geweest.'

'Ik hoor dat de smeris haar heeft neergeschoten.'

'Ja, dat klopt.'

'Ik hoor een hoop andere dingen.'

'Het was gecompliceerd.'

'Ik zie je deze week wel.'

'Ja, natuurlijk.'

'Ga maar wat slapen.'

'Bedankt, Calvin.'

Mijn schuld bij de weerpanter vermenigvuldigde zich in een tempo dat me bang maakte. Ik wist dat ik die straks moest wegwerken. Ik was moe en had pijn. Ik voelde me vies vanbinnen vanwege Sweeties trieste verhaal, en vies vanbuiten omdat ik op mijn knieën in het steegje had gezeten toen ik de bloederige Weer hielp. Ik liet mijn kleren op de vloer van de slaapkamer vallen, liep de badkamer in en ging onder de douche staan, terwijl ik mijn best deed om mijn verband met een douchekapje droog te houden, zoals een van de zusters me had laten zien.

Toen de volgende ochtend de deurbel ging, vervloekte ik het dorpsleven. Maar het bleek dat dit geen buur was die een kopje bloem wilde lenen. Alcide Herveaux stond buiten, met een envelop in zijn hand.

Ik keek hem dreigend aan met ogen die korstig voelden

van de slaap. Zonder een woord te zeggen, sjokte ik terug naar mijn slaapkamer en kroop het bed in. Dat was niet genoeg om Alcide te ontmoedigen, die achter me aan naar binnen beende.

'Je bent nu een bijzonder goede vriendin van de troep,' zei hij, alsof hij er zeker van was dat die zorg op de eerste plaats in mijn gedachten stond. Ik keerde hem mijn rug toe en nestelde me onder de dekens. 'Dawson zegt dat jij zijn leven hebt gered.'

'Ik ben blij dat Dawson zich goed genoeg voelt om te kunnen praten,' mompelde ik, terwijl ik mijn ogen stevig dichtdeed en wenste dat Alcide weg zou gaan. 'Aangezien hij omwille van mij werd neergeschoten, is jouw troep me geen donder schuldig.'

Aan de beweging van de lucht, kon ik merken dat Alcide naast het bed neerknielde. 'Dat bepaal jij niet, maar wij,' zei hij berispend. 'Je wordt ontboden naar de strijd om troepleider.'

'Wat? Wat moet ik doen?'

'Je hoeft alleen maar naar het verloop ervan te kijken en de winnaar te feliciteren, wie het ook is.'

Natuurlijk was deze strijd om de opvolging op dit moment het allerbelangrijkst voor Alcide. Het was voor hem maar moeilijk te snappen dat ik niet dezelfde prioriteiten had. Ik werd overspoeld door een golf van bovennatuurlijke verplichtingen.

De weerwolventroep van Shreveport zei dat ze bij mij in het krijt stonden. Ik stond bij Calvin in het krijt. Andy Bellefleur stond bij mij, Dawson en Sam in het krijt omdat we zijn zaak hadden opgelost. Ik stond bij Andy in het krijt omdat hij mijn leven had gered. Maar ik had Andy opheldering verschaft over Halleighs totale normaliteit, dus dat compenseerde misschien mijn schuld bij hem voor het feit dat hij Sweetie had neergeschoten.

Sweetie had haar aanvaller met gelijke munt betaald.

Eric en ik stonden quitte, dacht ik.

Ik stond enigszins bij Bill in het krijt.

Sam en ik waren min of meer weer bij.

Alcide stond persoonlijk bij mij in het krijt, wat mij betrof. Ik was op komen dagen voor die troepshit en had geprobeerd de regels te volgen om hem bij te staan.

In de wereld waarin ik leefde, de wereld van de menselijke mensen, bestonden banden en schulden en gevolgen en goede daden. Dat was wat mensen aan de maatschappij verbond; misschien was dat waaruit een maatschappij was opgebouwd. En ik probeerde zo goed ik kon in mijn kleine hoekje te leven.

Dat ik me aansloot bij geheime clans van de tweesoortigen en de ondoden maakte mijn leven in de menselijke maatschappij veel lastiger en gecompliceerder.

En interessant.

En soms... leuk.

Alcide had minstens een gedeelte van de tijd zitten praten terwijl ik had zitten nadenken, en ik had een hoop gemist. Dat begon hij te merken. Hij zei stijfjes: 'Sorry als ik je verveel, Sookie.'

Ik rolde me om om hem aan te kijken. Zijn groene ogen stonden erg gekwetst. 'Ik verveel me niet. Ik heb gewoon veel om over na te denken. Laat die uitnodiging even rusten, goed? Ik kom er nog wel bij je op terug.' Ik vroeg me af wat je droeg naar een strijd-om-troepmeesterevenement. Ik vroeg me af of de heer Herveaux senior en de ietwat mollige motordealer echt worstelend over de grond zouden rollen.

Alcides groene ogen stonden vol verwarring. 'Je gedraagt je zo vreemd, Sookie. Ik voelde me hiervoor zo bij je op m'n gemak. Nu heb ik het gevoel dat ik je niet ken.'

'Steekhoudend' was vorige week een van mijn 'woorden

van de dag'. 'Dat is een steekhoudende observatie,' zei ik, en ik probeerde nuchter te klinken. 'Ik voelde me net zo op m'n gemak bij jou toen ik je voor het eerst ontmoette. Daarna begon ik van alles te ontdekken. Zoals over Debbie, en veranderaarspolitiek, en de onderworpenheid van sommige veranderaars aan de vamps.'

'Geen enkele maatschappij is perfect,' zei Alcide verdedigend. 'Wat Debbie betreft: ik wil haar naam nooit meer horen.'

'Het zij zo,' zei ik. God wist dat ik het meer dan zat was om haar naam te horen.

Terwijl hij de crèmekleurige envelop op het nachtkastje legde, pakte Alcide mijn hand vast, boog eroverheen, en drukte een kus op de rug. Het was een ceremonieel gebaar, en ik zou willen dat ik de betekenis ervan kende. Maar op het moment dat ik het wilde vragen, was Alcide vertrokken.

'Doe de deur achter je op slot,' riep ik. 'Draai gewoon het knopje om op de deurklink.' Ik geloof dat hij het had gedaan, want ik viel meteen weer in slaap, en niemand maakte me wakker tot het bijna tijd werd om naar mijn werk te gaan. Maar er zat een briefje op mijn voordeur waarop stond: 'Ik heb Linda T. gevraagd om voor je in te vallen. Neem vanavond maar vrij. Sam.' Ik ging weer naar binnen en trok mijn serveersterskleding uit en deed een spijkerbroek aan. Ik had klaargestaan om naar het werk te gaan, en nu wist ik vreemd genoeg niet wat ik moest doen.

Ik werd haast vrolijk toen ik besefte dat ik nog een plicht had, en ik ging de keuken in om die te vervullen.

Na anderhalf uur zwoegen in een onbekende keuken met ongeveer de helft van de gebruikelijke parafernalia om te koken, was ik op weg naar Calvins huis in Hotshot met een maal van gebakken kippenborst met rijst in een zure-roomsaus, en een paar koekjes. Ik belde niet van tevoren. Ik was van plan om het eten af te geven en te gaan. Maar toen ik de kleine gemeenschap bereikte, zag ik dat er verschillende auto's langs de weg stonden geparkeerd voor Calvins keurig onderhouden huisje. 'Verdorie,' zei ik. Ik wilde niet meer bij Hotshot betrokken raken dan ik al was. Mijn broers nieuwe natuur en Calvins hofmakerij hadden me er al te diep in gesleurd.

Ik parkeerde met lood in mijn schoenen en stak mijn arm door het handvat van de mand vol koekjes. Ik pakte de hete schaal met kip en rijst met ovenhandschoenen vast, zette mijn tanden op elkaar tegen de pijn in mijn schouder, en marcheerde naar Calvins voordeur. Stackhouses deden wat hoorde.

Crystal deed de deur open. De verrassing en vreugde op haar gezicht maakten me beschaamd. 'Ik ben zo blij dat je er bent,' zei ze, terwijl ze haar best deed om nonchalant te doen. 'Kom binnen, alsjeblieft.' Ze ging opzij, en nu kon ik zien dat de kleine huiskamer vol mensen zat, inclusief mijn broer. De meesten van hen waren natuurlijk weerpanters. De weerwolven van Shreveport hadden een afgevaardigde gestuurd; tot mijn verbazing was het Patrick Furnan, mededinger naar de troon en Harley Davidsonverkoper.

Crystal stelde me voor aan de vrouw die als gastvrouw scheen op te treden, Maryelizabeth Norris. Maryelizabeth bewoog zich alsof ze geen botten had. Ik durfde te wedden dat Maryelizabeth Hotshot niet vaak verliet. De veranderaar introduceerde me zorgvuldig bij iedereen in de kamer, waarbij ze ervoor zorgde dat ik begreep welke relatie Calvin met elk individu had. Ze begonnen allemaal een beetje vaag te worden na een tijdje. Maar ik kon zien dat (met een paar uitzonderingen) de inwoners van Hotshot uiteenvielen in twee types: de kleine, donkerharige, snelle types zoals Crystal, en de lichter gekleurde, stevigere types met mooie groene of goudbruine ogen, zoals Calvin. De achternamen waren voornamelijk Norris of Hart.

Patrick Furnan was de laatste persoon bij wie Maryelizabeth aankwam. 'Natúúrlijk ken ik jou,' zei hij enthousiast, en hij straalde naar me alsof we samen op een bruiloft hadden gedanst. 'Dit hier is Alcides vaste vriendin,' zei hij, waarbij hij ervoor zorgde dat iedereen in de kamer hem hoorde. 'Alcide is de zoon van de andere kandidaat voor troepmeester.'

Er viel een lange stilte, die ik beslist zou omschrijven als 'geladen'.

'Je hebt 't mis,' zei ik rustig. 'Alcide en ik zijn gewoon vrienden.' Ik lachte naar hem op een manier waaruit bleek dat hij de komende tijd maar beter niet alleen met mij in een steegje kon zijn.

'Mijn fout,' zei hij, zo glad als zijde.

Calvin werd thuis als een held onthaald. Er waren ballonnen en spandoeken en bloemen en planten, en zijn huis was brandschoon. De keuken had vol eten gestaan. Op dat ogenblik stapte Maryelizabeth naar voren, keerde haar rug naar Patrick Furnan, hem straal negerend, en zei: 'Deze kant op, lieverd. Calvin wacht op je.' Als ze een trompet bij de hand had gehad, zou ze hem hebben laten schallen. Maryelizabeth was geen subtiele vrouw, hoewel ze een misleidend mysterieuze indruk maakte vanwege haar ver uit elkaar staande, gouden ogen.

Ik zou me misschien nog meer op m'n gemak hebben gevoeld als er een bed met roodgloeiende kolen was geweest om op te lopen.

Maryelizabeth bracht me naar Calvins slaapkamer. Zijn meubilair was erg fraai, het had sobere, propere lijnen. Het zag er Scandinavisch uit, hoewel ik weinig af weet van meubilair – of stijl, wat dat betreft. Hij had een hoog bed, *queensize*, en hij zat er rechtop in, tussen lakens met een

Afrikaans motief van jagende luipaarden. (Iemand had er in elk geval gevoel voor humor.) Tegen de diepe kleuren in de lakens en het dieporanje van de beddensprei stak Calvin bleek af. Hij droeg een bruine pyjama, en hij zag er precies uit als een man die zojuist uit het ziekenhuis is ontslagen. Maar hij was blij om me te zien. Ik bedacht ineens dat Calvin Norris iets treurigs had, iets wat me raakte in weerwil van mezelf.

'Kom zitten,' zei hij, wijzend op het bed. Hij schoof wat op zodat ik ruimte had om erbovenop te gaan zitten. Ik denk dat hij een bepaald seintje had gegeven, want de man en de vrouw die in de kamer waren – Dixie en Dixon – liepen stilletjes door de deur naar buiten, en trokken hem achter zich dicht.

Ik ging, een beetje ongemakkelijk, naast hem hoog op het bed zitten. Hij had zo'n tafel die je meestal in ziekenhuizen ziet, het soort dat je over het bed kunt rollen. Er stond een glas ijsthee op en een bord; damp rees op van het eten. Ik gebaarde dat hij moest beginnen. Hij boog zijn hoofd en zei in stilte een gebed terwijl ik er zwijgend bij zat. Ik was benieuwd tot wie het gebed was gericht.

'Vertel eens,' zei Calvin terwijl hij zijn servet openvouwde, en dat stelde me veel meer op m'n gemak. Hij at terwijl ik hem vertelde wat er in het steegje was gebeurd. Ik zag dat het eten op het dienblad de kip-met-rijststoofschotel was die ik had meegenomen, naast een klein eenpansgerechtje van gemengde groenten en twee van mijn koekjes. Hij wilde dat ik zag dat hij het eten at dat ik voor hem had klaargemaakt. Ik was geroerd, waardoor er een alarmbelletje ging rinkelen achter in mijn hoofd.

'Dus, zonder Dawson weet je maar nooit wat er gebeurd zou zijn,' besloot ik. 'Dank je dat je hem hebt gestuurd. Hoe gaat het met hem?'

Calvin zei: 'Zijn leven hangt aan een zijden draadje. Ze

hebben hem overgevlogen van Grainger naar Baton Rouge. Hij zou dood zijn als hij geen Weer was. Hij heeft het tot nu toe volgehouden; ik denk dat hij het wel overleeft.'

Ik voelde me vreselijk.

'Geef jezelf hiervan niet de schuld,' zei Calvin, zijn stem klonk ineens dieper. 'Dit is Dawsons keuze.'

'Hè?' zou onnozel hebben geklonken, dus ik zei: 'Hoezo?'

'Zijn beroepskeuzen. Zijn keuze van handelen. Misschien had hij een paar seconden eerder op haar af moeten springen. Waarom heeft hij gewacht? Ik weet het niet. Hoe heeft ze geweten dat ze laag moest richten, gezien het zwakke licht? Ik weet het niet. Keuzes leiden tot gevolgen.' Calvin deed zijn best om iets onder woorden te brengen. Hij was van nature geen verbaal getalenteerd man, en hij probeerde een gedachte uit te drukken die zowel belangrijk als abstract was. 'Niemand treft blaam,' zei hij ten slotte.

'Het zou fijn zijn om dat te geloven, en ik hoop dat ik dat op een dag ook zal doen,' zei ik. 'Misschien begin ik het al te geloven.' Het was waar dat ik het spuugzat was om mezelf verwijten te maken en achteraf te bekritiseren.

'Ik vermoed dat de Weers je zullen uitnodigen voor hun troepleidersfeestje,' zei Calvin. Hij pakte mijn hand vast. Die van hem was warm en droog.

Ik knikte.

'Je gaat er vast naartoe,' zei hij.

'Ik denk dat ik wel moet,' zei ik onbehaaglijk, me afvragend wat zijn bedoeling was.

'Ik ga je niet vertellen wat je moet doen,' zei Calvin. 'Ik heb geen gezag over je.' Hij klonk wat dat betreft niet al te blij. 'Maar als je gaat, pas dan alsjeblieft goed op jezelf. Niet voor mij; dat betekent niets voor je, nog niet. Maar voor jezelf.'

'Dat kan ik wel beloven,' zei ik na een voorzichtige stilte. Calvin was geen kerel tegen wie je er het eerste idee in je hoofd uitflapte. Hij was een ernstige man.

Hij wierp me een van zijn zeldzame glimlachjes toe. 'Je bent een verdraaid goeie kok,' zei hij. Ik lachte terug.

'Dank u, meneer,' zei ik, en ik stond op. Zijn hand klemde zich vast om de mijne en trok. Je vecht niet met een man die net uit het ziekenhuis is, dus ik leunde naar hem toe en legde mijn wang tegen zijn lippen.

'Nee,' zei hij, en toen ik me enigszins omdraaide om te zien wat er mis was, kuste hij me op de lippen.

Eerlijk gezegd verwachtte ik niets te voelen. Maar zijn lippen waren net zo warm en droog als zijn handen, en hij rook naar mijn eten, vertrouwd en huiselijk. Het was verrassend, en verrassend aangenaam om zo dicht bij Calvin Norris te zijn. Ik deinsde een beetje terug, en ik weet zeker dat mijn gezicht de lichte schok vertoonde die ik voelde. De weerpanter glimlachte en liet mijn hand los.

'Het goeie aan in het ziekenhuis liggen, was dat jij bij me op bezoek kwam,' zei hij. 'Vergeet me niet, nu ik thuis ben.'

'Natuurlijk niet,' zei ik, en ik stond op het punt de kamer uit te gaan zodat ik mijn kalmte kon herstellen.

De andere kamer was zo goed als leeggelopen terwijl ik met Calvin aan het praten was. Crystal en Jason waren verdwenen, en Maryelizabeth was bezig borden op te opstapelen met hulp van een puberweerpanter. 'Terry,' zei Maryelizabeth, en ze gaf met haar hoofd een knikje opzij. 'Mijn dochter. We wonen hiernaast.'

Ik knikte naar het meisje, dat me een korte blik toewierp voordat ze zich weer op haar taak richtte. Ze was geen fan van mij. Ze was van het blondere ras, net als Maryelizabeth en Calvin, en ze was een denker. 'Ga je met m'n vader trouwen?' vroeg ze me.

'Ik ben niet van plan om ook maar met iemand te trouwen,' zei ik behoedzaam. 'Wie is je vader?'

Maryelizabeth wierp Terry een zijdelingse blik toe die haar ervan verzekerde dat ze het later zou berouwen. 'Terry is van Calvin,' zei ze.

Ik was nog een paar seconden verbluft, maar plotseling vielen het postuur van zowel de jongere als de oudere vrouw, hun taken, de indruk dat ze zich thuis voelden in dit huis, op hun plek.

Ik zei geen woord. Er moest iets van mijn gezicht af te lezen zijn geweest, want Maryelizabeth keek gealarmeerd, en vervolgens boos.

'Waag het niet om te oordelen over hoe wij ons leven leven,' zei ze. 'Wij zijn niet zoals jij.'

'Dat klopt,' zei ik, mijn afkeer doorslikkend. Ik forceerde een glimlach. 'Bedankt dat je me aan iedereen hebt voorgesteld. Dat stel ik op prijs. Kan ik je ergens mee helpen?'

'We redden ons wel,' zei Terry, en ze wierp me nog een blik toe die een vreemde combinatie was van respect en vijandigheid.

'We hadden je nooit naar school moeten sturen,' zei Maryelizabeth tegen het meisje. Haar wijd uit elkaar staande gouden ogen stonden zowel liefdevol als berouwvol.

'Dag,' zei ik, en nadat ik mijn jas had teruggevonden, verliet ik het huis, ik probeerde me niet te haasten. Tot mijn ontzetting stond Patrick Furnan me bij mijn auto op te wachten. Hij hield een motorhelm onder zijn arm vast, en ik zag de Harley even verderop op de weg staan.

'Heb je interesse om te horen wat ik heb te zeggen?' vroeg de baardige Weer.

'Nee, eigenlijk niet,' zei ik tegen hem.

'Hij zal je niet voor niets blijven helpen,' zei Furnan, en mijn hele hoofd draaide zich met een ruk om zodat ik deze man kon aankijken.

'Waar heb je het over?'

'Een dankjewel en een kus houden hem niet in bedwang. Hij zal vroeg of laat vereffening eisen. Valt niets aan te doen.'

'Ik herinner me niet dat ik je om advies heb gevraagd,' zei ik. Hij stapte dichterbij. 'En blijf uit de buurt.' Ik liet mijn blik dwalen over de huizen om ons heen. De waakzame blik van de gemeenschap was volledig op ons gericht; ik kon de druk voelen.

'Vroeg of laat,' herhaalde Furnan. Hij grijnsde plotseling naar me. 'Ik hoop vroeg. Je kunt een Weer niet bedriegen, weet je. Of een panter. Ze zullen je aan flarden scheuren.'

'Ik bedrieg níémand,' zei ik, bijna ondraaglijk gefrustreerd omdat hij hardnekkig volhield dat hij beter op de hoogte was van mijn liefdesleven dan ik. 'Ik date met geen van beiden.'

'Dan heb je geen bescherming,' zei hij triomfantelijk.

Ik kon gewoon niet winnen.

'Loop naar de donder,' zei ik flink geïrriteerd. Ik stapte in mijn auto en reed weg, terwijl ik mijn ogen over de Weer liet glijden alsof hij er niet stond. (Dit 'afzweer'-concept zou van pas kunnen komen.) Het laatste wat ik in mijn achteruitkijkspiegel zag, was Patrick Furnan die zijn helm over zijn hoofd schoof terwijl hij nog steeds mijn wegsnellende auto in de gaten hield.

Als ik er niet veel om had gegeven wie de Koning-van-de-bergstrijd tussen Jackson Herveaux en Patrick Furnan won, deed ik dat nu wel.

15

IK WASTE DE SCHALEN AF DIE IK HAD GEBRUIKT TOEN ik voor Calvin aan het koken was. Het was rustig in mijn kleine twee-onder-een-kap. Als Halleigh thuis was, was ze zo stil als een muis. Ik vond het niet erg om af te wassen, om je de waarheid te zeggen. Het was een goed moment om mijn gedachten rond te laten dwalen, en vaak nam ik goede beslissingen terwijl ik iets volkomen alledaags deed. Het was niet al te verbazingwekkend dat ik aan de avond ervoor zat te denken. Ik probeerde me exact te herinneren wat Sweetie had gezegd. Het was me opgevallen dat er iets niet klopte, maar op dat moment was ik niet echt in een positie geweest om mijn hand op te steken en een vraag te stellen. Het had iets met Sam te maken.

Ik herinnerde me ten slotte dat hoewel ze Andy Bellefleur had verteld dat de hond in het steegje een vormveranderaar was, ze niet had geweten dat het Sam was. Daar was niets raars aan, aangezien Sam een bloedhond was geweest, en niet de voor hem gebruikelijke collie.

Ik dacht dat mijn hoofd tot rust zou komen als ik me ervan bewust zou zijn wat me dwars had gezeten. Dat gebeurde niet. Er was nog iets – iets wat Sweetie had gezegd. Ik bleef maar denken, maar het wilde gewoon niet in mijn brein naar boven komen.

Tot mijn verbazing merkte ik dat ik Andy Bellefleur thuis belde. Zijn zus Portia was net zo verbaasd als ik toen ze opnam, en ze zei op nogal koele toon dat ze Andy zou gaan zoeken.

'Ja, Sookie?' Andy klonk neutraal.

'Ik wil een vraag stellen, Andy.'

'Ik luister.'

'Toen Sam werd neergeschoten,' zei ik, en ik hield stil om te bedenken wat ik moest zeggen.

'Oké,' zei Andy. 'Wat is daarmee?'

'Klopt het dat de kogel niet overeenkwam met de andere kogels?'

'We hebben niet in elke zaak een kogel gevonden.' Geen rechtstreeks antwoord, maar een beter antwoord kreeg ik waarschijnlijk niet.

'Hmmm. Oké,' zei ik, en vervolgens bedankte ik hem en hing op, onzeker of ik wel te weten was gekomen wat ik wilde. Ik moest het uit mijn hoofd zetten en iets anders gaan doen. Als er een vraag in zou zitten, zou die zich uiteindelijk naar de top werken van de stapel problemen die zwaar op mijn gedachten drukte.

Dat wat van de avond overbleef, was rustig, wat een zeldzaam genot begon te worden. Met zo weinig huis om schoon te maken, en zo weinig tuin om te verzorgen, zouden er veel vrije uurtjes in het vooruitzicht liggen. Ik las een uurtje, werkte aan een kruiswoordraadsel en ging rond elf uur naar bed.

Verrassend genoeg werd ik de hele nacht door niemand gewekt. Niemand ging dood, er waren geen branden, en niemand hoefde me te waarschuwen voor een noodtoestand.

Toen ik de volgende ochtend opstond, voelde ik me beter dan ik me een hele week had gevoeld. Een blik op de klok zei me dat ik aan één stuk door had geslapen tot tien uur. Nou, dat was niet zo verwonderlijk. Mijn schouder voelde beter; mijn geweten was bedaard. Ik dacht niet dat ik veel geheimen te bewaren had, en dat was een reusachtige opluchting. Ik was het gewend om de geheimen van anderen te bewaren, maar niet die van mezelf.

De telefoon ging net toen ik het laatste restje van mijn ochtendkoffie doorslikte. Ik legde mijn paperback omgekeerd op de keukentafel om te markeren waar ik was gebleven en stond op om hem op te nemen. 'Hallo,' zei ik vrolijk.

'Het is vandaag,' zei Alcide, zijn stem trillend van opwinding. 'Je moet komen.'

Dertig minuten had mijn rust geduurd. Dertig minuten.

'Je bedoelt vast de strijd om de positie van troepmeester.'

'Natuurlijk.'

'En waarom moet ik erbij zijn?'

'Je moet erbij zijn omdat de hele troep en alle vrienden van de troep erbij moeten zijn,' zei Alcide, zijn toon duldde geen tegenspraak. 'Christine vooral vond dat je getuige moest zijn.'

Ik had misschien tegengestribbeld als hij er niet die informatie over Christine aan had toegevoegd. De vrouw van de vorige troepmeester had me een erg intelligente vrouw geleken die het hoofd koel hield.

'Goed dan,' zei ik, en ik probeerde niet chagrijnig te klinken. 'Waar en wanneer?'

'Om twaalf uur vanmiddag, kom naar het lege gebouw aan 2005 Clairemont. Vroeger zat David & Van Such er, de drukkerij.'

Ik kreeg een paar richtingaanwijzingen en hing op. Onder het douchen redeneerde ik dat dit een sportevenement was, dus ik kleedde me in mijn oude spijkerrok en een rood T-shirt met lange mouwen. Ik trok een rode panty aan (de rok was vrij kort) en een paar zwarte Mary Janes. Ze waren een beetje versleten, dus ik hoopte maar dat Christine niet omlaag zou kijken naar mijn schoenen. Ik stopte mijn zilveren kruisje onder mijn shirt; de religieuze betekenis zou de Weers helemaal niets uitmaken, maar het zilver misschien wel.

De ter ziele gegane drukkerij van David & Van Such had in een erg modern pand gezeten, op een even modern bedrijventerrein, grotendeels verlaten op deze zaterdag. Alle bedrijven waren gebouwd om bij elkaar te passen: lage grijze steen en donkere glazen bouwwerken, met overal rondom lagerstoemiastruiken, grasbermen en mooie stoepranden. David & Van Such had als speciale attractie een sierbrug over een siervijver, en een rode voordeur. In de lente, en na wat renovatiewerkzaamheden, zou het zo mooi zijn als maar mogelijk was voor een bedrijfspand. Vandaag, in de laatste fase van de winter, wuifde in een kille wind het dode onkruid dat tijdens de vorige zomer de lucht in was gegroeid. De skeletachtige lagerstoemia's moesten bijgesnoeid worden, en het water in de vijver leek stil te staan, met afval dat er hier en daar troosteloos in ronddreef. Op de parkeerplaats van David & Van Such stonden ongeveer dertig auto's, inclusief – onheilspellend genoeg – een ambulance.

Hoewel ik een jasje droeg, leek de dag opeens kouder toen ik van de parkeerplaats en over de brug naar de voordeur liep. Ik had er spijt van dat ik mijn dikkere jas thuis had gelaten, maar het had niet de moeite waard geleken om hem mee te nemen voor zo'n kort eindje tussen afgesloten ruimtes. De glazen voorkant van David & Van Such, slechts gebroken door de rode deur, weerspiegelde de heldere lichtblauwe hemel en het dode gras.

Het leek niet juist om op een bedrijfsdeur te kloppen, dus ik glipte naar binnen. Er liepen twee mensen voor me, na de nu lege receptieruimte overgestoken te hebben. Ze liepen door effen grijze dubbele deuren. Ik volgde ze, benieuwd wat me te wachten stond.

We kwamen binnen in wat de productieruimte was geweest, volgens mij; de enorme drukpersen waren allang verdwenen. Of misschien had deze spelonk van een kamer vol bureaus gestaan, bemand door klerken die bestellingen opnamen of de boekhouding deden. Dakramen lieten wat licht door. Er stond een groepje mensen vlak bij het midden van de ruimte.

Nou, ik had het mis gehad wat betreft de klerenkwestie. De vrouwen droegen voornamelijk mooie broekpakken, en hier en daar ving ik een glimp op van een jurk. Ik haalde mijn schouders op. Wie had dat kunnen weten?

Er waren een paar mensen in de menigte die ik niet op de begrafenis had gezien. Ik knikte naar de roodharige Weer genaamd Amanda (ik kende haar van de Heksenoorlog), en ze knikte terug. Het verbaasde me om Claudine en Claude te zien. De tweeling zag er prachtig uit, als altijd. Claudine droeg een diepgroene sweater en een zwarte broek, en Claude droeg een zwarte sweater en een diepgroene broek. Het resultaat was buitengewoon. Omdat de twee elfen de enige aanwezige, onmiskenbare non-Weers waren, ging ik bij hen staan.

Claudine boog en kuste me op de wang, net als Claude. Hun kussen voelden precies hetzelfde.

'Wat gaat er gebeuren?' Ik fluisterde de vraag want de groep was abnormaal stil. Ik zag dingen aan het plafond hangen, maar in het zwakke licht kon ik me niet indenken wat het was.

'Er worden verschillende tests gedaan,' mompelde Claudine. 'Jij bent niet zo'n schreeuwer, hè?'

Ik was nooit een schreeuwer geweest, maar ik vroeg me af of ik vandaag nieuw terrein zou betreden.

Er ging een deur open aan de andere kant van de kamer, en Jackson Herveaux en Patrick Furnan kwamen binnen. Ze waren naakt. Omdat ik maar weinig mannen naakt heb gezien, beschikte ik niet echt over veel vergelijkingsmateriaal, maar ik moet zeggen dat deze twee Weers niet mijn ideaal waren. Jackson was een oudere man met dunne benen, hoewel hij beslist fit was, en Patrick had de vorm van een ton hoewel ook hij er sterk en gespierd uitzag.

Nadat ik aan de naaktheid van de mannen was gewend, zag ik dat beiden vergezeld werden door een andere Weer. Alcide liep achter zijn vader, en een jonge blonde man volgde Patrick. Alcide en de blonde Weer waren volledig gekleed. 'Het zou aangenaam zijn geweest als zíj naakt waren geweest, hè?' fluisterde Claudine, knikkend naar de jongere mannen. 'Zij zijn de secondanten.'

Als in een duel. Ik keek of ze pistolen of zwaarden bij zich droegen, maar hun handen waren leeg.

Ik zag Christine pas toen ze voor aan de menigte liep. Ze stak haar handen boven haar hoofd en klapte één keer. Hiervoor was er niet veel gebabbel geweest, maar nu viel de enorme ruimte helemaal stil. De verfijnde vrouw met haar zilveren haar dwong alle aandacht af.

Ze raadpleegde haar boekje voor ze begon. 'We zijn bijeengekomen om de volgende leider van de Shreveport-troep, ook wel de Long Tooth-troep genoemd, te vinden. Om leider van de troep te kunnen worden, moeten deze

Weers met elkaar wedijveren in drie tests.' Christine zweeg om in het boek te kijken.

Drie was een mooi, mystiek getal. Ik had er wel drie verwacht.

Ik hoopte dat er bij geen van die drie tests bloed kwam kijken. Geen schijn van kans.

'De eerste test is de behendigheidstest.' Christine gebaarde naar een met touw afgezet gebied achter haar. Het leek een reusachtig speelplein in het schemerige licht. 'Daarna de uithoudingsvermogentest.' Ze wees naar een gebied links van haar dat met tapijt was bekleed. 'Vervolgens de krachttest in een gevecht.' Ze wuifde met haar hand naar een bouwwerk achter haar.

Geen bloed konden we dus wel vergeten.

'Daarna moet de winnaar met een andere Weer paren, om overleving van de troep te garanderen.'

Ik hoopte maar dat onderdeel vier symbolisch was. Immers, Patrick Furnan had een vrouw, die apart stond bij een groep die absoluut pro-Patrick was.

Dat leken me vier tests, geen drie, tenzij het paargedeelte zoiets was als de overwinnaarstrofee.

Claude en Claudine pakten mijn handen vast en knepen er simultaan in. 'Dit wordt naar,' fluisterde ik, en ze knikten eendrachtig.

Ik zag twee ambulancebroeders in uniform achter in de menigte staan. Ze waren beiden een bepaald type veranderaar, zo verraadde hun hersenpatroon. Naast hen stond een persoon – nou, misschien een dier – die ik in geen maanden had gezien: dr. Ludwig. Ze ving mijn blik op en boog naar me. Omdat ze ongeveer een meter lang was, hoefde ze niet ver te buigen. Ik boog terug. Dr. Ludwig had een grote neus, een olijfkleurige huid en dik golvend bruin haar. Ik was blij dat ze er was. Ik had er geen idee van wat dr. Ludwig eigenlijk was, behalve niet-menselijk, maar ze was een goede dokter. Mijn rug zou blijvende littekens hebben gehad – ervan uitgaande dat ik was blijven leven – als dr. Ludwig me niet had behandeld na een maenade-aanval. Ik was weggekomen met een paar slechte dagen en een fijn maaswerk over mijn schouderbladen, dankzij de kleine dokter.

De deelnemers betraden de 'ring' – eigenlijk een groot vierkant, afgezet met van die fluwelen touwen en paaltjes met metalen knoppen die ze in hotels gebruiken. Ik had gedacht dat de omheinde ruimte op een speelplein leek, maar nu de lampen aangingen, realiseerde ik me dat ik eerder een springpiste voor paarden zag, gekruist met een turnarena – of een parcours voor een behendigheidswedstrijd voor gigantische honden.

Christine zei: 'Verander je nu.' Ze verwijderde zich en ging weer op in de massa. Beide kandidaten lieten zich op de grond vallen, en de lucht om hen heen begon te flakkeren en te vervormen. Snel naar eigen wens veranderen was een buitengewone bron van trots onder veranderaars. De twee Weers voltooiden hun verandering op bijna hetzelfde ogenblik. Jackson Herveaux werd een enorme zwarte wolf, net als zijn zoon. Patrick Furnan was lichtgrijs, had een brede borst en was wat korter.

Toen de kleine massa dichterbij kwam, en tegen de fluwelen touwen leunde, dook uit de schaduwen een van de grootste mannen op die ik ooit had gezien, en hij stapte de arena in. Ik herkende hem als de man die ik voor het laatst gezien had op kolonel Floods begrafenis. Op z'n minst een meter vijfennegentig lang. Vandaag had hij een ontbloot bovenlijf en blote voeten. Hij was indrukwekkend gespierd, en zijn borst was net zo onbehaard als zijn hoofd. Hij zag eruit als een djinn; hij zou er vrij natuurlijk uitgezien hebben in een sjerp en kniebroek. In plaats daarvan droeg hij een versleten spijkerbroek. Zijn ogen waren pikzwarte pitten. Natuurlijk was hij een soort vormveranderaar, maar ik kon me niet voorstellen waarin hij zou veranderen.

'Wauw,' fluisterde Claude.

'O boy,' lispelde Claudine.

'Sodeju,' mompelde ik.

Terwijl hij tussen de rivalen in stond, leidde de lange man hen naar het begin van het parcours.

'Als de test eenmaal van start is, mag geen enkel troeplid hem onderbreken,' zei hij, kijkend van de ene Weer naar de andere.

'De eerste deelnemer is Patrick, wolf van deze troep,' zei de lange man. Zijn basstem klonk net zo dramatisch als het verre geroffel van trommels.

Ik begreep het toen: hij was de scheidsrechter. 'Patrick gaat eerst, na kruis of munt,' zei de lange man.

Voor ik kon bedenken dat het erg grappig was dat deze hele ceremonie een kruis-of-muntworp bevatte, was de lichte wolf vertrokken; hij bewoog zo snel dat ik hem amper kon volgen. Hij vloog tegen een schans op, sprong over drie tonnen, landde met veel verve aan de andere kant op de grond, ging nog een schans op en door een ring die aan het plafond hing (en die hevig zwaaide toen hij erdoorheen was), liet zich op de grond vallen, en kroop door een doorzichtige tunnel die erg smal was en waarin regelmatige bochten zaten. Hij leek op zo'n tunnel die in dierenwinkels wordt verkocht voor fretten en woestijnratten, maar dan groter. Eenmaal uit de tunnel, kwam de wolf, met de bek open en hijgend, bij een vlak stuk bedekt met kunstgras. Hier hield hij even stil en dacht na voordat hij een poot uitstak. Elke stap ging op die manier, terwijl de wolf zich een weg baande over de ongeveer twintig meter van dit specifieke gebied. Plotseling veerde een stuk van het kunstgras op toen er een val dichtklapte en op een haar na de achterpoot van de wolf miste. De wolf huilde van ontzetting, verstijfd op zijn plek. Het moet een kwelling zijn geweest, om zichzelf te proberen te beheersen, om niet naar de veiligheid van het platform te stuiven dat nu nog maar een paar meter verwijderd was.

Ik stond te beven, hoewel deze wedstrijd weinig met mij te maken had. De spanning was duidelijk zichtbaar onder de Weers. Ze leken zich niet helemaal meer als mensen te bcwegen. Zelfs de overdreven opgemaakte mevrouw Furnan had nu wijd open, ronde ogen; ogen die niet op die van een vrouw leken, zelfs onder al die make-up.

Toen de grijze wolf zijn laatste test deed, een sprong vanuit stilstand die de lengte van misschien twee auto's bestreek, barstte er een gejank van triomf los uit de keel van Patricks maat. De grijze wolf stond veilig op het platform. De scheidsrechter keek op een stopwatch in zijn hand.

'Tweede kandidaat,' zei de grote man, 'Jackson Herveaux, wolf van deze troep.' Een brein vlakbij verschafte me de naam van de grote man.

'Quinn,' fluisterde ik Claudine toe. Haar ogen sperden zich open. De naam droeg voor haar een betekenis die ik niet kon raden.

Jackson Herveaux begon aan dezelfde vaardigheidstest als die Patrick al had voltooid. Hij was sierlijker toen hij door de hangende hoepel ging; de hoepel bewoog nauwelijks toen hij erdoorheen zweefde. Hij deed er iets langer over, meende ik, om door de tunnel te gaan. Hij scheen zich dat ook te realiseren, want hij stapte haastiger in het veld met vallen dan ik wijs vond. Hij stond abrupt stil; misschien kwam hij tot dezelfde conclusie. Hij boog voorover om zijn neus beter te gebruiken. De informatie die hij hierdoor verkreeg deed hem van top tot teen rillen. Met buitengewone aandacht tilde de weerwolf één zwarte voorpoot op en bewoog hem nog geen twee centimeter. We hielden onze adem in terwijl hij zich vooruit bewoog in een compleet andere stijl dan zijn voorganger. Patrick Furnan had zich met grote stappen bewogen, met tussendoor redelijk lange pauzes om zorgvuldig te snuffelen, een soort opschieten-en-wachtenstijl. Jackson Herveaux bewoog zich heel gestaag kleine stukjes voort, zijn neus was steeds druk bezig, zijn bewegingen waren pienter gepland. Tot mijn opluchting haalde Alcides vader ongedeerd de overkant, zonder dat er een val dichtklapte.

De zwarte wolf verzamelde zijn krachten voor de laatste lange sprong en lanceerde zich uit alle macht de lucht in. Zijn landing was niet zo gracieus, aangezien zijn achterpoten moesten krabbelen om zich vast te klampen aan de rand van de landingsstrook. Maar hij haalde het, en een paar felicitatiekreten echoden door de lege ruimte.

'Beide kandidaten slagen voor de behendigheidstest,' zei Quinn. Zijn ogen dwaalden over de menigte. Toen ze over ons vreemde trio gingen – twee lange zwartharige tweelingelfen en een veel kortere blonde mens – had zijn blik misschien even gedraald, maar het viel moeilijk te zeggen.

Christine probeerde mijn aandacht te trekken. Toen ze zag dat ik naar haar keek, gaf ze een klein, scherp hoofdknikje naar een plek bij de test-van-uithoudingsvermogenkooi. Verbluft maar gehoorzaam bewoog ik me behoedzaam door de menigte. Ik wist niet dat de tweeling me had gevolgd tot ze opnieuw naast me aan elke zij stonden. Er was hier iets wat Christine wilde dat ik zag, om... Natuurlijk. Ze wilde dat ik mijn talent hier gebruikte. Ze vermoedde... bedotterij. Toen Alcide en zijn blonde tegenhanger hun plaatsen innamen in de kooi, zag ik dat ze allebei handschoenen aanhadden. Hun aandacht werd totaal opgeslokt door deze wedstrijd, waardoor er niets voor me overbleef om uit die concentratie te zeven. Dan bleven de twee wolven over. Ik had nog nooit geprobeerd om in het hoofd van een getransformeerd persoon te kijken.

Met aanzienlijke vrees concentreerde ik me erop mezelf open te stellen voor hun gedachten. Zoals je kon verwachten, was de mengeling van de gedachtepatronen van mens en hond een behoorlijke uitdaging. Bij de eerste scan kon ik slechts dezelfde soort focus oppikken, maar toen bespeurde ik een verschil.

Toen Alcide een vijfenveertig centimeter lange zilveren stok optilde, voelde mijn maag koud en rillerig. Terwijl ik de blonde Weer naast hem het gebaar zag herhalen, voelde ik mijn lippen terugtrekken van afkeer. De handschoenen waren niet absoluut noodzakelijk, want in menselijke vorm zou de huid van een Weer niet beschadigd raken door het zilver. In wolvenvorm, was zilver verschrikkelijk pijnlijk.

Furnans blonde secondant liet zijn handen over het zilver gaan, alsof hij de staaf op verborgen defecten testte.

Ik had geen idee waarom vampiers verzwakten en verbrandden door zilver, en waarom het fataal kon zijn voor Weers, terwijl het geen effect had op elfen – die, desalniettemin, langdurige blootstelling aan ijzer niet konden verdragen. Maar ik wist dat die dingen klopten, en ik wist dat de komende test afschuwelijk zou zijn om te zien.

Maar ik was daar om er getuige van te zijn. Er stond iets te gebeuren wat mijn aandacht vereiste. Ik concentreerde mijn geest weer op het kleine verschil dat ik in Patricks gedachten had bespeurd. In zijn Weervorm waren die zo primitief dat ze nauwelijks als 'gedachten' aangeduid konden worden.

Quinn stond tussen de twee secondanten in, zijn gladde schedel ving een straaltje licht op. Hij had een stopwatch in zijn handen.

'De kandidaten nemen nu het zilver,' zei hij, en met zijn handschoenen aan legde Alcide de staaf in zijn vaders mond. De zwarte wolf klemde hem vast en ging zitten, net als de lichtgrijze wolf met zijn zilveren staaf deed. De twee secondanten trokken zich terug. Een hoog gejank van pijn kwam uit Jackson Herveaux. Patrick Furnan vertoonde geen tekenen van stress op een zwaar gehijg na. Terwijl de fijngevoelige huid van zijn tandvlees begon te roken en een beetje begon te stinken, werd Jacksons gejammer luider. Patricks huid vertoonde dezelfde pijnlijke symptomen, maar Patrick zweeg.

'Ze zijn zo moedig,' fluisterde Claude, die met gefascineerde afschuw naar de marteling keek die de twee wolven ondergingen. Het werd duidelijk dat de oudere wolf deze wedstrijd niet zou winnen. De zichtbare tekenen van pijn namen met de seconde toe, en hoewel Alcide zich uitsluitend op zijn vader stond te concentreren om zijn steun bij te dragen, zou het elk moment voorbij zijn. Behalve...

'Hij speelt vals,' zei ik helder, wijzend naar de grijze wolf.

'Geen enkel lid van de troep mag spreken.' Quinns diepe stem klonk niet boos, slechts zakelijk.

'Ik ben geen troeplid.'

'Trek je de wedstrijd in twijfel?' Quinn keek me nu aan. Alle troepleden die bij mij in de buurt hadden gestaan, weken achteruit tot ik alleen stond met de twee elfen, die met enige verbazing en ontzetting naar me omlaag keken.

'Reken maar van yes. Ruik aan de handschoenen die Patricks secondant droeg.'

De blonde secondant keek compleet overdonderd. En schuldig.

'Laat de staven vallen,' beval Quinn, en de twee wolven gehoorzaamden, Jackson Herveaux met een zacht gejank. Alcide viel op zijn knieën naast zijn vader neer, en sloeg zijn armen om de oudere wolf.

Quinn, die zich zo soepel bewoog alsof zijn gewrichten geolied waren, knielde om de handschoenen te pakken die

Patricks secondant op de grond had gegooid. Libby Furnans hand schoot over het fluwelen touw om ze weg te grissen, maar een diepe grom van Quinn beval haar te stoppen. Mijn eigen ruggengraat tintelde ervan, en ik stond veel verder weg dan Libby.

Quinn raapte de handschoenen op en rook eraan.

Hij keek met zo'n hevige verachting op Patrick Furnan neer dat ik ervan stond te kijken dat de wolf niet ineenschrompelde onder het gewicht ervan.

Hij draaide zich naar de rest van de menigte toe. 'Die vrouw heeft gelijk.' Quinns diepe stem gaf de woorden het gewicht van steen. 'Er zit een drug op de handschoenen. Het verdoofde Patricks huid toen het zilver in zijn mond werd geplaatst, zodat hij het langer vol kon houden. Ik verklaar hem tot de verliezer van dit onderdeel van de wedstrijd. De troep moet beslissen of hij het recht om door te gaan heeft verspeeld, en of zijn secondant nog steeds troeplid mag zijn.' De blondharige Weer kromp ineen alsof hij verwachtte dat iemand hem zou slaan. Ik wist niet waarom zijn straf erger moest zijn dan die van Patrick; hoe lager je rang, hoe erger je straf, misschien? Niet echt eerlijk; maar ik was dan ook geen Weer.

'De troep zal stemmen,' riep Christine. Ze ving mijn blik op en ik wist dat dit de reden was waarom ze me hier wilde hebben. 'Als de rest van jullie naar de andere ruimte willen gaan?'

Quinn, Claude, Claudine en drie andere vormveranderaars liepen samen met mij naar de deuren die uitkwamen op de andere ruimte. Er was hier meer natuurlijk licht, wat prettig was. Minder prettig was de nieuwsgierigheid die zich om me heen verenigde. Ik had nog steeds mijn schild omlaag, en ik voelde de achterdocht en speculatie uit de hersenen van mijn metgezellen vloeien, behalve natuurlijk uit die van de twee elfen. Volgens Claude en

Claudine was mijn rariteit een zeldzame gave en was ik een geluksvogel.

'Kom hier,' donderde Quinn, en ik overwoog om hem te vertellen dat hij zijn bevelen in zijn reet kon stoppen. Maar dat zou kinderachtig zijn, en ik had niks te vrezen. (Dat is althans wat ik ongeveer zeven keer snel achter elkaar tegen mezelf zei.) Ik rechtte mijn ruggengraat, en ik beende op hem af en keek hem recht in het gezicht.

'Je hoeft je kaak niet zo uit te steken,' zei hij kalm. 'Ik ga je niet slaan.'

'Ik dacht ook niet dat je dat zou doen,' zei ik met een pit in mijn stem waar ik trots op was. Ik ontdekte dat zijn ronde ogen het zeer donkere, rijke, paarsbruine van viooltjes hadden. Wauw, ze waren mooi! Ik lachte van puur genot... en een scheutje opluchting.

Onverwachts lachte hij terug. Hij had volle lippen, erg rechte tanden en een stevige pilaar van een nek.

'Hoe vaak moet jij je scheren?' vroeg ik, gefascineerd door zijn gladheid.

Hij lachte vanuit de buik.

'Ben jij ook maar ergens bang voor?' vroeg hij.

'Zoveel dingen,' zei ik treurig.

Hij dacht er even over na. 'Heb je een extra fijngevoelig reukvermogen?'

'Nee.'

'Ken je die blonde?'

'Heb hem nog nooit gezien.'

'Hoe wist je het dan?'

'Sookie is een telepaat,' zei Claude. Toen hij de starende blik van de grote man opving, keek hij alsof hij spijt had dat hij in de rede was gevallen. 'Mijn zus is haar, eh, beschermster,' besloot Claude haastig.

'Dan bak je er maar weinig van,' zei Quinn tegen Claudine.

'Laat Claudine met rust,' zei ik verontwaardigd. 'Claudine heeft mijn leven al zo vaak gered.'

Quinn keek geërgerd. 'Elfen,' mopperde hij. 'De Weers zullen niet blij zijn met jouw stukje informatie,' zei hij tegen me. 'Minstens de helft van hen zou willen dat je dood was. Als jouw veiligheid Claudines topprioriteit is, dan had ze je je mond dicht moeten laten houden.'

Claudine keek verslagen.

'Hé,' zei ik, 'kap ermee. Ik weet dat je daarbinnen vrienden hebt zitten om wie je je zorgen maakt, maar reageer dat niet af op Claudine. Of op mij,' voegde ik er vlug aan toe, toen zijn ogen zich op mij vestigden.

'Ik heb daarbinnen geen vrienden zitten. En ik scheer me elke ochtend,' zei hij.

'Oké dan.' Ik knikte perplex.

'Of als ik 's avonds uitga,' zei hij.

'Ik vat hem.'

'Om iets speciaals te gaan doen.'

Wat zou Quinn als speciaal beschouwen?

De deuren gingen open en onderbraken een van de vreemdste gesprekken die ik ooit had gehad.

'Jullie kunnen weer naar binnen,' zei een jonge Weer op zeven centimeter hoge, geile schoenen. Ze droeg een bordeauxrode, nauwsluitende jurk, en toen we haar naar de grote ruimte terug volgden, gaf ze haar loopje extra zwier. Ik vroeg me af wie ze in vervoering wilde brengen: Quinn of Claude. Of misschien Claudine?

'Dit is ons oordeel,' zei Christine tegen Quinn. 'We hervatten de wedstrijd waar hij was geëindigd. Omdat Patrick vals speelde bij de tweede test, wordt hij volgens de stemming uitgeroepen tot de verliezer van die test. Ook van de behendigheidstest. Echter, hij mag in de running blijven. Maar om te winnen moet hij de laatste test doorslaggevend winnen.' Ik wist niet zeker wat 'doorslaggevend' betekende in deze context. Aan Christines gezicht te zien, voorspelde dat weinig goeds. Voor de eerste keer realiseerde ik me dat gerechtigheid misschien niet zou zegevieren.

Alcide keek erg grimmig toen ik zijn gezicht in de menigte ontdekte. Dit oordeel scheen duidelijk partijdig te zijn ten gunste van zijn vaders tegenstander. Ik was me er niet van bewust dat er meer Weers in het Furnankamp zaten dan in het Herveauxkamp, en ik vroeg me af wanneer die verschuiving zich had voorgedaan. De balans had meer in evenwicht geleken op de begrafenis.

Aangezien ik mijn neus er al in had gestoken, voelde ik me zo vrij om mijn neus er wat dieper in te steken. Ik begon tussen de troepleden te dwalen, luisterend naar hun breinen. Hoewel de gekronkelde hersenen van alle Weers en veranderaars lastig te ontcijferen zijn, pikte ik hier en daar een hint op. De Furnans, kwam ik te weten, hadden hun plan uitgevoerd om verhalen over Jackson Herveauxs gokverslaving uit te laten lekken, en hadden zich luid en duidelijk uitgelaten over hoe onbetrouwbaar dat Jackson als leider maakte.

Ik wist van Alcide dat de verhalen over het gokken van zijn vader klopten. Hoewel ik geen bewondering had voor het feit dat de Furnans deze troef gebruikten, kon ik het ook niet beschouwen als het vals schikken van de kaarten.

De twee rivalen hadden nog steeds hun wolvengedaante. Als ik het goed had begrepen, moesten ze volgens het programma toch vechten. Ik stond naast Amanda. 'Wat is er veranderd aan de laatste test?' vroeg ik. De roodharige fluisterde dat het gevecht nu niet langer een gewone match was, waarbij de deelnemer die na vijf minuten overeind bleef tot winnaar werd verklaard. Om nu het gevecht 'doorslaggevend' te winnen, moest de verliezer dood of invalide zijn.

Dit had ik niet verwacht, maar ik wist zonder te vragen dat ik niet weg kon gaan.

De groep verzamelde zich rondom een koepel van ijzerdraad die me onweerstaanbaar deed denken aan *Mad Max Beyond Thunderdome*. Je weet wel... *'Two men enter, one man leaves.'* Ik geloof dat dit het wolvenequivalent was. Quinn deed de deur open, en de twee grote wolven slopen naar binnen, terwijl ze hun blikken van de ene kant naar de andere kant wierpen om hun supporters te tellen. Of dat is althans wat ik vermoedde.

Quinn draaide zich om en wenkte me.

O o. Ik fronste. De donkere, paarsbruine ogen stonden strak. De man maakte geen geintjes. Ik liep schoorvoetend op hem af.

'Lees hun gedachten weer,' beval hij me. Hij legde een enorme hand op mijn schouder. Hij draaide me om, waardoor ik oog in oog kwam te staan – nou ja, om het zo te zeggen – met zijn donkerbruine tepels. Van mijn stuk gebracht, keek ik op. 'Luister, blondie, het enige wat je hoeft te doen is naar binnen gaan en je ding doen,' zei hij geruststellend.

Had hij dat idee niet kunnen hebben toen de wolven buiten de kooi waren? Wat als hij de deur achter me dichtdeed? Ik keek over mijn schouder naar Claudine, die verwoed haar hoofd schudde.

'Waarom moet ik dat doen? Wat voor nut heeft het?' vroeg ik, omdat ik geen volslagen idioot was.

'Gaat hij weer vals spelen?' vroeg Quinn zo zachtjes dat ik wist dat niemand hem kon horen. 'Heeft Furnan een of ander middel om vals te spelen dat ik niet kan zien?'

'Garandeer je mijn veiligheid?'

Hij keek me in de ogen. 'Ja,' zei hij zonder aarzeling. Hij opende de deur naar de kooi. Hoewel hij moest bukken, kwam hij achter me naar binnen.

De twee wolven kwamen behoedzaam op me af. Hun geur was sterk; als hond, maar muskusachtiger en wilder. Nerveus legde ik mijn hand op Patrick Furnans hoofd. Ik tuurde zo goed mogelijk in zijn hoofd, en ik kon niets dan woede voor mij bespeuren omdat ik hem zijn triomf in de uithoudingsvermogentest had gekost. Er zat een resoluut, Nemesisachtig kantje aan de ophanden zijnde strijd, die hij van plan was te winnen door pure meedogenloosheid.

Ik zuchtte, schudde mijn hoofd, haalde mijn hand weg. Om eerlijk te zijn, legde ik mijn hand op Jacksons schouders, die zo hoog stonden dat ik me rot schrok. De wolf vibreerde letterlijk, een vage rilling die zijn vacht deed sidderen onder mijn aanraking. Zijn hele voornemen was erop gericht om zijn rivaal de ledematen uit te rukken. Maar Jackson was bang voor de jongere wolf.

'Alles in orde,' zei ik, en Quinn draaide zich om en deed de deur open. Hij dook ineen om erdoorheen te stappen, en ik wilde net achter hem aan komen toen het meisje in de bordeauxrode jurk gilde. Sneller dan ik dacht dat zo'n grote man zich kon bewegen, draaide Quinn zich om, pakte met één hand mijn arm beet, en rukte uit alle macht. Met zijn andere hand smeet hij de deur dicht, en ik hoorde er iets tegenaan knallen.

Het lawaai achter me vertelde me dat het gevecht al was begonnen, maar ik stond tegen een enorme omtrek van gladde gebruinde huid gedrukt. Met mijn oor tegen Quinns borst kon ik het zowel binnen als buiten horen donderen toen hij vroeg: 'Had hij je te pakken?'

Ik stond nu zelf te rillen en te sidderen. Mijn been was nat, en ik zag dat mijn panty gescheurd was, en er stroomde bloed uit een schaafwond aan de zijkant van mijn rechterkuit. Was ik met mijn been langs de deur geschuurd toen Quinn hem zo snel had dichtgedaan, of was ik gebeten? O mijn god, als ik was gebeten...

Alle anderen stonden tegen de kooi van metaaldraad aangedrukt, te kijken naar de grommende, wervelende wolven. Hun speeksel en bloed vlogen rond in een fijne nevel en bespikkelden de toeschouwers. Ik keek even achterom en zag Jacksons grip op Patricks achterpoot verslappen toen Patrick zich naar achter boog om in Jacksons muil te bijten. Ik ving een blik op van Alcides gezicht, gespannen en vol angst.

Ik wilde hier niet naar kijken. Ik keek nog liever naar het vel van deze onbekende dan te moeten zien hoe de twee mannen elkaar vermoordden.

'Ik bloed,' zei ik tegen Quinn. 'Het is niet zo erg.'

Een intense gil uit de kooi maakte duidelijk dat een van de wolven een treffer had gescoord. Ik kromp ineen.

De grote man droeg me half naar de muur. Dat was een behoorlijk eind weg van het gevecht. Hij hielp me mezelf om te draaien en neer te zinken in een zittende positie.

Quinn liet zich ook op de grond zakken. Hij was zo gracieus voor iemand die zo groot was, dat ik geheel in beslag werd genomen door zijn bewegingen. Hij knielde naast me neer om mijn schoenen uit te trekken, en toen mijn panty, die aan flarden was gescheurd en besmeurd was met bloed. Ik zweeg en bibberde terwijl hij omlaag zakte om op zijn buik te gaan liggen. Hij greep mijn knie en mijn enkel in zijn enorme handen alsof mijn been een grote drumstick was. Zonder een woord te zeggen, begon Quinn het bloed van mijn kuit te likken. Ik was bang dat dit ter voorbereiding diende voor een hap, maar dr. Ludwig kwam aantrippelen, keek omlaag, en knikte. 'Het komt wel goed met je,' zei ze neerbuigend. Nadat ze me zachtjes op het hoofd had geklopt alsof ik een gewonde hond was, trippelde de piepkleine dokter terug naar haar verplegers.

Intussen, hoewel ik niet had gedacht dat het voor mij mogelijk was om allesbehalve in grote spanning te verkeren, verschafte het beenlikken een geheel onverwachte afleiding. Ik verschoof onrustig, terwijl ik een snik onderdrukte. Misschien moest ik mijn been van Quinn wegtrekken? Het glimmende, kale hoofd op en neer te zien gaan terwijl hij aan het likken was, deed me denken aan iets wat mijlenver weg was van het leven-op-doodgevecht dat aan de andere kant van de ruimte plaatsvond. Quinn bewoog steeds langzamer, zijn tong voelde warm en een beetje ruw terwijl hij mijn been schoonmaakte. Hoewel zijn brein het meest opake veranderaarsbrein was dat ik ooit was tegengekomen, kreeg ik het idee dat hij dezelfde reactie had als ik.

Toen hij klaar was, legde hij zijn hoofd op mijn dij. Hij hijgde, en ik deed mijn best om zelf niet te hijgen. Zijn handen lieten los, maar streelden doelbewust mijn been. Hij keek naar me op. Zijn ogen waren veranderd. Ze waren van goud, puur goud. De kleur vulde zijn ogen. Wauw.

Ik geloof dat hij aan mijn gezicht kon zien dat ik, om het zacht uit te drukken, tegenstrijdige gevoelens had met betrekking tot ons kleine intermezzo.

'Niet onze tijd of plek, schat,' zei hij. 'God, dat was... fantastisch.' Hij rekte zich uit, en het was geen uitstrekken van armen en borst, zoals mensen zich uitrekken. Hij rimpelde van onder aan zijn ruggengraat tot aan zijn schouders. Het was een van de vreemdste dingen die ik ooit had gezien, en ik had een heleboel vreemde dingen gezien. 'Weet je wie ik ben?'

Ik knikte. 'Quinn?' zei ik, en ik voelde mijn wangen rood worden.

'Ik heb gehoord dat jij Sookie heet,' zei hij, terwijl hij op zijn knieën ging zitten.

'Sookie Stackhouse,' zei ik.

Hij legde zijn hand onder mijn kin zodat ik naar hem opkeek. Ik staarde zo diep als ik kon in zijn ogen. Hij knipperde niet.

'Ik vraag me af wat je ziet,' zei hij ten slotte, en hij haalde zijn hand weg.

Ik keek omlaag naar mijn knie. De plek erop, nu vrij van bloed, was bijna zeker een schaafwond van het metaal van de deur. 'Geen beet,' zei ik, en mijn stem beefde bij het laatste woord. De spanning trok vliegensvlug weg.

'Nee. Geen *she*-wolf in jouw toekomst,' stemde hij in, en hij kwam soepel overeind. Hij stak zijn hand uit. Ik pakte hem vast, en hij had me in een seconde overeind. Een doordringende gil uit de kooi bracht me met een ruk terug in het hier en nu.

'Vertel eens. Waarom kunnen ze verdorie niet gewoon stemmen?' vroeg ik hem.

Quinns ronde ogen, die weer hun paarsbruine kleur hadden en omringd waren door wit zoals normaal, rimpelden bij de hoeken van vermaak.

'Niet de stijl van een veranderaar, schat. Je ziet me straks wel,' beloofde Quinn. Zonder nog een woord te zeggen beende hij terug naar de kooi, en mijn excursietje was voorbij. Ik moest mijn aandacht weer richten op de echt belangrijke gebeurtenis die in dit gebouw plaatshad.

Claudine en Claude keken angstig over hun schouders toen ik ze vond. Ze maakten wat ruimte voor me om tussen hen in te gaan staan en sloegen hun armen om me heen toen ik op mijn plek stond. Ze leken erg van streek, en er stroomden twee tranen langs Claudines wangen omlaag. Toen ik de situatie in de kooi zag, begreep ik waarom.

De lichtere wolf was aan het winnen. De vacht van de zwarte wolf zat onder het bloed. Hij stond nog steeds overeind, en gromde nog steeds, maar een van zijn achterpoten zakte af en toe door onder zijn gewicht. Hij slaagde er twee keer in zichzelf weer omhoog te trekken, maar de derde keer bezweek de poot, de jongere wolf zat boven op hem, terwijl de twee tolden en tolden in een angstaanjagende waas van tanden, opengereten vlees, en vacht.

Alle Weers negeerden de stilteregels en schreeuwden hun steunbetuigingen voor de ene mededinger of de andere, of huilden alleen maar. Het geweld en het lawaai vermengden zich en vormden een chaotisch collage. Ten slotte zag ik Alcide met zijn handen tegen het metaal bonzen, zinloos geagiteerd. Ik had nog nooit zoveel medelijden met iemand gehad. Ik vroeg me af of hij met geweld de gevechtskooi in wilde. Maar nog een blik zei me dat zelfs als Alcides respect voor troepvoorschriften instortte en hij zijn vader te hulp probeerde te schieten, Quinn de deur zou blokkeren. Daarom had de troep natuurlijk een buitenstaander ingeschakeld.

Ineens was het gevecht voorbij. De lichtere wolf had de donkere bij de keel. Hij had hem klem, maar beet niet. Misschien had Jackson nog doorgeworsteld als hij niet zo ernstig gewond was geweest, maar zijn kracht was uitgeput. Hij lag te janken, totaal niet in staat om zich te verdedigen, invalide. De zaal viel compleet stil.

'Patrick Furnan wordt tot winnaar verklaard,' zei Quinn op neutrale toon.

En toen beet Patrick Furnan in Jackson Herveauxs keel en doodde hem.

16

QUINN NAM DE LEIDING VAN DE SCHOONMAAK OP zich met de zelfverzekerde autoriteit van iemand die zulke dingen al eerder heeft gedaan. Hoewel ik versuft en verdoofd was van de shock, merkte ik op dat hij heldere en precieze aanwijzingen gaf wat betreft de verdeling van het testmateriaal. Troepleden demonteerden de kooi in onderdelen en braken de behendigheidsarena af met snelle doeltreffendheid. Een schoonmaakploeg zorgde ervoor dat het bloed en andere vloeistoffen opgedweild werden.

Algauw was het gebouw helemaal leeg op de mensen na. Patrick Furnan was teruggekeerd tot zijn menselijke vorm, en dr. Ludwig was zijn vele wonden aan het verzorgen. Ik was blij dat hij ze stuk voor stuk had. Het speet me alleen dat ze niet erger waren. Maar de troep had Furnans beslissing geaccepteerd. Als zij niet tegen zoveel bruutheid wilden protesteren, dan kon ik dat ook niet.

Alcide werd getroost dor Maria-Star Cooper, een jonge Weer die ik vaag kende.

Maria-Star hield hem vast en streelde zijn rug, ze bood hem steun puur en alleen door haar nabijheid. Hij hoefde me niet te vertellen dat hij op dit moment liever het gezelschap had van een andere Weer dan van mij. Ik was naar hem toe gegaan om hem te omhelzen, maar toen ik vlak bij hem stond en zijn blik opving, had ik het geweten. Het deed pijn, heel erg pijn; maar vandaag ging het niet om mij en mijn gevoelens.

Claudine huilde in de armen van haar broer. 'Ze is zo teerhartig,' fluisterde ik Claude toe, en ik voelde me een beetje beschaamd omdat ik zelf niet huilde. Ik was vooral bezorgd om Alcide; ik had Jackson Herveaux nauwelijks gekend.

'Ze heeft de tweede elfenoorlog in Iowa doorgemaakt, waarin ze samen met de besten vocht,' zei Claude, terwijl hij zijn hoofd schudde. 'Ik heb een onthoofde kobold zijn tong naar haar zien uitsteken in zijn doodsstrijd, en ze lachte. Maar hoe dichter ze bij het licht komt, hoe gevoeliger ze wordt.'

Dat snoerde me effectief de mond. Ik ging niet om een uitleg vragen van nóg een esoterische, bovennatuurlijke wet. Daar had ik mijn buik al van vol vandaag.

Nu alle rotzooi was opgeruimd (bij die rotzooi inbegrepen was Jacksons lichaam, dat dr. Ludwig ergens mee naartoe had genomen om het te veranderen, om het verhaal van zijn doodsoorzaak geloofwaardiger te maken), verzamelden alle aanwezige troepleden zich voor Patrick Furnan, die zijn kleren niet meer had aangedaan. Volgens zijn lichaam had de overwinning ervoor gezorgd dat hij zich mannelijk voelde. Jakkes.

Hij stond op een deken; het was een rode stadiondeken

met een Schots patroon, zo één die je meeneemt naar een rugbywedstrijd. Ik voelde mijn lippen trillen, maar ik werd compleet nuchter toen de echtgenote van de nieuwe troepmeester een jonge vrouw naar hem toe leidde, een bruinharig meisje dat een wat oudere tiener leek. Het meisje was net zo bloot als de troepmeester, hoewel ze er aanzienlijk beter uitzag in die toestand.

Wat krijgen we nou?

Ineens herinnerde ik me het laatste stuk van de ceremonie, en ik besefte dat Patrick Furnan dit meisje voor onze ogen ging neuken. Nee. Geen schijn van kans dat ik hiernaar ging kijken. Ik probeerde me om te draaien en weg te lopen. Maar Claude siste: 'Je kunt niet vertrekken.' Hij bedekte mijn mond en tilde me op om me naar achter in de menigte te dragen. Claudine liep met ons mee en stond voor me, maar met haar rug naar me toe, zodat ik het niet hoefde te zien. Ik maakte een woedend geluid in Claudes hand.

'Hou je mond,' zei de elf onverbiddelijk, zo intens gemeend als hij kon opbrengen. 'Je brengt ons nog allemaal in de problemen. Als je je er beter door voelt, dit is traditie. Het meisje bood zich als vrijwilligster aan. Hierna zal Patrick weer de trouwe echtgenoot zijn. Maar hij heeft zijn welp al verwekt bij zijn vrouw, en hij moet het ceremoniële gebaar maken en er nóg een verwekken. Misschien slaat het aan, misschien niet, maar het moet gebeuren.'

Ik hield mijn ogen dicht en was dankbaar toen Claudine zich naar me omdraaide en haar handen, die nat waren van de tranen, over mijn oren legde. Een schreeuw steeg op uit de menigte toen de zaak was voltooid. De twee elfen ontspanden en gaven me wat ruimte. Ik zag niet wat er met het meisje was gebeurd. Furnan was nog steeds naakt, maar zolang hij kalm was, kon ik dat wel aan.

Om zijn status te verzegelen, begon de nieuwe troepmeester de geloften van zijn wolven in ontvangst te nemen. Ze gingen om de beurt, van oud naar jong, meende ik, na een korte observatie. Elke Weer likte de rug van Patrick Furnans hand en bood zijn of haar nek aan voor een ritueel. Toen Alcide aan de beurt was, besefte ik plotseling dat er mogelijk nóg meer onheil kon komen.

Ik merkte dat ik mijn adem inhield.

Aan de diepe stilte kon ik merken dat ik niet de enige was. Na een lange aarzeling boog Furnan voorover en zette zijn tanden op Alcides nek; ik opende mijn mond om bezwaar te maken, maar Claudine sloeg haar hand ervoor. Furnans tanden lieten Alcides huid los, en lieten hem ongedeerd achter.

Troepmeester Furnan had een duidelijk signaal uitgezonden.

Tegen de tijd dat de laatste Weer het ritueel had uitgevoerd, was ik bekaf van alle emotie. Dit was toch zeker wel het einde? Ja, de troep verspreidde zich, sommige leden gaven de Furnans feliciterende omhelzingen, en sommigen beenden zwijgend naar buiten.

Zelf ontweek ik hen en stevende op de deur af. De volgende keer dat iemand me vertelde dat ik naar een bovennatuurlijke ceremonie moest kijken, zou ik hem vertellen dat ik mijn haar moest wassen.

Eenmaal in de buitenlucht liep ik langzaam, en mijn voeten sleepten zich voort. Ik moest nadenken over dingen die ik terzijde had geschoven, zoals wat ik in Alcides hoofd had gezien nadat het hele debacle voorbij was. Alcide vond dat ik hem in de steek had gelaten. Hij had tegen me gezegd dat ik moest komen, en dat had ik gedaan; ik had moeten weten dat hij een reden had om erop aan te dringen dat ik aanwezig zou zijn.

Nu wist ik dat hij had vermoed dat Furnan een of andere achterbakse list in gedachten had. Alcide had Christine, zijn vaders bondgenoot, van tevoren ingelicht. Zij had ervoor gezorgd dat ik mijn telepathie op Patrick Furnan gebruikte. En, inderdaad, ik had ontdekt dat Jacksons tegenstander vals speelde. Die onthulling had Jacksons overwinning veilig moeten stellen.

In plaats daarvan had de wil van de troep zich tegen Jackson gekeerd, en de wedstrijd was doorgegaan met een nog hogere inzet. Ik had niets te maken met dat besluit. Maar op dit moment gaf Alcide, in zijn rouw en woede, mij de schuld.

Ik probeerde boos te zijn, maar ik voelde me te bedroefd.

Claude en Claudine zeiden gedag, en ze sprongen in Claudines Cadillac en scheurden weg van de parkeerplaats alsof ze niet konden wachten tot ze terug waren in Monroe. Ik dacht er hetzelfde over, maar ik was heel wat minder veerkrachtig dan de elfen. Ik moest eerst vijf of tien minuten achter het stuur van de geleende Malibu zitten om tot rust te komen en klaar te zijn voor de rit naar huis.

Ik moest aan Quinn denken. Het was een welkome afwisseling van de gedachte aan uiteengereten vlees en bloed en dood. Toen ik in zijn hoofd had gekeken, had ik een man gezien die zijn vak verstond. En toch had ik er geen idee van wat hij was.

De rit naar huis was akelig.

Ik had Merlotte die avond net zo goed af kunnen bellen. O, tuurlijk, ik nam plichtmatig bestellingen op en bracht ze naar de juiste tafels, vulde pullen met bier, stopte mijn fooien in de fooienpot, veegde vlekken weg en zorgde ervoor dat de tijdelijke kok (een vampier, Anthony Bolivar genaamd; hij had al eerder voor ons ingevallen) eraan dacht dat de keukenhulp verboden terrein was. Maar ik voelde geen enkel sprankje vreugde bij mijn werk.

Ik merkte wel dat het wat beter met Sam leek te gaan. Hij was duidelijk rusteloos, terwijl hij in zijn hoekje Charles zat gade te slaan terwijl die aan het werk was. Mogelijk was Sam ook een beetje gepikeerd, aangezien Charles alleen maar populairder leek te worden bij de clientèle. De vamp was charmant, dat stond vast. Hij droeg vanavond een rood ooglapje met lovertjes en zijn gebruikelijke piratenhemd onder een zwart lovertjesvest – overdreven protserig, maar ook vermakelijk.

'Je ziet er neerslachtig uit, mooie dame,' zei hij toen ik een Tom Collins en een rum-cola kwam ophalen.

'Het was gewoon een lange dag,' zei ik, en ik deed mijn best om te glimlachen. Ik had zoveel andere dingen die ik emotioneel moest verwerken, dat ik het niet eens erg vond toen Bill weer binnenkwam met Selah Pumphrey. Zelfs toen ze in mijn gedeelte gingen zitten, gaf ik er niks om. Maar toen Bill mijn hand vastpakte, griste ik hem weg alsof hij me in brand had proberen te steken.

'Ik wil alleen maar weten wat er aan de hand is,' zei hij, en heel even herinnerde ik me hoe goed het had gevoeld die nacht in het ziekenhuis toen hij naast me had gelegen. Mijn mond begon zich zelfs te openen, maar toen ving ik een glimp op van Selahs verontwaardigde gezicht, en ik besloot mijn emoties in bedwang te houden.

'Ik ben zo terug met dat bloed,' zei ik opgewekt, en ik lachte breed genoeg om alle tanden die ik had te laten zien.

Naar de donder met hem, dacht ik arrogant. Hij en het paard waarop hij naar binnen reed.

Daarna was het puur zakelijk. Ik lachte en werkte, en werkte en lachte. Ik bleef bij Sam uit de buurt, want ik wilde niet nóg een lang gesprek voeren met nóg een veranderaar die avond. Ik vreesde – aangezien ik geen enkele reden had om boos te zijn op Sam – dat als hij me vroeg wat er aan de hand was, ik het hem zou vertellen; en ik wilde er gewoon niet over praten. Heb jij wel eens zin om gewoon rond te stampen en je een poosje ellendig te voelen? Zo'n bui had ik nou.

Maar ik moest uiteindelijk toch naar Sam, toen Catfish vroeg of hij met een cheque kon betalen voor de feestelijkheid van deze avond. Dat was Sams regel: hij moest cheques goedkeuren. En ik moest dicht bij Sam gaan staan, want het café was erg lawaaierig.

Ik dacht er verder niet over na, behalve dat ik niet met mijn eigen bui bij Sam aan wilde komen, maar toen ik me over hem heen boog om het cashflowprobleem van Catfish uit te leggen, gingen Sams ogen wijd open. 'Mijn god, Sookie,' zei hij, 'bij wie ben jij geweest?'

Ik deinsde sprakeloos terug. Hij was zowel geschokt als verbijsterd door een geur waarvan ik niet eens wist dat ik hem bij me droeg. Ik was het zat dat die magische types dit steeds met me uithaalden.

'Waar heb je een tijger ontmoet?' vroeg hij.

'Een tijger,' herhaalde ik verdoofd.

Dus nu wist ik waar mijn nieuwe kennis Quinn in veranderde wanneer de maan vol was.

'Vertel eens,' zei Sam bevelend.

'Nee,' snauwde ik, 'ik vertel niets. En Catfish?'

'Hij kan voor deze keer een cheque uitschrijven. Als er iets mis mee is, zal hij er nooit meer één uitschrijven hier.'

Ik gaf die laatste zin niet door. Ik nam Catfish' cheque en zijn van alcohol doordrenkte dankbaarheid aan, en stopte ze allebei waar ze hoorden.

Om mijn slechte bui nog erger te maken, bleef ik met mijn zilveren ketting aan een hoek van de bar haken toen ik vooroverboog om een servetje op te rapen dat een of andere smeerlap op de grond had gegooid. De ketting brak, en ik ving hem op en liet hem in mijn zak vallen. Verdomme. Dit was een waardeloze dag, gevolgd door een waardeloze nacht.

Ik zorgde ervoor dat ik naar Selah zwaaide toen zij en Bill vertrokken. Hij had een flinke fooi voor me achtergelaten, en ik propte hem met zoveel geweld in mijn zak dat ik bijna de stof scheurde. Een paar keer gedurende de avond had ik de cafételefoon horen rinkelen, en toen ik een paar vuile glazen naar het keukenluik bracht, zei Charles: 'Iemand blijft steeds bellen en ophangen. Erg irritant.'

'Ze zullen er wel genoeg van krijgen en ermee ophouden,' zei ik sussend.

Ongeveer een uur later, op het moment dat ik een cola voor Sam neerzette, kwam de keukenhulp me vertellen dat er iemand bij de personeelsingang stond die naar mij vroeg.

'Wat deed je buiten?' vroeg Sam scherp.

De jongen keek beschaamd. 'Ik rook, meneer Merlotte,' zei hij. 'Ik was pauze aan het houden, want de vamp zei dat-ie me leeg zou zuigen als ik er binnen een opstak, en toen kwam die man opeens uit het niets aanlopen.'

'Hoe ziet hij eruit?' vroeg ik.

'O, hij is oud, heeft zwart haar,' zei de jongen, en hij haalde zijn schouders op. Hij deed niet aan uitgebreide omschrijvingen.

'Oké,' zei ik. Ik was blij dat ik even pauze kon nemen. Ik vreesde dat ik wist wie de bezoeker was, en als hij het café binnen was gekomen, zou hij een rel geschopt hebben. Sam vond een smoes om me naar buiten te volgen door te zeggen dat hij een sanitaire stop moest maken, en hij raapte zijn stok op die hij gebruikte om door de gang achter me aan te hobbelen. Hij had zijn eigen piepkleine wc bij zijn kantoor, en hij hinkte naar binnen terwijl ik langs de heren- en damestoiletten doorliep naar de achterdeur. Ik deed hem behoedzaam open en tuurde naar buiten. Maar toen begon ik te lachen. De man die op me stond te wachten, had een van de beroemdste gezichten ter wereld – behalve, blijkbaar, voor keukenhulppubers.

'Bubba,' zei ik, blij de vampier te zien. Je kon hem niet bij zijn vorige naam noemen, anders raakte hij helemaal in de war en geagiteerd. Bubba stond vroeger bekend als... Nou, laat ik het zo zeggen. Stond je vreemd te kijken van al die waarnemingen na zijn dood? Dit was de verklaring.

De overgang was geen compleet succes geweest omdat zijn systeem zo bedwelmd was geweest met drugs; maar op zijn voorliefde voor kattenbloed na, redde Bubby zich tamelijk goed. De vampiergemeenschap zorgde goed voor hem. Eric hield Bubba in dienst als loopjongen. Bubba's glanzend zwarte haar was altijd gekamd en gestileerd, zijn lange bakkebaarden scherp bijgeknipt. Vandaag droeg hij een zwartleren jack, een nieuwe spijkerbroek, en een zwart-met-zilver Schots geruit overhemd.

'Je ziet er goed uit, Bubba,' zei ik bewonderend.

'U ook, miss Sookie.' Hij straalde naar me.

'Wou je me iets vertellen?'

'Ja m'vrouw. Meneer Eric stuurde me hierheen om u te vertellen dat hij niet is wat hij lijkt.'

Ik knipperde.

'Wie, Bubba?' vroeg ik, en ik probeerde mijn stem kalm te laten klinken.

'Hij heeft een man geslagen.'

Ik staarde niet naar Bubba's gezicht omdat ik dacht dat ik daar iets mee zou bereiken, maar omdat ik de boodschap probeerde te ontcijferen. Dat was een vergissing; Bubba's ogen begonnen alle kanten op te schieten, en de lach verdween van zijn gezicht. Ik had me moeten omdraaien en naar de muur moeten staren – dat had me net zoveel informatie opgeleverd, en Bubba zou niet zo angstig zijn geworden.

'Bedankt, Bubba,' zei ik, terwijl ik hem op zijn stevige schouder klopte. 'Dat heb je goed gedaan.'

'Kan ik nou gaan? Terug naar Shreveport?'

'Tuurlijk,' zei ik. Ik zou Eric wel bellen. Waarom had hij de telefoon niet gebruikt voor een boodschap die zo dringend en belangrijk was als deze scheen te zijn?

'Ik heb een sluiproute naar het dierenasiel gevonden,' deelde Bubba trots en vertrouwelijk mee.

Ik slikte. 'O, nou, fantastisch,' zei ik, en ik probeerde me niet onpasselijk te voelen.

'See ya later, alligator,' riep hij vanaf de rand van het parkeerterrein. Net wanneer je dacht dat Bubba de beroerdste vampier ter wereld was, deed hij zoiets als bewegen met een snelheid die je gewoon niet kon volgen.

'After a while, crocodile,' zei ik gehoorzaam.

'Was dat wie ik denk dat het was?' De stem klonk vlak achter me.

Ik schrok op. Ik draaide me vliegensvlug om en ontdekte dat Charles zijn post achter de bar had verlaten.

'Je maakte me aan het schrikken,' zei ik, alsof hij dat niet had kunnen zien.

'Sorry.'

'Ja, dat was hem.'

'Dacht ik al. Ik heb hem nog nooit in levenden lijve horen zingen. Dat moet geweldig zijn.' Charles staarde naar de parkeerplaats alsof hij hard nadacht over iets anders. Ik had beslist de indruk dat hij niet naar zijn eigen woorden luisterde.

Ik deed mijn mond open om een vraag te stellen, maar voordat de woorden mijn lippen bereikten, dacht ik nog eens echt na over wat de Engelse piraat zojuist had gezegd, en de woorden verstarden in mijn keel. Na een lange aarzeling wist ik dat ik iets moest zeggen, of hij zou weten dat er iets mis was.

'Nou, ik moet geloof ik maar weer aan het werk,' zei ik, en ik lachte de stralende lach die op mijn gezicht tevoorschijn schiet als ik nerveus ben. En, sjonge, wat was ik nu nerveus. Die ene spectaculaire openbaring die ik had gehad, liet alles op zijn plek vallen in mijn hoofd. Elk haartje op mijn armen en nek stond rechtop. Mijn vechten-of-vluchtenreflex stond stevig gericht op 'vluchten'. Charles stond tussen de buitendeur en mij. Ik begon me achteruit te bewegen, de gang door in de richting van het café.

De deur van het café naar de gang werd meestal opengelaten, want er liepen continu mensen de gang door om gebruik te maken van de toiletten. Maar nu was hij dicht. Hij had opengestaan toen ik door de gang was gelopen om met Bubba te praten.

Dit zat niet goed.

'Sookie,' zei Charles, achter me. 'Dit spijt me oprecht.'

'Jij was het die Sam neerschoot, hè?' Ik reikte naar achter, tastte in het rond naar de deurknop die die deur zou openen. Hij zou me toch niet vermoorden waar al die mensen bij waren, of wel? Toen herinnerde ik me de nacht dat Eric en Bill korte metten gemaakt hadden met een kamer vol mannen in mijn huis. Ik weet nog dat ze er slechts drie of vier minuten over hadden gedaan. Ik weet nog hoe de mannen er naderhand uit hadden gezien.

'Ja. Het was een gelukkig toeval dat jij de kokkin betrapte, en dat ze bekende. Maar ze bekende niet dat ze Sam had neergeschoten, hè?'

'Nee, inderdaad,' zei ik verstijfd. 'Alle anderen wel, maar Sam niet, en de kogel kwam niet overeen.'

Mijn vingers vonden de knop. Als ik hem omdraaide, bleef ik misschien leven. Maar misschien ook niet. Hoeveel waarde hechtte Charles aan zijn eigen leven?

'Jij wilde de baan hier,' zei ik.

'Ik dacht dat de kans groot was dat ik van pas zou komen als Sam uit beeld was verdwenen.'

'Hoe wist je dat ik Eric om hulp zou vragen?'

'Dat wist ik niet. Maar ik wist dat iemand hem zou vertellen dat het café in de problemen zat. En omdat het erop neerkwam dat hij jou zou helpen, zou hij het doen. Het was het meest logisch om mij te sturen.'

'Waarom doe je dit allemaal?'

'Eric staat in het krijt.'

Hij kwam dichterbij, maar niet heel snel. Misschien weifelde hij om tot de daad over te gaan. Misschien hoopte hij op een gunstiger moment, waarop hij me in stilte van het leven kon beroven.

'Het ziet ernaar uit dat Eric heeft ontdekt dat ik niet uit het nest van Jackson kom, zoals ik had verteld.'

'Ja. Je pikte het verkeerde uit.'

'Waarom? Het leek me ideaal. Veel mannen daar; je zou ze niet allemaal hebben gezien. Niemand kan zich alle mannen herinneren die in die villa zijn geweest.'

'Maar ze hebben Bubba horen zingen,' zei ik zacht. 'Hij heeft één avond voor ze gezongen. Dat zou je nooit vergeten zijn. Ik weet niet hoe Eric erachter kwam, maar ik wist het meteen toen je zei dat je nog nooit...'

Hij sprong op.

Ik lag binnen één seconde op mijn rug op de grond, maar mijn hand zat al in mijn zak, en hij deed zijn mond open om te bijten. Hij steunde op zijn armen, in een hoffelijke poging om niet echt boven op me te liggen. Zijn hoektanden stonden volledig uit, en ze glinsterden in het licht.

'Ik moet dit doen,' zei hij. 'Ik heb het gezworen. Het spijt me.'

'Mij niet,' zei ik, en ik stak de zilveren ketting in zijn mond, terwijl ik de muis van mijn hand gebruikte om zijn kaak dicht te klappen.

Hij schreeuwde en haalde naar me uit, en ik voelde een rib kraken, en er kwam rook uit zijn mond. Ik krabbelde ervandoor en gilde zelf ook maar eens. De deur vloog open, en een stroom cafébezoekers denderde de kleine gang op. Sam schoot uit de deur van zijn kantoor alsof hij uit een kanon was afgevuurd; hij bewoog zich erg goed voor een man met een gebroken been, en tot mijn verbazing had hij een paal in zijn hand. Tegen die tijd werd de schreeuwende vampier door zoveel stevige mannen in spijkerbroek neergedrukt dat je hem niet eens meer kon zien. Charles probeerde te bijten waar hij kon, maar zijn verbrande mond was zo pijnlijk dat zijn pogingen zwak waren.

Catfish Hunter scheen onder in de hoop te liggen, en had rechtstreeks contact. 'Geef me die paal eens aan, jongen!' riep hij achterom naar Sam. Sam gaf hem aan Hoyt Fortenberry, die hem aan Dago Guglielmi doorgaf, die hem overdroeg aan Catfish' harige hand.

'Wachten we op de vampierpolitie, of rekenen we er zelf mee af?' vroeg Catfish. 'Sookie?'

Na een afschuwelijk moment van verleiding, opende ik mijn mond om te zeggen: 'Bel de politie.' De politie van Shreveport had een team van vampieragenten, en eveneens het benodigde speciale transportatievoertuig en speciale gevangeniscellen.

'Maak er een eind aan,' zei Charles, ergens van onder de krioelende stapel mannen. 'Ik heb gefaald in mijn missie, en ik kan gevangenissen niet verdragen.'

'Okidoki,' zei Catfish, en hij doorboorde hem.

Toen het voorbij was en het lichaam was vergaan, gingen de mannen het café weer in en gingen ze aan de tafels zitten waaraan ze hadden gezeten voordat ze de worsteling in de gang hadden gehoord. Het was ongelooflijk vreemd.

Er werd niet veel gelachen, en er werd niet veel geglimlacht, en niemand die in het café was gebleven vroeg aan degenen die waren vertrokken wat er was gebeurd.

Natuurlijk was het verleidelijk om te denken dat dit een echo was van die verschrikkelijke oude tijd, toen zwarte mannen werden gelyncht als er ook maar een gerucht bestond dat ze naar een blanke vrouw hadden geknipoogd.

Maar, weet je, de vergelijking ging gewoon niet op. Inderdaad, Charles was van een ander ras. Maar hij had geprobeerd me te vermoorden en was dus zo schuldig als wat. Ik zou dertig seconden later dood zijn geweest, ondanks mijn afleidingstactiek, als de mannen van Bon Temps niet tussenbeide waren gekomen.

We hadden in veel opzichten geluk. Er was niet één ordehandhaver in het café die avond. Nog geen vijf minuten nadat iedereen weer aan zijn tafel zat, kwam Dennis Pettibone, de technisch rechercheur, binnen om een bezoekje aan Arlene te brengen. (De keukenhulp was trouwens nog steeds bezig de vloer te dweilen.) Sam had mijn ribben met elastisch Ace-verband verbonden in zijn kantoor, en ik liep naar hem toe, langzaam en voorzichtig, om Dennis te vragen wat hij wilde drinken.

We hadden geluk dat er geen buitenstaanders waren. Geen studenten uit Ruston, geen truckers uit Shreveport, geen familieleden die langs waren gekomen voor een biertje met een neef of een oom.

We hadden geluk dat er niet veel vrouwen waren. Ik weet niet waarom, maar ik beeldde me in dat een vrouw eerder geneigd was onpasselijk te worden van Charles' executie. Ik voelde me er trouwens zelf behoorlijk onpasselijk van, als ik mezelf niet gelukkig aan het prijzen was dat ik nog leefde.

En Eric had geluk toen hij ongeveer dertig minuten later het café binnenvloog, want Sam had geen palen meer bij de hand. Hoe nerveus iedereen ook was, een of andere koppige ziel zou aangeboden hebben om Eric uit te schakelen: maar hij zou er niet relatief ongeschonden uitkomen, zoals degenen die Charles hadden gevloerd.

En Eric had ook geluk dat de eerste woorden uit zijn mond 'Sookie, ben je in orde?' waren. In zijn bezorgdheid greep hij me vast, één hand aan elke kant van mijn middel, en ik schreeuwde het uit.

'Je bent gewond,' zei hij, en toen werd hij zich ervan bewust dat er vijf of zes mannen waren opgesprongen.

'Ik heb alleen maar wat zere plekken,' zei ik, terwijl ik een reusachtige inspanning leverde om normaal te lijken. 'Er is niets aan de hand. Dit hier is mijn vriend Eric,' zei ik vrij luid. 'Hij heeft geprobeerd contact met me op te nemen, en nu weet ik waarom het zo dringend was.' Ik keek elke man recht aan, en één voor één vielen ze terug in hun stoel.

'Laten we ergens gaan zitten om te praten,' zei ik heel zachtjes.

'Waar is hij? Ik zal die schoft zelf doorboren, wat Hot Rain ook op me afstuurt.' Eric was woedend.

'Het is al afgehandeld,' siste ik. 'Doe nou eens effe relaxed.'

Met Sams toestemming gingen we naar zijn kantoor, de enige plek in het pand die zowel stoelen als privacy bood. Sam stond weer achter de bar, gezeten op een hoge kruk met zijn been op een lagere kruk, terwijl hij zelf alle barwerkzaamheden deed.

'Bill heeft zijn database doorzocht,' zei Eric trots. 'De schoft zei tegen me dat hij uit Mississippi kwam, dus ik beschouwde hem als een van Russells afgedankte mietjes. Ik heb Russell zelfs nog gebeld, om te vragen of Twining goed voor hem had gewerkt. Russell zei dat hij zoveel nieuwe vampiers in de villa had, dat hij zich Twining slechts vaag kon herinneren. Maar Russell, zoals ik merkte in Josephine's Bar, is niet het soort manager als ik.'

Ik slaagde erin te glimlachen. Dat was beslist waar.

'Dus toen ik nieuwsgierig werd, vroeg ik Bill aan het werk te gaan, en Bill traceerde Twining vanaf zijn geboorte als vampier tot aan zijn gelofte aan Hot Rain.'

'Was die Hot Rain degene die van hem een vampier maakte?'

'Nee, nee,' zei Eric ongeduldig. 'Hot Rain maakte een vampier van de heer van de piraat. En toen Charles' heer was gedood in de Franse en Indiase Oorlog, deed hij Hot Rain zijn gelofte. Toen Hot Rain niet blij was met Long Shadows dood, stuurde hij Charles om betaling te vorderen voor de schuld waarvan hij vond dat hij die nog tegoed had.'

'Waarom zou die schuld worden opgeheven door mij te vermoorden?'

'Omdat hij na het horen van de geruchten en veel graafwerk, besloot dat jij belangrijk voor me was, en dat jouw dood mij net zo erg zou kwetsen als die van Long Shadow hem had gekwetst.'

'Ah.' Ik kon helemaal niets bedenken om te zeggen. Helemaal niets.

Ten slotte vroeg ik: 'Dus Hot Rain en Long Shadow hebben het ooit samen gedaan?'

Eric zei: 'Ja, maar het was niet de seksuele connectie, het was de... de affectie. Dat was het waardevolle aan de band.'

'Dus omdat die Hot Rain besloot dat de boete die jij hem had betaald voor de dood van Long Shadow hem gewoon geen vrede gaf, stuurde hij Charles om jou iets aan te doen wat net zo pijnlijk was.'

'Ja.'

'En Charles ging naar Shreveport, hield zijn oren open, kwam dingen over mij te weten, besloot dat mijn dood volledige voldoening schonk.'

'Kennelijk.'

'Dus hij had van de schietpartijen gehoord, wist dat Sam een veranderaar was, en schoot Sam neer zodat hij een goede reden had om naar Bon Temps te komen.'

'Ja.'

'Dat is erg, erg gecompliceerd. Waarom viel Charles me niet gewoon onverhoeds aan op een avond?'

'Omdat hij het op een ongeluk wilde laten lijken. Hij wilde dat een vampier geen enkele blaam trof, want hij wilde niet alleen niet betrapt worden, maar ook wilde hij niet dat Hot Rain zich nadelige gevolgen op de hals zou halen.'

Ik sloot mijn ogen. 'Hij stak mijn huis in brand,' zei ik. 'Niet die arme Marriot-kerel. Ik weet zeker dat Charles hem had vermoord voor het café die avond ook maar was gesloten en hem mee terug had genomen naar mijn huis zodat hij de schuld zou krijgen. De kerel was immers een onbekende in Bon Temps. Niemand zou hem missen. O mijn god! Charles had mijn sleutels geleend! Die man lag vast en zeker in mijn kofferbak! Niet dood, maar gehypnotiseerd. Charles plantte dat kaartje in de zak van die kerel. Die arme gozer was net zomin lid van het Verbond van de Zon als ik.'

'Het moet frustrerend voor Charles zijn geweest, toen hij ontdekte dat je was omringd door vrienden,' zei Eric een beetje kil, aangezien een paar van die 'vrienden' zojuist luidruchtig voorbij waren geklost, en een bezoekje aan de wc als voorwendsel gebruikten om hem in het oog te houden.

'Ja, vast.' Ik glimlachte.

'Je lijkt er beter uit te zien dan ik had verwacht,' zei Eric wat weifelend. 'Niet zo getraumatiseerd, zoals ze nu zeggen.'

'Eric, ik ben een geluksvogel,' zei ik. 'Vandaag heb ik ergere dingen gezien dan je je kunt voorstellen. Ik kan alleen maar denken: ik ben ontsnapt. Trouwens, Shreveport heeft nu een nieuwe troepmeester, en hij is een leugenachtige, valse schoft.'

'Dan neem ik aan dat Jackson Herveaux zijn kans op de baan heeft verspeeld.'

'Hij heeft meer verspeeld dan dat.'

Erics ogen werden groter. 'Dus de strijd was vandaag. Ik had gehoord dat Quinn in de stad was. Normaal houdt hij overtredingen beperkt tot het minimum.'

'Het was niet zijn keuze,' zei ik. 'Er werd tegen Jackson gestemd; het had hem moeten helpen, maar dat... was niet zo.'

'Waarom was je daar? Probeerde die verdomde Alcide je voor een of ander doel te gebruiken in de strijd?'

'Moet je horen wie het over gebruiken heeft.'

'Ja, maar ik ben er open over,' zei Eric, zijn blauwe ogen wijd open en argeloos.

Ik moest lachen. Ik had verwacht dat ik dagen, of weken, niet zou lachen, en hier stond ik nu te lachen. 'Klopt,' gaf ik toe.

'Dus, moet ik hieruit opmaken dat Charles er niet meer is?' vroeg Eric tamelijk nuchter.

'Dat is juist.'

'Zo, zo. De mensen hier zijn onverwacht stoutmoedig. Wat voor schade heb je geleden?'

'Gebroken rib.'

'Een gebroken rib stelt niet veel voor als een vampier vecht voor zijn leven.'

'Alweer juist.'

'Toen Bubba terugkwam en ik ontdekte dat hij zijn boodschap niet echt had overgebracht, haastte ik me hierheen om je galant te redden. Ik heb vanavond geprobeerd het café te bellen om je te zeggen dat je op je hoede moest zijn, maar Charles nam telkens de telefoon op.'

'Dat was uitermate galant van je,' gaf ik toe. 'Maar niet nodig, zoals is gebleken.'

'Nou, goed... Dan ga ik terug naar mijn eigen bar om naar mijn eigen klanten te kijken vanuit mijn eigen kantoor. We zijn onze Fangtasia-productlijn aan het uitbreiden.'

'O?'

'Ja. Wat zou je denken van een naaktkalender? "Fangtasia's Vampierspetters" is hoe Pam vindt dat hij moet heten.'

'Sta jij er ook op?'

'O, natuurlijk. Mr. Januari.'

'Nou, noteer er maar drie voor mij. Ik zal er één aan Arlene geven en één aan Tara. En ik zal er één aan mijn eigen muur hangen.'

'Als je belooft hem op mijn foto open te laten, geef ik je er één voor niks,' beloofde Eric.

'Afgesproken.'

Hij stond op. 'Nog één ding voor ik ga.'

Ik stond ook op, maar iets langzamer.

'Het kan zijn dat ik je begin maart moet inhuren.'

'Ik kijk wel op mijn kalender. Wat is er aan de hand?'

'Er wordt een kleine topconferentie gehouden. Een bijeenkomst van de koningen en koninginnen van een paar zuidelijke staten. De locatie is nog niet afgesproken, maar als het zover is, wilde ik je vragen of je vrij kunt krijgen van je werk om mij en mijn mensen te vergezellen.'

'Zo ver kan ik op dit moment nog niet vooruitdenken, Eric,' zei ik. Ik voelde een huivering door me heen gaan toen ik het kantoor uit liep.

'Wacht even,' zei hij opeens, en hij stond vliegensvlug voor me.

Ik keek op, en ik voelde me ongelooflijk moe.

Hij boog en kuste me op mijn mond, zo zacht als het gefladder van een vlinder.

'Je zei dat ik je had verteld dat jij de beste was die ik ooit had gehad,' zei hij. 'Maar vond jij dat ook van mij?'

'Dat zou je wel willen weten, hè?' zei ik, en ik ging weer aan het werk.

Woord van dank

Ik heb Patrick Schulz niet bedankt voor het uitlenen van zijn Benelli voor het laatste boek – sorry, jongen. Voor mijn vriend Toni L.P. Kelner, die me attent maakte op enkele problemen in de eerste helft van het boek, neem ik beslist mijn petje af. Mijn vriendin Paula Woldan gaf me morele steun en wat informatie over piraten, en was bereid om het met me uit te houden op Talk Like a Pirate Day. Haar dochter Jennifer heeft mijn leven gered door me te helpen bij de voorbereiding van het manuscript. Shay, een Trouwe Lezer, had het geweldige idee voor de kalender. En in mijn dank aan de familie Woldan moet ik ook Jay opnemen, al jaren een vrijwillige brandweerman, die zijn kennis en expertise met me deelde.